P9-CLI-480

Xavier Patier

Le roman de Chambord

Editor
Lisa R. Tucci

Annotation by
Art&Media Communications

THE ORIGINAL FRENCH TEXT
WITH A FRENCH-ENGLISH GLOSSARY

LIN·GUAL·I·TY CAMBRIDGE

ISBN-13: 978-0-9795037-88

Original novel first published in France by Éditions du Rocher.

10 9 8 7 6 5 4 3 2

Xavier Patier

Le roman de Chambord

hublot window seat (*literally:* porthole)
François Ier King of France who built Chambord (1494-1547)
marques bearings
sable sand
labours plowed fields
Beauce a region southwest of Paris
terroirs lands, terrains
Sologne a region of north-central France
Remontez Raise
l'amont upstream
panache plume
centrale electric plant
Saint-Laurent-des-Eaux former municipality of the Loir-et-Cher department
repère landmark
chapelet d'étangs miroitant string of glimmering ponds
à l'écart at a distance
jouxtent are next to, adjoin
dissimulée hidden, concealed
désignent form, comprise
douves *literally:* moats [here used figuratively to describe the waters surrounding the ponds]
parfois at times
ardoise slate
rouage d'entreprise cog-in-a-wheel businessman [a typical middle manager]
en règle générale as a rule
quadragénaire someone in their 40s

Introduction

Si vous avez l'occasion de prendre un vol d'Air France entre Toulouse et Paris, arrangez-vous pour obtenir un **hublot** avec la lettre « F » – « F » comme « **François Ier** » –, du côté droit de l'avion. Par temps clair, en hiver de préférence, à l'instant où le commandant de bord annoncera que la descente vers Orly commence, vous verrez Chambord. Ce ne sera pas commode : prenez d'abord vos **marques** avec la Loire, vaste fleuve de **sable** séparant les **labours** clairs de **Beauce** des **terroirs** plus sombres de **Sologne**. **Remontez** des yeux le fleuve vers **l'amont** depuis le pont de Blois[1] jusqu'au **panache** blanc de la **centrale** de **Saint-Laurent-des-Eaux**, votre principal **repère**. À partir de là, un soupçon plus au sud, vous apercevrez un **chapelet d'étangs miroitant** au milieu des forêts. Trois d'entre eux sont **à l'écart** des autres : ils s'appellent « étang de la Thibaudière », « étang Neuf », et « étang des Bonshommes ». Ils **jouxtent** une petite rivière à moitié **dissimulée** par les bois. Ensemble, ils **désignent** un point blanc entouré sur deux côtés par l'eau noire des **douves** et prolongé vers l'est par un vaste canal, posé au milieu de la forêt et à la fois ouvert vers la plaine : Chambord. Ce point minuscule dont **parfois** le soleil d'hiver fait resplendir jusqu'au ciel un détail, vitre ou **ardoise**, est la plus grande chose du monde, le château le plus mystérieux, le plus fou, le plus incompréhensible de tous les temps. Le voir depuis un avion, assis à côté d'un **rouage d'entreprise** – **en règle générale** un **quadragénaire**

---

1 Blois is a royal city, capital of Loir-et-Cher department in central France. France is divided into 26 administrative regions that are further subdivided into 100 departments.

Les Échos the first daily French financial newspaper
de surcroît moreover
impudiquement shamelessly
Touraine a region of the Loire Valley
l'Orléanais the area around Orleans in north-central France
damier checkerboard
beauceron of the Beauce region
fouillis jumble
solognot of the Sologne region
hectares hectare = approx 2.5 acres
circonscrite limited
j'avoue I confess/admit
m'a procuré gave me
éprouver to become aware of, to feel
Alfred de Vigny 19th century French writer and playwright

marais *swamps, marshes*
chênes *oak trees*
contraint *obliged, forced to*
brouillard *fog*
Vie de Rancé a novel by Chateaubriand

enceinte compound enclosure
voiliers *literally: sailboats* [reference to yellow-flowered plants growing wild]
lieues *leagues*
bâtisse *building*

cravaté plongé dans ***Les Échos*** ou dans son ordinateur portable –, le voir **de surcroît** de trop haut, **impudiquement**, d'un regard qui porte de la **Touraine** à **l'Orléanais** et embrasse d'un coup d'œil l'interminable **damier beauceron** et l'immense **fouillis solognot**, le découvrir tellement réduit, tellement situé, et songer que cette tache brune autour de lui est un parc de cinq mille **hectares** où l'on peut se perdre, théâtre de mortelles passions, songer que cette chose **circonscrite**, comme à portée de main, est un lieu de mystère infini, **j'avoue** que plus d'une fois cela **m'a procuré** une sensation étrange et mélancolique. Voir la terre du ciel, c'est **éprouver** la finitude de la France. Mieux vaut aborder Chambord par la route. **Alfred de Vigny**, dans *Cinq-Mars*[2], en a donné un mode d'emploi.

Dans une petite vallée fort basse, écrit-il, *entre des **marais** fangeux et un bois de grands **chênes**, loin de toute route, on rencontre tout à coup un château royal, ou plutôt magique. On dirait que, **contraint** par quelque lampe merveilleuse, un génie d'Orient l'a enlevé pendant une des mille et une nuits et l'a dérobé au pays du soleil, pour le cacher dans ceux du **brouillard** avec les amours d'un beau prince.*

Et Chateaubriand[3], dans la ***Vie de Rancé***, propose sa propre clef :

*Quand on arrive à Chambord, on pénètre dans le parc par une de ses portes abandonnées ; elle s'ouvre sur une **enceinte** décrépite et plantée de **voiliers** jaunes ; elle a sept **lieues** de tour. Dès l'entrée on aperçoit le château au fond d'une allée descendante. En avançant sur l'édifice il sort de terre dans l'ordre inverse d'une **bâtisse** placée*

---

2 The novel *Cinq-Mars* (1826) by Alfred de Vigny (1797-1863) was the first important French historical novel centered around the exploits of Louis XIII's favorite, the Marquis de Cinq-Mars and his conspiracy against Cardinal de Richelieu, for which he was beheaded.

3 François-René de Chateaubriand (1768-1848) diplomat, politician, and writer, considered the founder of Romanticism in French literature.

s'abaisse *moves lower*
arrière-petit-fils *great-grandson*
enseveli *buried*
flairé sensed, detected
terme end
parcours pathway
initiatique initiatory
orgueilleux proud
juchés perched
chariot cart
prétendent pretend
en mettre d'emblée plein la vue tries to stun at first sight
se dévoilent reveal themselves
à l'esbroufe showing off
aborde approach
écartant pushing aside
s'égarant loses oneself
pressé in a hurry
ne se livre pas doesn't reveal itself
Il vous saisit au fil du temps It grips you over time
lancinant piercing, heartwrenching
inaccompli unfinished, unrealized
affirment assert, claim
Chambre des comptes Treasury

chantier construction site
ont suscité have created
de quoi empiler when amassed
quintaux quintals=100kg
maison forestière hunting lodge, house (nestled) in the woods

noircissait blackened
fit caused to [*simple past tense*]
arrêt judgment, edict

*sur une hauteur, laquelle **s'abaisse** à mesure qu'on en approche. François Ier, **arrière-petit-fils** de Valentine de Milan, s'était **enseveli** dans les bois de France.*

Les deux écrivains ont **flairé** le même secret : Chambord est un lieu dérobé. « Caché dans le brouillard » pour l'un, « enseveli dans les bois » pour l'autre. Ils ont compris que Chambord, comme le trésor des contes de fées, se découvre au **terme** d'un **parcours initiatique**. Chambord n'est pas de ces châteaux **orgueilleux juchés** sur un promontoire comme une pâtisserie sur un **chariot** à desserts, de ces palais qui **prétendent** vous **en mettre d'emblée plein la vue**, **se dévoilent** d'un coup, **à l'esbroufe**, et de près ne tiennent aucune des promesses que de loin ils vous font. Chambord est un château à digestion lente, qu'on **aborde** en **écartant** des branches, où l'on pénètre en **s'égarant**. Il ne promet rien au voyageur **pressé**, il offre tout à qui sait patienter. Le château de Chambord **ne se livre pas** à la première rencontre. **Il vous saisit au fil du temps**, et lorsque vient ce jour où vous vous prenez à l'aimer, d'un amour **lancinant**, d'un amour douloureux comme l'attachement d'un rêve **inaccompli**, alors seulement vous pouvez commencer à parler de lui. Comment écrire l'histoire de Chambord ? Pour commencer, j'ai fait ce que tout le monde à ma place aurait fait : j'ai rassemblé des documents. Les historiens du château **affirment** que les sources manquent. Un grand nettoyage des archives opéré par la **Chambre des comptes** au xviiie siècle nous a certes privés de l'essentiel des dossiers originaux du **chantier**. Mais tout de même, le bâtiment, le parc, la forêt **ont suscité** en cinq siècles **de quoi empiler** plusieurs **quintaux** de papier imprimé. Je me suis installé tôt matin dans une antique **maison forestière**, au milieu du parc de Chambord. J'ai emporté des fiches, du papier, un stylo, un ordinateur et pas de téléphone. Près d'un bon feu de cheminée (dehors la pluie d'hiver **noircissait** les branches des chênes), j'ai tiré la table où j'avais disposé une première série de documents. Le premier que le hasard **fit** tomber sous ma main était la copie d'un **arrêt** du

Conseil d'État Council of State, France's highest tribunal

métairie small property, land holding
éleveurs stock breeders
du tort au gibier harm to (the) game

Roi-Soleil The Sun King, Louis XIV (1638-1715)
ne badinait pas avec did not take lightly
censément allegedly

crépitait crackled
j'ignorais I was unaware of
rasée torn down, demolished
revirement reversal, repeal

dommage legal consequences
prévenu forewarned
âtres hearths
chemises cotées files, dossiers

demi-millénaire half-millennial

Le gué du méandre The maze of the crossing

Il riait aux éclats He roared with laughter

sot silly, foolish

Conseil d'État du roi rendu le 30 décembre 1710, sur le rapport d'un certain sieur Desmaretz, conseiller ordinaire. Cet arrêt décidait que la **métairie** de la Hannetière, sise dans le parc de Chambord, occupée par des **éleveurs** sans titre dont les animaux faisaient « **du tort au gibier** », serait « incessamment détruite ». Le marquis de Saumery, gouverneur de Chambord, était chargé de l'exécution de cet arrêt. Décision radicale, me dis-je, comme on en prenait à l'époque du **Roi-Soleil**, qui **ne badinait pas avec** la chasse. Mais il y avait une incohérence : la métairie de la Hannetière, **censément** détruite par le marquis de Saumery, c'était la maison où je me trouvais. Derrière mon dos, comme autrefois, le feu **crépitait**. Le gouverneur n'avait pas exécuté l'arrêt du 30 décembre 1710 : pour une raison que **j'ignorais**, la Hannetière n'avait pas été **rasée**. Évidemment le dossier n'expliquait pas ce **revirement**. Une décision de justice prise en Conseil du roi, ce roi fût-il Louis XIV, à Chambord on a pu sans **dommage** oublier de l'exécuter sur le terrain ! J'étais **prévenu** : l'histoire de Chambord ne se lit pas dans les bibliothèques. Elle s'apprend auprès des **âtres**, dans les pierres et dans les bois autant que dans les **chemises cotées** des Archives nationales. Bien plus, l'histoire de Chambord, pour nous Français, elle se lit d'abord dans nos âmes. Partir à la recherche du roman de Chambord revient à entreprendre un voyage au cœur de notre identité profonde, à se livrer à un difficile exercice d'introspection, tant depuis un **demi-millénaire** l'histoire de Chambord a reflété l'histoire des rêveries françaises.

Le gué du méandre

François n'était pas un garçon comme les autres. Il regardait les filles dans les yeux. À dix-sept ans, il mesurait déjà plus d'un mètre quatre-vingt-dix. Il parlait fort. **Il riait aux éclats**. Il mangeait comme quatre. On le disait plus doué pour le sport que pour les études. Non qu'il fût **sot** – il était brillant et beau parleur –, mais il avait horreur de rester enfermé. On lui apprenait

le grand air the open air, the great outdoors
propre own, personal
au premier degré to the fullest
gibier quarry
Bien que Even though
goûtait had a taste for, enjoyed
clinquant flashy, ostentatious
sondait explored
depuis coming from
se répandait there spread
exigeant demanding
ne puisait plus no longer drew
une chasse à courre the hunt/chase
appuie rests
poing fist
hanche hip
pourpoint doublet
couches layers
bougran buckram
renfort lining
taille waist
retient holds
aiguillettes nouées knotted steel-tipped ribbon decoration
par-dessus above
haut-de-chausses stockings
braguette fly, codpiece
proéminente prominent
chausses bloomers
travers diagonally
collet collar
basques short coattails [of a period jacket]
vieux jeu out of fashion
seigneurs high-and-mighty, lords

la rhétorique, mais il préférait **le grand air**. On lui enseignait l'Histoire de France, mais c'était de sa **propre** histoire qu'il se préoccupait. Il vivait **au premier degré**. Il aimait les femmes plutôt que l'amour. Il aimait les chevaux plutôt que la cavalerie. Il aimait le **gibier** plutôt que la chasse. Il aimait les artistes plutôt que l'art. Il ne se regardait pas en train de vivre : il vivait. Il aimait la vie, il aimait l'Italie, il aimait les beaux-arts, mais il les aimait comme on aime le foie gras. **Bien que** très loin d'être un contemplatif, il se montrait sensible aux beaux objets. Et en ce domaine, il **goûtait** le **clinquant**, le riche, le rouge, le doré, ce qui en met plein la vue. François **sondait** ce que vaut l'art, mis au service d'un prince. Il était né à cette époque cruciale où, **depuis** l'Italie, **se répandait** en France un art **exigeant** qui pourtant **ne puisait plus** son inspiration dans la seule chrétienté. Il avait appris le latin. Cependant l'Antiquité l'inspirait plus que les pères de l'Église. Et surtout il aimait la chasse. Un après-midi d'automne, sans doute en 1512, à l'occasion d'**une chasse à courre** offerte par son cousin le roi Louis XII, François découvre Chambord. L'adolescent est solidement assis sur son cheval ; il porte un chapeau sur la tête et **appuie** le **poing** sur la **hanche**. Son **pourpoint**, rigidifié par plusieurs **couches** de **bougran** et un **renfort** de cuir, est bleu et gris. À la **taille**, il **retient** par des **aiguillettes nouées par-dessus** un **haut-de-chausses** rouge, à **braguette proéminente**, ses **chausses** taillées dans le **travers** d'un drap de laine blanche. Il ne porte pas de haut **collet**, ni de **basques** longues, comme le roi. Le jeune François trouve ces ornements **vieux jeu** : on lui a appris que les **seigneurs** d'Italie n'en portaient plus. Il regarde loin devant lui, souriant de ce demi-sourire qui deviendra célèbre. Un médaillon daté de cette année-là donne une idée du genre qu'il veut se donner, et qui

agace annoyed
menton chin
chevelure hair [on his head]
épaisse thick
mine expression
Mais pour l'heure At that moment
Cosson a nearby river
franchie crossed
Longeant Following along
parvient à comes to, reaches
surplombe overhangs
semé sown (*figuratively*: scattered about with)
accroupies hunkered down
fumier manure
récapitulées contre abutting, pressed up against
arrimé bound, grasping
tertre mound, hillock
trapu squat
hameau hamlet
blotti clustered
donjon castle keep
en courbe at a bend
saules willows
d'ardoise made of slate
dépasse rises above
peupliers poplars
La Fontaine (1621-1695) French author most famous for his fables
verdure greenery
d'Aubusson world capital of tapestry located in the heart of France
du Bellay 16th-century poet
ne souffle pas isn't blowing
à double tour double-locked
épreuve print
Nadar 19th century French photographer
cliché snapshot

agace tant son vieux cousin le roi Louis : **menton** pointé en avant, nez fort, bouche sensuelle, **chevelure épaisse**, cou de taureau, et sur la tête une couronne de laurier, comme Jules César, François d'Angoulême prend une **mine** avantageuse. À dix-sept ans, il accepte de se faire dessiner en souverain antique. Comme s'il était déjà roi de France. Comme s'il était déjà empereur d'Occident. **Mais pour l'heure**, son souci est de passer la rivière **Cosson** : elle est trop large pour être **franchie** d'un bond, trop fangeuse pour être traversée au pas. Les chiens sont déjà de l'autre côté. Il faut les suivre. **Longeant** le bord, François d'Angoulême **parvient à** un pont. Un pont en bois, peu rassurant. Le pont **surplombe** un gué. C'est là qu'il faut passer. Sur la rive d'en face il y a un village. Modeste village, **semé** de cabanes **accroupies** au bord du cours d'eau, de tas de **fumier** dans les cours, de quelques maisons **récapitulées contre** une église de pierre grise, et d'un château enfin, solidement **arrimé** à un **tertre**, **trapu**, utilitaire, aveugle, sans message architectural à délivrer : tout ce que la Renaissance française déteste. Ce village s'appelle « Chambourg » ou « Chambord ». François le voit pour la première fois. L'endroit est sans prétention, mais harmonieux. Le **hameau blotti** contre son **donjon** est un résumé de la France de nos livres d'école avec sa rivière **en courbe**, les grands **saules** sur le bord, le pont, le clocher **d'ardoise** bleue qui **dépasse** des **peupliers**. Le paysage semble réciter une fable de **La Fontaine** ou poser pour une **verdure d'Aubusson**. François se prend à rêver. Tout négligeable qu'il paraisse, ce village médiéval a quelque chose d'une France idéale et prédestinée, incarnation de cette ruralité que **du Bellay** préféra aux marbres de Rome. C'est l'automne. Le vent **ne souffle pas**. Les cabanes portent des panaches de fumée tout droits. Aucun être humain n'est visible. Les portes, autant qu'on puisse en juger, sont fermées **à double tour**. Bien que la photographie dont je rêve soit une **épreuve** sur papier albuminé en noir et blanc tirée d'un négatif sur verre au collodion, style **Nadar**, je discerne sur le **cliché** un ciel bleu, des

fauves tawny, brown
pianotant dapple
ors golden hues
cuivré coppery
aulnes alders
hêtres beech trees
à contre-jour against the light
piaffé pawed the ground
trahit betrayed, revealed
songes dreams, musings
l'intimité the intimacy
marécageux marshy, swampy

veneurs hunters
coiffes hats, headdresses
croupes rumps, hindquarters
étouffés stifled
évanouis dying away
volée flock
moineaux sparrows
fracas clopping, clatter
met en correspondance compares, relates
s'attarder to linger

lisières the forest's edge

vaches **fauves**, et des feuillages autour de la rivière **pianotant** les **ors** de novembre, du vert **cuivré** des **aulnes** au jaune profond des **hêtres**. Le ciel est léger, un ciel émouvant de l'aube du xvie siècle, un ciel du Val de Loire qui voudrait ressembler à un ciel d'Italie. Le jeune François d'Angoulême a pris la photo un peu **à contre-jour**, face au sud, sans descendre de cheval. Cette photo d'amateur, tremblée parce que le cheval a **piaffé** au moment du déclic, **trahit** les **songes** du futur roi. Il l'a cadrée de manière à montrer ce qui lui plaît dans cet endroit et dans la vie en général : la sauvagerie des bois et **l'intimité** inaccessible des femmes. Sans le faire exprès, l'adolescent a saisi, à gauche de l'église, en bas du château vieux, l'espace **marécageux** où bientôt il construira son palais. Y pense-t-il déjà ? Je le crois. Le premier plan de la photo est vide. François avait voulu y faire poser une ou deux filles, histoire de donner du corps à l'image, mais les demoiselles du village n'ont pas voulu se laisser photographier par le prince. À l'approche des **veneurs**, des **coiffes** de lin, de larges **croupes** ondulant sous des jupes lourdes, des fous rires **étouffés** se sont **évanouis** comme une **volée** de **moineaux** dans le **fracas** des sabots de bois. Une seule femme du pays a rejoint l'équipage, une jolie cavalière, la comtesse de Thoury. Elle habite à deux lieues, et François a décidé de lui rendre visite. Il aime à rapprocher la galanterie et la chasse à courre. Une chansonnette qu'il affectionne, le *Dit du cerf amoureux*, **met en correspondance** le « courre » du gibier et la « cour » faite aux demoiselles. François a toujours une chasse d'avance. Il a horreur de **s'attarder**. Ça tombe bien : aussi loin qu'on remonte dans la mémoire des hommes, Chambord est un lieu où l'on ne s'arrête pas. Le nom de Chambord, du gaulois *cambo ritos*, le « gué du méandre », signale un point de transit, un passage obligé entre la Beauce et les marais solognots. Les populations d'autrefois étaient volontiers des populations de **lisières** : depuis toujours, l'homme a aimé vivre au bord des rivières ou à l'orée des bois. À Chambord, on vivait à la fois sur la rive de l'eau et à la limite de la forêt ; pour

s'installer settle, take up residence
passeur ferryman
craindre be bothered by
redouter be afraid of, fear
demeuraient reside, dwell
circulaient travel, move about
merci mercy
église est une collégiale collegiate, a church entrusted to a college of clerics
four banal common oven
châtellenie manor house
élevages breeding farms
l'écart de cut off/away from
sont pour quelque chose have their impact/share of responsibility
pernicieux pernicious
prieuré priory
desservie served
chanoine canon
traque hunts
sanglier wild boar
daim fallow deer
s'y exerce à practices there
fauconnerie falconry
faisans pheasants
perdrix partridges
à l'épieu by spear
filet net
piège trap
collet snare
furet ferret
l'arquebuse the arquebus, early muzzle-loaded firearm used in the 15th-17th centuries
courre horseback
à cor et à cri with whoops and cries

cette raison, le site était occupé depuis des temps très anciens. Mais pour **s'installer** ici, il fallait en plus une vocation de **passeur.** Il fallait ne pas **craindre** les moustiques en été ni les miasmes en hiver. Il fallait ne pas **redouter** les loups. Il fallait, pour ceux qui **demeuraient**, aimer vivre au service de ceux qui **circulaient.** Les « Chambourdins », comme déjà on les appelait, étaient un peuple sédentaire à la **merci** des voyageurs. Le village de Chambord, en 1512, année où François a pris sa photographie imaginaire, est un bourg sans destin. Ce n'est certes pas un lieu insignifiant : son **église est une collégiale**, on y trouve un **four banal**, une **châtellenie**, des **élevages** de cochons, des bœufs. Mais il est à **l'écart de** l'histoire. Depuis deux siècles, il a perdu la moitié de ses habitants. Les fièvres des marais y **sont pour quelque chose.** La guerre de Cent Ans[4] aussi. Les comtes de Blois et leurs successeurs continuent d'y venir, mais seulement pour y chasser, et plutôt en automne, quand l'air se fait moins **pernicieux.** Leurs ancêtres ont installé un **prieuré** à proximité en 1145. La chapelle y est **desservie** par un **chanoine** régulier de l'abbaye de Bourgmoyen. Mais la famille n'y habite plus. Le roi Louis XII vient à Chambord deux ou trois fois par an. C'est la forêt qui l'intéresse. Il y **traque** le **sanglier**, le **daim**, le cerf. Il **s'y exerce à** la **fauconnerie** aux dépends des **faisans** et des **perdrix.** Il expérimente toutes sortes de techniques, **à l'épieu**, au **filet**, au **piège**, au **collet** simple, au collet double, au **furet**, à **l'arquebuse**, à **courre, à cor et à cri.**

---

4 The Hundred Years' War (1337-1453), a conflict between two royal houses for the French throne.

réseau network
vestiaires changing rooms
au sein de within, at the heart of

butte féodale feudal hillock [a type of medieval defense system in which a small hill was created by digging around it, and building a fort or tower on top]

Moyen Âge Middle Ages
veneurs huntsmen
crottés muddy

toponymie toponymy, place names
gardé retained
pan section
éboulé crumbling
Juments Mares
haras stud farm
garenne rabbit warren
passeurs ferrymen
charbonniers charcoal makers
mènent lead
glandée acorn field
bûcherons lumberjacks
brémaille local name of the tall heather used for thatching
bruyère heather
confection making, construction
toitures roofs
entretiennent maintain, tend

Au fil des générations, les comtes de Blois avaient bâti ou acquis dans les environs un **réseau** de châteaux qui leur servaient de **vestiaires au sein de** leur terrain de jeu, vaste espace naturel fait de bois, de landes et de petites cultures : château de Bury en bordure de la forêt de Blois, château des Montils un peu plus loin vers l'ouest, château de Montrion en forêt de Russy, château de Montfraud à l'opposé, du côté de la forêt de Boulogne, château de Chambord exactement au milieu. Il faudrait ajouter encore la **butte féodale** des comtes Thibault, mais il n'en reste presque rien au moment de ma photo. En tout, à peu près vingt mille hectares. Un territoire superbe, à deux pas de la Loire. Presque tous ces châteaux, bâtis au fil du **Moyen Âge**, n'étaient ouverts que par intervalles et plutôt en hiver. Les **veneurs** y débarquaient tout **crottés**, ils y faisaient allumer de grands feux, ils y parlaient de chiens, de relais, de chevaux. Le roi Louis XII a conservé la tradition, à laquelle il initie son jeune cousin François. Et la **toponymie** a **gardé** jusqu'à nous des traces de ces usages : en limite orientale de la forêt de Chambord, derrière un **pan** de mur **éboulé** qui forme les dernières ruines du château de Montfraud, l'Office national des forêts mentionne sur ses plans encore aujourd'hui la parcelle dite du « parc à **Juments** », qui était le lieu où les comtes de Blois, jusqu'au XVe siècle, avaient disposé leur **haras** pour les chasses à courre. Au nord du village de Chambord, les plans indiquent la parcelle de la Faisanderie, correspondant à une ancienne **garenne** où ils élevaient les faisans, ou encore de la prairie des Gardes, référence aux gardes-chasse médiévaux. Les animaux sauvages sont au centre de la vie chambourdine découverte par François d'Angoulême. Depuis toujours, les habitants de Chambord vivent du gué, mais aussi de la forêt : ils sont **passeurs**, **charbonniers**, éleveurs de cochons qu'ils **mènent** à la **glandée**, **bûcherons**. Ils ramassent librement le bois mort, et aussi la « **brémaille** », sorte de haute **bruyère** qui, séchée, sert à la **confection** des **toitures**. Ils **entretiennent** le gué, accueillent des voyageurs dans une auberge de bois bâtie

à l'emplacement on the site

païens pagan
relais post-houses
pêchent fish
coups de main helping hand

futaie forest of tall trees

Thibault le Tricheur Thibaud the Cheat (910-975), powerful Count of Blois
quoique although
envahisseurs invaders
remontant going up
semé spread
l'ère carolingienne Carolingian Age (751-987), the period establishing a first stable dynasty, marked by Charlemagne as its greatest ruler
paisibles peaceful
devise (his) motto
somme toute in short, all in all
cailloux pebbles
motte féodale defensive hillock (same as previous, *butte*)
menait carried out
razzias raids
alentour sweeping, all around
s'était attribué had taken for himself/appropriated
curé priest
l'office the church service
tournure turn, twist
battue hunting
Or And then, But
las weary

près du pont, **à l'emplacement** occupé aujourd'hui par l'hôtel Saint-Michel. (C'est émouvant, comme les générations restent fidèles à la vocation première des lieux : on reconstruit sans le savoir des églises sur les sites des temples **païens**, des stations-service sur les emplacements des **relais** gaulois.) Ils **pêchent** les étangs. Ils donnent des **coups de main** pour la chasse du seigneur. Ils servent comme gardes. Avant la battue, ils prennent leurs consignes dans la Prairie, lieu devenu aujourd'hui une belle **futaie**. Ils chassent aussi pour eux-mêmes, à l'occasion. Le soir, ils racontent aux enfants une ancienne légende, l'histoire de **Thibault le Tricheur**. Thibault, dit la chronique, **quoique** neveu d'Hugues le Grand, duc de France, était de la race cruelle des Normands, arrière-petit-fils d'un des **envahisseurs** qui, **remontant** la Loire, avaient **semé** la terreur autour d'eux à l'aube de **l'ère carolingienne**, avant de devenir de **paisibles** Français. Proclamé vicomte de Tours en 920, puis premier comte de Blois, Thibault avait pris pour **devise** : *Passe avant le meilleur*, ce qui, **somme toute**, témoignait d'un esprit positif et entreprenant. Mais l'individu n'était pas sympathique. Il fit construire un premier château à Bury-sur-Cisse, dont il reste quelques **cailloux**, puis, dit-on, une **motte féodale** à Chambord, sans doute sur l'emplacement du futur château fort. De cet endroit, Thibault **menait** des **razzias alentour**. La chronique de l'époque le présente comme un mauvais sujet : « À homme ni femme il ne porte amitié, de fort ni de faible n'a merci... » Thibault chassait sans vergogne sur les terres de Chambord et de Boulogne, de la Loire au Beuvron, terrorisant les gens sur son passage. Il **s'était attribué** sans droit des terres autour de la forêt, ce qui lui valut le surnom de « le Tricheur ». Thibault le Tricheur allait quand même à la messe. Mais il exigeait du **curé** qu'il ne commençât point **l'office** avant qu'il fût arrivé à l'église, et la chose était fort variable, dépendant de la **tournure** que prenait la **battue** quotidienne. **Or**, un certain dimanche matin, **las** d'attendre, le curé de Chambord commença la messe sans lui. En arrivant,

furibond furious
paroissien parishioner
poignarda stabbed
meute pack [of hounds]

soumis suffered, subjected
inlassablement tirelessly

récris cries
plainte lament
trompes horns
frissonner shiver, shudder
couche bed
gare beware, watch out
maudit damned/cursed one
l'endormissement the sleep
grincer creak
Limousin one of the 26 regions of France
naguère not so long ago
du même tonneau just the same as (it)
hurlant screeching, howling
grues cranes
advint de became of
effrayant frightening
sa descendance his descendants
se plurent à liked [living in]
fortin small fort
actuel present-day
bosselage mound, clump
sous-bois undergrowth
fossé moat
cadastre land registry

Thibault, **furibond** d'avoir été traité comme un **paroissien** ordinaire, **poignarda** dans le dos le prêtre pendant qu'il célébrait la divine liturgie. Pour ce crime, il fut condamné à chasser pour l'éternité un cerf que sa **meute** poursuivrait sans jamais le prendre. Cette condamnation, qui est une image de la condamnation à quoi tous les humains sont, chacun à sa façon, **soumis** par la vie, constitue la légende de Thibault, **inlassablement** racontée en Sologne depuis des siècles. Une légende qui est le négatif exact de celle de saint Hubert, lequel avait renoncé à la chasse. Les anciens de Chambord vous expliqueront qu'on entend distinctement et sans doute possible, certaines nuits d'hiver, les **récris** de la meute et la **plainte** des **trompes** de Thibault à la poursuite éternelle de son cerf. Ces bruits vous font **frissonner** sur votre **couche**. Et **gare** à celui que la curiosité inciterait à s'approcher du **maudit** ! L'histoire continue aujourd'hui de perturber **l'endormissement** des enfants de Chambord, quand le vent fait **grincer** les grands arbres. Les grand-mères murmurent : « Écoute, c'est la chasse du seigneur Thibault qui passe ! » En **Limousin**, les enfants entendaient **naguère** une légende **du même tonneau**, celle des « chasses volantes », qui traversaient la nuit en **hurlant** au-dessus des bois. Là-bas, les esprits forts affirmaient que le bruit était en réalité celui des vols de **grues**. On ne sait pas avec beaucoup de détails ce qu'il **advint de** cet **effrayant** Thibault. Mais on connaît sa **descendance** : ce sont les premiers comtes de Blois, qui comptèrent ensuite cinq autres Thibault. Les premiers comtes de Blois **se plurent à** Chambord. Ils y laissèrent un **fortin**. Il existe en forêt, à deux ou trois kilomètres du château **actuel**, un étang dit de la « Thibaudière », et à quelques centaines de mètres de là un **bosselage** du **sous-bois**, évoquant une motte féodale et son **fossé**, dans un lieu que le **cadastre** dénomme justement : la « parcelle des comtes Thibault ». Dès le XIe siècle, Chambord appartenait à des personnages plus recommandables que Thibault le Tricheur. Ces derniers avaient en commun avec leur ancêtre la passion de la chasse. Depuis l'an mil, les comtes

entretenu maintained
équipage staff
vénerie hunting
braconnier poacher
valets à gaiges factotums, dogsbodies
vautrait pack of hounds [for hunting wild boar]
rabatteur beater
contre in exchange for
casse-croûte snack
tertre butte
désordonnés disorderly
cépage grape varietal
romorantin the local name of the grape varietal
En toile de fond In the background
chaumières thatched cottages
chaume thatch
brémaille the local name of the tall heather used for thatching
bornaient blocked, obstructed
nourricière nurturing
étendu stretching out
rives banks
landes moors
la parsemaient were scattered around

grevée burdened with
riverains local residents
pacage grazing
glandage acorn gathering
glands acorns

giboyeux full of game
pullulaient proliferated

de Blois avaient **entretenu** à Chambord un **équipage**. Un document du début du xive siècle indique que leur personnel de **vénerie** comprenait à cette époque cinq hommes permanents : un veneur, un valet « **braconnier** », deux « **valets à gaiges** » et un aide. La meute comprenait quatre-vingt-dix chiens, le **vautrait** soixante. Les jours de chasse, tout le monde pouvait faire office de **rabatteur**. Les habitants offraient leur journée **contre** un **casse-croûte**. Il faut imaginer des banquets en plein air au pied du **tertre**, festifs et **désordonnés** comme dans une huile de Bruegel l'Ancien. On y buvait un vin produit sur place à partir d'un **cépage** à l'époque fameux : le **romorantin**. On y chantait, sans doute, mais nous avons oublié quelles chansons. **En toile de fond**, des **chaumières** couvertes de ce **chaume** particulier, la **brémaille**, **bornaient** la vue.

La forêt **nourricière**

La forêt française nourrissait une économie prospère à la fin du Moyen Âge. Celle de Chambord, découverte par François adolescent, faisait partie d'un ensemble **étendu** vers le sud, jusqu'aux **rives** du Beuvron, appelé la « forêt de Boulogne ». La forêt avait perdu un peu de sa superficie au fil des siècles, une partie s'était dégradée en **landes**, des enclaves **la parsemaient**, mais, entre les mains des comtes de Blois, l'ensemble restait considérable et bénéficiait d'un statut particulier. La forêt de Boulogne était **grevée**, au profit de ses **riverains**, des droits d'usage classiques : droit de bois mort, droit de **pacage**, droit de **glandage** (ramassage des **glands**). Mais, depuis une ordonnance de 1288 accordée par Jeanne de Châtillon, elle offrait beaucoup plus : tous les habitants des alentours de Chambord, nobles ou non, y avaient le droit de chasse, y compris pour le gros gibier, sans la moindre restriction, toute l'année, de jour comme de nuit. Cette particularité témoigne d'un territoire immensément **giboyeux**. Les cerfs **pullulaient** le long du Cosson, et les sangliers, et les daims. Sans parler

connins old dialect for 'rabbits'
lièvres hares
lacs dialect for 'snares'
collets snares

garennes rabbit warrens
firent tant de tort did so much damage
récoltes harvests

subsistaient remained, still existed

pourvu qu'il les arrêtasse as long as he managed to stop them
n'encourait aucune amende incurred no fine
Wallon Walloon, French-speaking peoples of Germanic-Celtic origin
vanté bragged, boasted about
délices delights
cynégétiques hunting-related
parfons archaic term for *deep*
pors archaic term for *wild boar*
Dains archaic term for *fallow deer*
chevriaus archaic term for *roe deer*

chevreuils roe deer, roe buck
strophe verse

panneau a trap using nets
filets nets
creusait dug
battue en chaudron beating on pots
traquées hunted down

des « **connins** » (lapins) et des **lièvres**, qui faisaient l'ordinaire de bien des familles. Les paysans les prenaient avec des « **lacs** » (**collets**) ou des « furons » (furets). À l'époque, il n'y avait pas de braconniers à Chambord, puisque toutes les chasses étaient permises. Et la chasse ne fermait jamais. On traquait le cerf en juillet aussi bien qu'en décembre, bien que ce fût de préférence de mai à octobre. Les **garennes**, ces réserves à gibier qui **firent tant de tort** aux **récoltes** dans l'ancienne France, étaient devenues inutiles à Chambord tant il y avait de cerfs en forêt : les comtes de Blois les avait supprimées. Au moment où commence notre histoire, seules **subsistaient** deux ou trois garennes fermées, pour les faisans et les perdreaux. Et encore, si les chiens d'un particulier pénétraient dans ces rares territoires interdits, leur propriétaire, « **pourvu qu'il les arrêtasse** », **n'encourait aucune amende**. Dans un poème de 1327, Watriquet de Couvin, un **Wallon** au service des comtes de Blois, avait déjà **vanté** les **délices cynégétiques** du territoire en des termes lyriques, bien qu'à vrai dire un peu énigmatiques pour un lecteur du xxie siècle :

La haute forest de Bouloigne Ou il a mains ***parfons*** *détours Li environne tout entour Si a tant de cerfs et de* ***pors Dains*** *et* ***chevriaus****...*

Le « pors », c'est le *singularis porcus* latin, le sanglier ; les « dains » sont bien sûr des daims, et les « chevriaus » désignent les **chevreuils**. Retenons de cette **strophe** qu'il y en avait beaucoup. (Le dernier vers du poème, appelé *Le Tournoi des dames*, conclut pour ceux qui n'auraient pas encore compris : « Cers et senglers y a sans nombre. ») Il y en avait pour tous les goûts. On prenait les « bêtes rousses » (cerfs et chevreuils) et les « bêtes noires » (sangliers) au **panneau**, c'est-à-dire dans des **filets** tendus entre les arbres, vers lequels les rabatteurs les poussaient. On **creusait** des pièges. On pratiquait la **battue en chaudron**, au cours de laquelle tous les hommes, en criant, convergeaient vers un même point où les bêtes étaient **traquées** à la lance. Les nobles

vilains peasants

s'annonçaient were on their way
l'arme à feu firearm
lutter contend
fauve wild animal
ruse cunning
se défouler à cheval letting off steam riding
s'entraîner à preparing/training for

Gaston Phébus author of a 14th c. hunting manual
inlassablement endlessly, tirelessly
magistrale brilliant, masterful
livre de chevet bedside book

oiselets *baby birds*
quête *quest*
détournera *will force to change direction*
découplés *let loose*
hâte *haste*
écartés *at a distance*
l'allure *the pace/gait*
venir au-devant de *catch up with*
saluera *will greet*
se mettra à chevaucher *set off riding*
cornera *will blow his horn*
de tout ses poumons *at the top of his lungs, with all his might*
hôtel *home, townhouse*
se dépouillera *will strip off*
déchaussera *will take off his boots*
cuisses *thighs*
souper *supper*

chassaient au faucon, les **vilains** au collet. Et aussi, depuis la fin du xive siècle, les seigneurs commençaient à codifier la chasse à courre. Des temps nouveaux **s'annonçaient**. Les habitudes changeaient. À l'opposé de la chasse paysanne, les seigneurs se mettaient à pratiquer la vénerie du cerf selon des règles de plus en plus précises, avec le seul recours à des chiens courants mis en meute, et sans le recours à **l'arme à feu**, invention toute neuve. Il ne s'agissait plus de tuer à tout prix, mais de **lutter** avec le **fauve**, de laisser à l'animal sa chance, de manœuvrer avec **ruse**, de **se défouler à cheval**, de respecter une éthique, de **s'entraîner à** la guerre. Les veneurs de la nouvelle école prenaient leur inspiration dans un livre fameux, ouvrage de référence de la fin du Moyen Âge, le *Livre de chasse* de **Gaston Phébus**. Publié pour la première fois en 1389, **inlassablement** recopié ensuite, le *Livre de chasse* présentait la vénerie comme une philosophie tout en offrant une synthèse **magistrale** des techniques cynégétiques. L'ouvrage fut pendant des générations le **livre de chevet** des seigneurs français. François lui-même ne cessait de le relire. Il s'imprégnait de ces pages lyriques qu'il croyait écrites pour lui :

Quand le veneur se lève le matin, il voit la très belle et douce matinée et le temps clair et serein et il entend le chant des ***oiselets*** [...], *c'est grand plaisir et joie du veneur. Après, quand il se mettra en* ***quête****, il verra un grand cerf qu'il* ***détournera*** [...] *et les chiens seront* ***découplés*** *; alors le veneur a grande joie et grand plaisir* [...]. *Après il monte à cheval en toute* ***hâte*** *pour accompagner les chiens. Et si, par aventure, les chiens se sont un peu* ***écartés*** *de l'endroit où il a laissé courre, il accélérera* ***l'allure*** *pour* ***venir au-devant de*** *ses chiens. Alors il verra le cerf passer et il le* ***saluera*** *de ses cris, puis quand ses chiens seront passés il* ***se mettra à chevaucher*** *derrière et criera et* ***cornera de tout ses poumons****... Alors il a grande joie et grand plaisir.* [...] *Et quand il s'en revient à son* ***hôtel****, il* ***se dépouillera*** *et* ***déchaussera*** *et il lavera ses* ***cuisses*** *et ses jambes et à l'occasion tout son corps. Et entre-temps il fera préparer un* ***souper*** *de lard, de cerf et d'autres bonnes nourritures et de bon vin...* »

campagnes military campaigns
Pavie Pavia [town just south of Milan]
volé stolen
l'évêque de Trende the bishop of Trent
Charles Quint Charles V, Holy Roman Emperor (1500-1558)
légua bequeathed

l'oisiveté idleness
beuveries drinking bouts

dérapage gastronomique great feast

coups blows, strikes

chevalerie chivalry, knighthood
à cheval straddling
moribonds vanishing, dying out
de plain-pied in stride, eye-to-eye

tournant turning point
rédigé written, composed

biches does

Pour comprendre François Ier, il faut connaître ces pages qu'il savait par cœur. François aimait tellement le livre de Phébus que, bien plus tard, il emporta avec lui son exemplaire pendant les **campagnes** d'Italie. Le soir de la bataille de **Pavie**, en 1525, le livre fut **volé** et se retrouva entre les mains de **l'évêque de Trende** qui l'offrit au frère de **Charles Quint**. Après bien des vicissitudes, un siècle et demi plus tard, Louis XIV récupéra l'ouvrage, et, pour finir, Louis-Philippe, qui en avait hérité, le **légua** à la Bibliothèque nationale où il se trouve toujours. Le *Livre de chasse* de Phébus commence par un prologue qui justifie la chasse en tant que sport utile à la santé, divertissement nécessaire à l'équilibre moral, et remède à **l'oisiveté**. Au passage, Phébus recommande au chasseur de rester sobre : il n'est pas question de cautionner les **beuveries** inconsidérées. La longévité du veneur, pense Phébus, est due au fait qu'il est adepte d'un régime basses calories. Mais après la chasse, de temps en temps, un **dérapage gastronomique** ne lui fait que du bien. La suite du livre est consacrée à la description du gibier, puis aux races de chiens de chasse. La troisième partie, la plus passionnante, décrit les règles de la chasse à courre et la formation des veneurs. Elle présente la manière d'attaquer « loyalement » les animaux sauvages et de les chasser avec « courtoisie ». Tous les **coups** ne sont pas permis. L'honneur est le message essentiel du chapitre, qui fait de la chasse à courre une manière de pratiquer les principes de la **chevalerie**. François, roi chevalier, **à cheval** entre les principes **moribonds** du Moyen Âge et les folles idées de la modernité, se sentit toute sa vie **de plain-pied** avec la philosophie de Phébus. C'est à Phébus qu'il pensait quand il découvrit Chambord et ses cerfs magnifiques. Le début de la Renaissance française marque en effet un **tournant** pour l'image de la chasse : dans *Le livre de chasse du roy Modus*, **rédigé** par Henri de Ferrière juste avant que Phébus n'écrive son propre traité, il était recommandé de chasser de préférence les **biches** que les cerfs, et si possible les

allaitant nursing
faon fawn

cors tips

Virage Turnaround, About face

Partant Setting off

Ils se donnaient en spectacle They were making a spectacle of themselves
huchet archaic trumpet
l'épaule the shoulder
guiche plait, braid, strap
cornures special term for auditory signals used
morse Morse code
l'hallali the kill
bien-aller go ahead
requesté the restarting [of the hunt due to a fault]
l'appel forcé the forceful call, the calling out [a special fanfare to call everyone to the impending capture and kill]
prise capture
grêle thin
tonitruante booming

débordements excesses, debauchery
coquettes flirts, coquettes
coureurs de jupons philanderers, skirt-chasers

biches **allaitant** leur **faon**. Pourquoi ? Parce que c'est plus facile. Dans son traité de chasse publié en 1560, du Fouilloux, ancien grand veneur de François Ier et adepte de Phébus, a complètement changé de point de vue : le veneur se doit, selon lui, de chasser de préférence les cerfs que les biches, et les cerfs dix **cors** plutôt que les jeunes cerfs. Pourquoi ? Parce que c'est plus difficile... **Virage** philosophique total. Au passage, du Fouilloux donne à François Ier le titre de « Père des veneurs », qu'il faut entendre comme : « fondateur de la nouvelle manière de chasser à courre ». **Partant** courir le cerf à Chambord, les « gracieux papillons » de la petite bande de François d'Angoulême s'habillaient comme pour le tournoi. **Ils se donnaient en spectacle.** On venait les voir passer. Ils portaient un **huchet** d'ivoire suspendu à **l'épaule** par une **guiche**. Ils correspondaient entre eux par des « **cornures** », tons de huchet codifiés comme du **morse** : trois coups longs pour celui qui voit l'animal, trois coups rapides pour annoncer **l'hallali**, d'autres codes pour l'appel ou le **bien-aller.** On avait codifié en tout six cornures : l'appel, le bien-aller, le **requesté**, la vue, **l'appel forcé**, la **prise**, ou hallali. Les huchets donnaient deux notes : une note élevée, appelée le « ton **grêle** » et une note grave, appelée le « gros ton ». François, qui cornait en ton grêle et en gros ton avec une puissance **tonitruante**, usait d'un huchet en ivoire que le Louvre a conservé. Dans une de ses chansons, *La Chasse*, Clément Jeannequin, grand compositeur de la polyphonie vocale de la Renaissance française et auteur d'une célèbre *Bataille de Marignan*[5], s'inspire des deux tons et des cornures. Tout le monde chantait. Au moins tout le monde essayait. Le soir, au château de Montfraud, les après-chasse donnaient lieu à des **débordements**. Une réunion de **coquettes** et de **coureurs de jupons** formait la « petite bande » dont

---

5 Marignan is the site of an important battle fought between the French and the Swiss (1515). The French, led by the young King Francois I, were victorious, which enabled him to capture the city-state of Milan.

à l'arme blanche with knives (*literally:* white arms)

l'emportait sur prevailed
loyal fair
agita swayed
plaidait pled
abrégeant cutting short
aux abois at bay
trancha decided
dague spike
récit tale
rusé crafty
califourchon astride
vit saw [*simple past tense*]
appuyé pressed, pushed
sentiment scent
déjouer foil, outwit
astuce trick, artifice
bondi leapt
branché *here:* stuck in the branches
songea considered
le gracier letting him go
n'avons guère have hardly any
paysannes rural, peasant-like
s'encombraient burdened themselves with
lors de at the time of
sanglant bloody, gory

François d'Angoulême était le champion. Mais la « petite bande » de François tenait à son éthique de la chasse : les membres s'interdisaient de tuer le cerf avant qu'il fût forcé par les chiens. Le cerf n'était d'ailleurs plus « tué » : il était « servi » **à l'arme blanche.** L'arquebuse était laissée à la maison. Peut-être est-ce l'invention des premières armes à feu qui donna l'idée de codifier la chasse à courre comme on le fit alors : pour la première fois, l'homme refusait de mettre une innovation technologique au service de la chasse. On inventait une chasse où l'idée esthétique et sportive **l'emportait sur** le plaisir de tuer. La question de savoir s'il était **loyal** de servir le cerf à l'arquebuse **agita** un moment les esprits. Toute une école de pensée **plaidait** pour l'arme à feu, qui, en **abrégeant** la chose, évitait de faire courir des risques aux chiens que le cerf **aux abois** pouvait charger. François **trancha** en faveur de la **dague**, plus noble. Guillaume Budé, dans un texte publié en 1532, relate un intéressant **récit** de chasse du cousin de François, Louis d'Orléans, futur Louis XII. Celui-ci raconte qu'un jour des années 1490, un cerf particulièrement **rusé** s'était mêlé à un troupeau de bœufs pour y dissimuler son odeur aux chiens. Le cerf monta à **califourchon** sur un des bœufs : Louis le **vit** « saillir sur l'un d'eux, **appuyé** par les jambes et épaules de devant, courant assez longuement comme s'il était à cheval, touchant terre avec les pieds de derrière seulement, afin de laisser aux chiens le moindre **sentiment** de soi ». C'était aux chiens eux-mêmes de **déjouer** cette **astuce**, et Louis laissa sa chance au cerf. Une autre fois, Louis d'Orléans découvrit un cerf aux abois qui avait **bondi** dans un arbre et y était resté « **branché** ». Fidèle à la philosophie de Phébus, il **songea** à **le gracier**, mais l'animal, empalé sur une branche cassée par son élan, était déjà mort. Nous **n'avons guère** d'anecdotes sur les chasses **paysannes**, mais nul doute qu'elles **s'encombraient** moins de scrupules. En 1498, **lors de** l'avènement de Louis XII, ce **sanglant** paradis des chasseurs qui s'étendait de Blois à Thoury et de Bracieux au Cosson, et dont Chambord était

rattaché linked, attached

désormais from then on
en matière de chasse as far as hunting was concerned
fit grincer *here*: made gnash/grind

roturiers commoners

aveu *permission*

rentes *(a) family trust*
enhardie *embolden*
garennes *warrens*
cordes *ropes, cords*
lacs *snares*
harnois archaic term for *harnesses*

en fin de compte ultimately, in the end

dérogations immunities, dispensations
rabatteurs beaters
battues hunting sessions
alentours surroundings
verse throw in, included
Smic **Salaire minimum interprofessionel de croissance**
minimum wage

à quatre pattes four-legged

le rendez-vous, connut un changement d'importance : il fut **rattaché** à la couronne de France. Louis d'Orléans devenait roi. Son domaine du Blaisois intégra le domaine royal. La première conséquence de ce changement juridique fut que, **désormais**, le droit commun du royaume s'appliqua **en matière de chasse** au territoire de Chambord. Cela **fit grincer** bien des dents, car le droit commun du royaume, c'était l'ordonnance de Charles VI de janvier 1366 qui interdisait la chasse aux **roturiers**. La vieille ordonnance indiquait :

Aucune personne non noble de notre royaume, s'il n'est à ce privilégié ou s'il n'a ***aveu*** *ou expresse commission à ce, de par personne qui la lui puisse ou doive donner, ou s'il n'est personne d'église, ou s'il n'est bourgeois vivant de ses possessions et* ***rentes****, ne se* ***enhardie*** *de chasser, ne tendre à grosses bêtes ne oiseaux, en* ***garennes*** *ne dehors, ne d'avoir et tenir pour ce faire, chiens, furons,* ***cordes****,* ***lacs****, filets ne autres* ***harnois****...*

En clair, avec cette ordonnance, les paysans de Chambord perdaient non seulement le droit de chasser, mais celui de posséder un chien. Ils ne l'acceptèrent pas. Ils cherchèrent, de siècle en siècle, à retrouver leur vieux privilège, auprès des rois, auprès des gouverneurs, auprès des préfets, auprès des ministres, auprès des ingénieurs des Eaux et Forêts, auprès de tout ce qui peut décider dans l'administration française, **en fin de compte** avec succès : après de longues périodes de restriction absolue, ils bénéficièrent de **dérogations**, et aujourd'hui, les **rabatteurs** des **battues** de Chambord, issus des communes **alentours**, viennent aux chasses officielles avec leurs propres chiens. L'Office national des forêts prend à sa charge les frais vétérinaires. L'État offre à leur maître un déjeuner et leur **verse** une vacation calculée d'après le **Smic** horaire. Les chiens eux-mêmes, en cas d'accident qu'ils provoqueraient, engagent la responsabilité de la puissance publique dont ils sont en quelque sorte des « collaborateurs occasionnels » **à quatre pattes**. Revenons à Louis XII. Au lendemain de 1498, la pratique de la

particulière special, distinctive
vit saw
goûter enjoy
recourir aux use, employ
de longue date for a long time
ferma closed [*simple past tense*]

remises abodes

servait de garnison served as a garrison
fit office served as

renflés rounded, swelled
revêche *here*: austere
mâchicoulis openings on top of the walls, machicolation

attardé stayed for long

assidu regular [visits]

chasse à Chambord ne changea que progressivement : devenu roi de France, Louis d'Orléans n'oublia pas les sorties de sa jeunesse et leur saveur **particulière**. On le **vit** encore **goûter** la chasse dans ses terres, **recourir aux** rabatteurs qu'il connaissait **de longue date**. Il invita son cousin François. Il **ferma** les yeux sur quelques irrégularités. Où le roi Louis XII descendait-il pour loger quand il chassait dans le pays ? Au vrai, un peu partout. De tout son territoire du Blaisois, Chambord était le château le plus ancien. Moins commode que Montfraud, moins grand que les Montils, il restait le mieux situé, à deux petites heures de cheval de Blois, en plein milieu du territoire, près de la rivière et des étangs où les grands animaux avaient leurs **remises**. Le fort de Chambord était vénérable. Au xiie siècle déjà, le château vieux de Chambord était attesté, à la fois comme rendez-vous de chasse et forteresse militaire. En 1356, il **servait de garnison**. En 1359, il **fit office** de prison : on y enferma des soldats anglais. En 1424, on y fit des travaux pour la dernière fois : on renforça les fortifications. La forteresse, sous l'autorité de Macé de Villebresme, contribua à maintenir la liberté de la rive gauche de la Loire à la fin de la guerre de Cent Ans. À quoi ressemblait le bâtiment en 1512, quand le jeune François d'Angoulême l'aperçut ? À un château fort, du genre des châteaux forts de plaine qu'on trouve dans la région, avec son donjon et ses défenses, ses murs **renflés** par les siècles, son côté **revêche**, et de l'herbe qui pousse entre les **mâchicoulis**. Il n'était pas en bon état. Le roi Louis XII y était descendu à l'occasion de quelques chasses, comme en juin 1504 où il y passa trois jours. Mais il ne s'y était jamais **attardé**, car l'endroit n'était pas confortable. Plutôt que de le moderniser, Louis XII avait pris ses habitudes dans le château d'à côté, les Montils. D'ailleurs, le roi venait de moins en moins, occupé plus qu'à son tour par des soucis venus d'Italie où les guerres n'en finissaient pas. Son cousin François, à l'inverse, s'y faisait de plus en plus **assidu**.

prouve indicates, proves
coup de foudre (*fallen in*) love at first sight (*literally*: lightening strike)
y fut pour quelque chose *here*: was one part of the story
chasse aux jupons skirtchasing
éprouva felt [appropriate]

multiplia increased, multiplied

à ces fins for these purposes
pertinent valid, relevant
à l'échéance for the moment when [he would become king]
zèle zeal
encombrant cumbersome
le surnommant giving him the nickname of
l'affublait de decked him out/covered him with
en rajoutait exaggerated
choyé indulged, pampered
nuées swarms
fat smug, conceited, foppish
facile à vivre easy-going, good-natured
pressé hasty, impulsive
soule a medieval team game resembling rugby or football
jeu de paume an early form of tennis
conviait invited
bariolés colorful, gaudy
volage fickle, flighty
jetât sa gourme sow his wild oats
L'enceinte The surrounding fortified wall
douves protective ditches
l'axe the direction
subsiste there still exists
par temps de in/during times of
sécheresse drought

Un coup de foudre de François d'Angoulême

Tout **prouve** que François d'Angoulême eut un **coup de foudre** pour Chambord. La chasse au cerf **y fut pour quelque chose**, et aussi la **chasse aux jupons.** La jolie comtesse de Thoury joua un rôle dans le goût qu'il **éprouva** pour l'endroit. Nous ne savons rien d'elle, sinon qu'elle habitait à proximité et que pour elle François **multiplia** les séjours en forêt. Comme son cousin Louis XII n'avait pas de fils vivant, François se préparait, nuit et jour, à devenir roi de France. À dix-sept ans, cela vous occupe l'esprit. La chasse était **à ces fins** un **pertinent** exercice. Sa mère le préparait **à l'échéance** avec un **zèle encombrant, le surnommant** modestement « mon César ». Sur les gravures, on **l'affublait de** lauriers et de toges. François se laissait faire. Sa sœur Marguerite **en rajoutait.** Il jouait le jeu. Il était le champion désigné de la famille d'Angoulême pour le trône, **choyé** depuis l'enfance par des **nuées** de femmes. Il en était devenu un peu **fat**, bien que **facile à vivre**. Il était **pressé**, sympathique, tonitruant. Il pratiquait la **soule**, sorte de rugby d'autrefois, et excellait au **jeu de paume**. Il se croyait plus intelligent que les autres (c'est sa mère qui le lui avait dit). La timidité ne l'encombrait pas. Il était beau. Il le savait. Dans la vaste forêt de Boulogne, au côté sud de Chambord, il **conviait** à la chasse sa « petite bande », une assemblée d'adolescents **bariolés**, garçons et filles, qui resteront ses amis. Parmi eux, la comtesse de Thoury fut un temps la favorite, mais le jeune prince était **volage**. Il se voulait fidèle en amour, mais non pas exclusif. Sa mère l'encourageait : il fallait bien que le jeune homme **jetât sa gourme** avant de monter sur le trône, quand le cousin Louis se déciderait à mourir. À Chambord, François préférait la forêt au village. Le château ne lui inspirait rien : cette vieille chose à demi ruinée n'avait rien pour lui plaire. Tout y était fortifié. **L'enceinte** descendait jusqu'aux abords de la rivière. (Au fond des **douves** du château actuel, dans **l'axe** de la tour de la chapelle, **subsiste** un morceau de la muraille médiévale, que l'on aperçoit **par temps de** grande **sécheresse**.) François était

riante giddy
touffu densely grown, bushy
sablonneux sandy
drainé well-drained
aisé easy
landes moors
cultures crops
abriter shelter, providing cover for
frasques escapades, mischief
d'édifier of building
espèces sorts, kinds
casernes barracks
sac bag, sack

vallon small valley
marécage swamp, marsh
la lampe sous le boisseau his light under a bushel (*idiomatic*: keep something under your lid)

l'abri des sheltered from
deviné guessed, intuited
démesure excessive size
vocation purpose
cachette a hideout
nageait jusque-là en plein bonheur he basked until then in complete contentment
déroulée unfolded

né après l'artillerie ; les défenses médiévales ne l'impressionnaient pas. Mais il aimait le côté sauvage du lieu, pourtant si proche de Blois. Il s'extasiait de trouver juste à côté de la **riante** Loire un refuge aussi **touffu**. Il goûtait les chasses sur un terrain **sablonneux** et **drainé**, **aisé** pour les chevaux, très varié aussi, fait de **landes** et de **cultures** sur la rive droite du Cosson, et de bois sur la rive gauche. Il appréciait enfin d'avoir à sa disposition, au bout de la forêt, le discret château de Montfraud pour **abriter** ses **frasques**. (Montfraud est situé à un kilomètre à peine de Thoury.) Quand on aime un pays, on rêve d'y bâtir. François parlait **d'édifier** en Sologne un fabuleux palais, autre chose que ces **espèces** de **casernes** où Louis XII posait de temps en temps son sac. Devenu roi, il passa à l'acte. Il hésita un moment sur le choix du site. Il pensa d'abord à Romorantin, commanda même quelques études et lança des travaux pour un projet là-bas, avant de se décider finalement pour Chambord, pendant l'été 1519. Comme à ce moment de sa vie il était déçu par les hommes, il préféra construire dans la forêt plutôt qu'en ville. Il refusa aussi la solution de facilité, la formule classique consistant à bâtir un grand édifice dominant la Loire, comme à Amboise ou Villandry. Il opta pour un palais dans les bois, au fond d'un **vallon**, dans un **marécage**, rien que pour lui et ses vrais amis. Une telle localisation ne manqua pas d'étonner : pourquoi mettre ainsi **la lampe sous le boisseau** ? L'ambassadeur de Venise, Sozano, qui posa la question à la cour, reçut cette réponse : le roi François a choisi de construire son palais à Chambord pour deux raisons, la première pour être à **l'abri des** indiscrets et « rester au calme sans être importuné et consacrer du temps aux dames » ; la seconde pour la « commodité de la chasse ». Chateaubriand et Alfred de Vigny l'avaient **deviné** : le château de Chambord avait, malgré sa **démesure**, une **vocation** de **cachette**. Il y a aussi une explication politique à ce choix. L'été 1519 est sombre pour François. Il a vingt-trois ans, l'âge des désillusions. Il **nageait jusque-là en plein bonheur**. Sa vie s'était **déroulée** depuis l'enfance comme un boulevard. Devenu roi à

élu elected

habilement skillfully

ratage utter failure
défaut lack
finition follow-through
déception disappointment
lancinante cuttingly painful, piercing
De surcroît Moreover
plaint pitied
fait mine pretends
avec désinvolture casually, offhandedly
s'étourdit loses himself (*literally:* makes himself dizzy)

patauge gets more and more bogged down
délaisse neglects
mince slender
clou climax, capping off, high point

ne déçoive pas does not disappoint
regards observers, prying eyes

vingt ans, il réussissait tout. Après la victoire de Marignan, il avait signé une paix perpétuelle avec les Suisses, puis un concordat avec le pape, qui lui assurait l'avenir en Milanais. Il ne lui manquait qu'une chose, être **élu** empereur, chef de l'Empire romain germanique. Il s'était laissé persuader que la chose était comme faite. Il était certain d'avoir **habilement** manœuvré, il avait dépensé pas mal d'argent à acheter les princes électeurs allemands, il pensait avoir le pape dans sa poche, il croyait à la neutralité d'Henri VIII, et on lui apprend en juillet que son rival, Charles d'Espagne, a été finalement élu sur le fil le 28 juin à sa place. L'empereur s'appellera Charles Quint et non pas François Ier. Coup dur. Un **ratage** à la française, par **défaut** de modestie et de **finition**. La **déception** est **lancinante**. François était convaincu d'avoir le « meilleur dossier » pour la couronne impériale, un peu comme Paris face à Londres pour l'organisation des jeux Olympiques de 2012. **De surcroît**, Léonard de Vinci vient de mourir au Clos-Lucé. Comme la vie peut être injuste pour un souverain de vingt-trois ans ! Mais le jeune roi a horreur d'être **plaint**. Il **fait mine** de prendre les choses **avec désinvolture**. Il chasse comme un fou, pendant cet été 1519, affirmant autour de lui que la chasse est la seule chose qui compte dans une vie. Il **s'étourdit** dans le sport. Il charge son ami d'Annebaud de lui organiser des battues monumentales. Il mange. Il boit. Il **patauge**. Il **délaisse** sa **mince** et blonde épouse Claude pour une maîtresse opulente et brune, Françoise de Foix. Et enfin, **clou** de la thérapie, il arrête le chantier de la cité idéale de Romorantin et ordonne le début des travaux de son château en plein territoire de battues, au milieu du marécage, en bas du château vieux de Chambord. Il n'a pas eu la couronne d'empereur, mais il aura le plus beau palais. Et ce palais sera au service de la seule chose qui **ne déçoive pas** : la chasse. François voulait bâtir loin des **regards**, mais voulait aussi faire du neuf, du jamais vu. Dans un document du 6 septembre 1519, il tient un propos significatif. Il déclare avoir « ordonné de faire construire [...] un bel et somptueux édifice au lieu et place

Il allait de soi It goes without saying
faire place nette making a clean sweep
rayer strike, cross off
de la carte from the map
mûr mature
lettre patente formal missive
naguère recently, formerly

mi-temps halftime
procuration proxy
coups bas low blows [below the belt]

se garder guard himself
à sa portée within his reach/grasp

On mourait beaucoup Many were dying

tenait à ses proches des propos de mourant speaking to his intimates in a tone of impending death

de Chambord ». L'ambiguïté des termes est intéressante : François ne parle pas de construire « à Chambord », mais bien « au lieu et place de Chambord ». **Il allait de soi**, pour le jeune patricien devenu roi de France, qu'il fallait commencer par **faire place nette**, **rayer** « Chambord le Vieux » **de la carte**. Quand en août 1528 le même François, changé en un homme **mûr**, décida d'ouvrir le chantier de Fontainebleau, il employa dans sa **lettre patente** une expression différente : « Nous ayons puis **naguère** ordonné faire construire en notre place de Fontainebleau [...]. » Il n'était plus question de construire « au lieu et place ». Avant même de monter sur le trône, François Ier s'était laissé persuader qu'il était un homme nouveau, prédestiné à inaugurer une époque nouvelle. Une fois souverain, il n'avait pas envie de perdre de temps. Imaginons comment, en 1519, un roi de vingt-trois ans considérait la vie. Il la voyait comme un match à une seule **mi-temps**. Il savait qu'il ne régnerait pas par **procuration**. Il savait que les **coups bas** ne manqueraient pas : l'élection de Charles Quint le renseignait sur la nature humaine. Il savait que la gloire s'achèterait au prix du courage physique. Il savait qu'il devrait faire à nouveau la guerre pour être vraiment roi, et la faire lui-même, en courant des risques personnels. Il savait qu'il lui faudrait **se garder** de tout le monde, de ses cousins, de ses conseillers, de ses amis. Il savait que les plaisirs seraient **à sa portée**, et les femmes qu'il voudrait, mais qu'à chaque instant la plus banale des maladies pourrait le tuer. La mort, il connaissait. **On mourait beaucoup** autour de lui. On mourait beaucoup, en ce temps-là. François se doutait que sa vie serait courte. Il avait à peine connu son père, Charles d'Angoulême. Le roi auquel il succéda, Louis XII, avait eu cinquante ans en 1513 : il passait alors pour un vieillard et **tenait à ses proches des propos de mourant**. (Il mourut effectivement à cinquante-trois ans.) Son prédécesseur, Charles VIII, était mort à vingt-huit ans ; avant lui, Louis XI avait vécu à peine soixante ans, et avant lui, Charles VII, cinquante-sept ans et quelques mois. Espérance de vie moyenne des quatre derniers

pucelage virginity

car elle ne repassera pas les plats because the dishes/courses won't come around again (*meaning:* you won't get another chance)
faire table rase du passé clean the slate on the past

écrin jewelry case/box

Au passage While they were at it

gâtera will spoil
vieillissait was growing older
se tenir to behave/carry himself
pénétré intense
lâchait de vilaines petites phrases blurted out nasty little comments
gendre son-in-law

s'agaçait was annoyed
soucieux concerned

rois français du Moyen Âge : quarante-neuf ans et six mois... Soixante ans, c'était bien le maximum de longévité que François devait prendre en compte quand il imaginait sa vie future. À l'âge de treize ans, François avait perdu son **pucelage**. Il savait que bientôt ce seraient ses dents qu'il perdrait, et puis ses cheveux, et puis sa vigueur, et puis sa séduction, et puis sa santé, et puis, s'il baissait la garde, son pouvoir : avoir dix-sept ans à la Renaissance, c'est être persuadé que la vie doit se prendre au grand galop, **car elle ne repassera pas les plats**. C'est pourquoi le jeune François n'hésita pas, quand il s'agit d'architecture, à **faire table rase du passé**. Tandis qu'un siècle et demi plus tard, à Versailles, Louis XIV prit soin de conserver le château de Louis XIII, dont le nouveau palais devint comme un gigantesque **écrin**, la première exigence de François pour Chambord fut de détruire ce qui lui préexistait : il décida qu'on construirait « au lieu et place » de Chambord un « somptueux » palais qui annulerait et remplacerait – comme disent les juristes – la vieille bâtisse des comtes de Blois. **Au passage**, on ne démolirait pas seulement le château, mais aussi le prieuré, et toutes les cabanes situées entre le prieuré et la rivière. François Ier inaugura son règne par un exercice de « déconstruction » du Moyen Âge.

« Ce gros garçon gâtera tout »

Automne 1513. Louis XII **vieillissait**. Il savait **se tenir**, mais de temps en temps, il prenait un air **pénétré** et **lâchait de vilaines petites phrases**. Un jour qu'il observait de loin François, son **gendre** et cousin, son futur successeur, il murmura comme pour lui-même, mais assez fort pour que ses compagnons l'entendent : « Ce gros garçon gâtera tout. » Louis XII, roi humble et sobre, **s'agaçait** de devoir laisser les rênes à un excité **soucieux** d'abord de son propre plaisir. À travers le murmure de Louis XII, le Moyen Âge moribond mettait en garde l'âme française contre la tentation du « Nouvel Âge ». Il est en effet difficile d'imaginer deux hommes plus dissemblables que Louis

constatons observe, note
l'embonpoint stoutness, portliness

défis challenges
renâclèrent showed reluctance
le plus clair de most of
prirent took
rêvèrent d'offrir dreamed of offering

impôts taxes

disposait de had available
en gros plan in close-up
Charles VII de Fouquet (a portrait of) the French king Charles VII (1403-1461) by the artist Fouquet (1420-1481)
Mauriac d'Émile Blanche (a portrait of) the French writer François Mauriac (1885-1970) by painter Émile Blanche (1861-1942)
frêle frail
accablé overburdened
joua à played at being
verrouilla locked down
bestes archaic term for beasts

facture temperament, character

serviteur servant

XII et François Ier. L'oncle était petit et sec, le neveu était grand et gros. L'armure de ce dernier, visible encore au musée des Invalides, nous renseigne sur sa taille : un mètre quatre-vingt-dix-huit. Nous **constatons** aussi que François prit très vite de **l'embonpoint** : sur cet aspect aussi, son armure confirme la chronique. Cependant, ce n'est pas le physique qui séparait d'abord les deux hommes. Car chacun à sa façon, ils étaient des sportifs. Tous les deux, ils avaient horreur d'être enfermés. Tous les deux, ils aimaient les **défis** en plein air. Tous les deux, ils **renâclèrent** à l'étude. Tous les deux, ils passèrent à cheval **le plus clair de** leur temps. Tous les deux, ils **prirent** la chasse très au sérieux. Tous les deux, ils **rêvèrent d'offrir** l'Italie à la France, ou plutôt de se la rendre à eux-mêmes, et sur le terrain plutôt que dans les antichambres diplomatiques. Et surtout, ils eurent tous deux ce travers commun à tous les politiques : ils voulaient être aimés. Mais les ressemblances s'arrêtent là. Louis XII, devenu roi, se fit modeste. Sa première initiative ne fut pas une guerre, ni un projet immobilier, mais la baisse des **impôts**. Il y gagna le titre de « Père des peuples ». On lui trouverait sans doute, si l'on **disposait de** son portrait **en gros plan**, le regard de chien battu que l'on voit au **Charles VII de Fouquet** ou au **Mauriac d'Émile Blanche**. Les représentations de lui que nous avons montrent un homme **frêle**, au visage **accablé**. François Ier, monté sur le trône, **joua à** Jupiter. Sa première décision de roi ne fut pas de réduire les impôts, ni de se construire un château, ni de partir à la guerre, mais de réformer le droit de la chasse, et dans un objectif simple : se réserver le gibier. Par une longue ordonnance de l'hiver 1515 (il venait à peine d'être sacré à Reims, le 25 janvier), il **verrouilla** tout le système et institua la peine de mort pour punir le braconnage des « grosses **bestes** ». Nul doute que Louis XII, s'il l'avait su, en eût été scandalisé. Les deux hommes n'étaient pas de la même **facture**. Un monde les séparait. Louis XII fut notre dernier roi du Moyen Âge ; François Ier, le premier roi de la modernité française. Louis XII fut le dernier roi **serviteur** ;

l'espèce the same sort

Saint-Siège Holy See
s'enticha d' became infatuated with
piques cutting remarks
Les petites phrases étaient sa faiblesse Petty comments were his weakness
morosité gloominess
bruyante resounding
guerroie wages war
s'étourdit indulges in excesses
l'abbaye de Thélème a utopian abbey described by major French Renaissance writer Rabelais [*Thélème* means goodwill]
se gavait de gorged on

irréductible invincible, implacable

la maison d'Este The House of d'Este, Dukes of Mantua

mécénat patronage
laïque lay, non-clerical

Bref In brief
de repère the benchmark
relais succession
passer pass on
Flaubert 19th-century French novelist

François Ier, le premier roi individu. Louis XII était de **l'espèce** de Saint Louis, qui avait rêvé de « faire de la couronne d'épines la couronne de France ». François Ier rêvait plutôt de la couronne de laurier de César. Certes, il ne faut pas exagérément simplifier : la France ne passa pas du Moyen Âge à la Renaissance en changeant de roi : Louis XII, déjà, se fit représenter en empereur romain (sans les lauriers), et déjà, même s'il manifesta un grand respect du **Saint-Siège**, il **s'enticha d'**Antiquité et ne manqua pas de distiller, vers la fin de sa vie, des **piques** contre le pape. (**Les petites phrases étaient sa faiblesse.**) Mais pour lui, il n'y avait point de rupture. Avec François, les perspectives changent. L'homme, au tournant du xvie siècle, n'est plus exactement le même qu'avant. Songeons à la **morosité bruyante** de ces temps : pendant les années 1500, on **guerroie**, on chasse, on mange, on boit, on **s'étourdit** comme des épicuriens. Le temps est propice à Rabelais plutôt qu'à saint Thomas. (Et logiquement, le château de Chambord eut entre autres destins celui de servir de modèle à **l'abbaye de Thélème**.) On lisait d'ailleurs les *Odes* d'Horace chez les Angoulême. On **se gavait de** cette latinité gourmande qui n'était pas la catholicité. On aimait la Rome des marbres blancs et du forum en ruines, Rome absolue, Rome avant Rome, Rome **irréductible** à la cité des franciscains et des papes. L'aristocratie française nourrissait un complexe culturel à l'égard des seigneurs italiens, de **la maison d'Este**, notamment, où l'on constituait des collections d'art profane, où l'on achetait des Botticelli sur commande, où l'on inventait le **mécénat laïque**. Si François rêvait de mettre sur sa tête la couronne d'empereur, c'est parce que César Auguste avant lui l'avait fait. S'il voulait un palais bâti à sa main, c'est parce que les Médicis en possédaient un. On avait vu dans Charles VIII le second Charlemagne, empereur chrétien ; François se voyait bien en second César Auguste, empereur antique. **Bref**, on se prenait à changer **de repère**. Le **relais** n'était pas facile à **passer**. Pour se l'imaginer, il faut songer à ce qu'écrit **Flaubert** à propos du siècle d'Auguste,

de Cicéron à Marc Aurèle from Cicero to Marcus Aurelius

lâché left

Virgile et Horace Virgil and Horace, great Ancient Roman poets

s'accoutuma grew accustomed to
cieux heavens
nunc est bibendum *now is the time for drinking*
pascalien related to the rationalist philosopher Blaise Pascal (1623-1662)

dégâts injuries, damages
On ne se plaignait pas One did not complain
mal élevé ill-bred, bad mannered
Gargantua French Renaissance writer Rabelais' fictional giant famous for his appetite
fanfaronna boasted
frime showing off
ne s'effondra pas dans le malheur would not collapse in despair

Baudelaire 19th-century Symbolist poet

justement : « Pas de cris, pas de convulsion, rien que la fixité d'un visage pensif. Les dieux n'étant plus, et le Christ n'étant pas encore, il y a eu, **de Cicéron à Marc Aurèle**, un moment unique où l'homme seul a été. » Le début de la Renaissance, c'est un peu la même chose : le Moyen Âge n'étant plus, l'ère moderne n'étant pas encore, l'homme est seul comme jamais. L'homme est libre, mais libre au sens où peut l'être un solitaire **lâché** sans défense dans l'immense nature. François Ier apprit laborieusement le latin dans **Virgile et Horace**, poètes ayant justement vécu entre Cicéron et Marc Aurèle, morts respectivement quinze ans et huit ans avant la naissance du Christ, pendant ce « moment unique où l'homme seul a été » dont parle Flaubert. Le jeune François **s'accoutuma** à l'épicurisme mélancolique des *Odes*, à la solitude des **cieux**, au bruit de la fête, au ***« nunc est bibendum »***, à l'impérieux devoir d'être insouciant, à la chasse au sanglier, au divertissement **pascalien**, en un mot, au dandysme : sous François, on était heureux parce qu'on avait décidé d'être heureux. On aimait la vie parce que, à tout prendre, il valait mieux aimer la vie que ne la point aimer, si l'on désirait traverser l'existence sans trop de **dégâts**. **On ne se plaignait pas**, parce que se plaindre, c'était **mal élevé**. **Gargantua** ne se plaint jamais. Comme tous les bons vivants, François était un avide ascétique. Comme tous les épicuriens, il était un proche des stoïciens. Il tint sa plus grande noblesse dans le fait de ne jamais s'être étonné de rien. Il **fanfaronna** après Marignan (il avait vingt ans, l'âge de la **frime**), mais il **ne s'effondra pas dans le malheur**, après Pavie et la captivité. Il n'était pas de ces patrons qui communiquent leur stress à leurs subordonnés. Il était roi, il gardait ses misères pour lui ; c'était son côté chevalier, prince médiéval. Mais aussi il cultivait la curiosité, en souverain des temps nouveaux. Il appliquait le principe ainsi rappelé par **Baudelaire** : « Un dandy peut être un homme blasé, peut être un homme souffrant ; mais,

morsure bite

effrayant frightening
quarantaine age forty

il manqua d'en mourir he almost died of it

on ne musardait pas they didn't dawdle
relayait ran relay
Saint-Simon (1675-1755) author of a revealing memoir of the royal court at Versailles
tête-bêche head-to-tail

déménageant keeping on the move

Saint-Germain-en-Laye a suburb west of Paris and site of a royal palace
bavard talkative, chatty
taiseux taciturn
fort pensif very pensive

jasait was gossiping
s'employa set about, applied himself
lente low-grade
empira got worse
niait denied

dans ce dernier cas, il sourira comme le Lacédémonien[6] sous la **morsure** du renard. » Dans son *Histoire de France dédiée au roy*, dont j'ai à l'instant sous les yeux l'édition de Denis Mariette, le père Daniel révèle les misères secrètes du roi. Le cas est **effrayant** : passé la **quarantaine**, François Ier endurait une incontinence qui provoqua un « ulcère entre l'anus et le scroton ». Il en souffrait beaucoup, **il manqua d'en mourir** en 1542, ce qui ne l'empêchait pas de passer ses journées à cheval. Et une journée à cheval n'est pas ce que nous imaginons : on trottait assis, chaussé long et la jambe en avant. Le trot enlevé est une invention du xixe siècle. Et **on ne musardait pas** : on **relayait** les chevaux. (On relayait toujours les chevaux du roi à la chasse. **Saint-Simon** raconte que son père s'était fait remarquer par Louis XIII pour avoir imaginé de lui présenter le cheval de relais **tête-bêche** avec le cheval précédent, afin de lui permettre de passer d'un cheval à l'autre sans mettre pied à terre.) Le roi François cachait sa mélancolie en **déménageant** sans arrêt. Quand, en 1547, on lui annonça la nouvelle de la mort d'Henri VIII, il accusa d'abord le coup. Il se trouvait alors à **Saint-Germain-en-Laye** avec sa cour. Lui qui était si **bavard** se fit tout à coup **taiseux**. « Ceux qui l'approchaient s'aperçurent que depuis ce moment-là il était **fort pensif**. » Le chroniqueur continue : « Il était à peu près de même âge et de même complexion que le roi d'Angleterre. Il n'avait été que trop sujet aux mêmes faiblesses, et sa santé en était fort altérée. C'étaient ces réflexions chagrinantes qui causaient sa mélancolie. » Mais en quelques jours, le roi s'aperçut que la cour **jasait** et il se reprit. Il **s'employa** à donner le change, à chasser, à organiser des visites. Un mois plus tard, il fut pris d'une fièvre **lente** qu'« il espéra surmonter par l'exercice de la chasse ». Il remonta à cheval. Son état **empira**, mais il **niait** être malade. En deux semaines, « parce que le chagrin le rendait inquiet », le roi alla de Saint-

---

6 Lacedaemon, in Greek mythology, was a son of Zeus who married Sparta. He then named the country over which he ruled after his wife.

Limours a town south-west of Paris famous for its carnival
Rochefort a town on the Atlantic coast
éperdument frantically
moribond dying

naguère not long before, formerly
chevet bedside

l'amiral d'Annebaut Admiral who led the French invasion of the Isle of Wight in the war with the English (1545)

le maréchal de Saxe the Marshal of Saxony (1696-1750), appointed governor of Chambord by Louis XV in 1748
Georges Pompidou President of the French Republic from 1969 to 1974
atteint afflicted
faire taire to silence/quelch
se poudra powdered himself
jucha perched
chamarré richly ornamented
selle saddle

pouls pulse
bien portant stately

fuite flight, escape
effrénée frenzied
pudique discreet
gauloiserie bawdiness
l'esbroufe bluffing

Germain à **Limours** pour le carnaval, puis de Limours à **Rochefort** où il chassa **éperdument**, puis à nouveau à Saint-Germain, puis à Rambouillet, où, épuisé, **moribond**, il exigeait d'aller encore à la chasse. Il mourut là-bas, souffrant beaucoup, à peine deux mois après son frère ennemi Henri VIII, qu'il avait **naguère** battu au jeu de paume. François Ier eut le temps de recevoir les sacrements, de faire venir son fils à son **chevet** et de lui recommander de baisser les impôts et de s'appuyer sur les conseils de **l'amiral d'Annebaut**, et ensuite il expira sans faire d'histoires. Voilà de quoi était faite l'insouciance du « gros garçon ». Nous y reviendrons sans doute plus tard, car ces derniers jours de François Ier, durant lesquels l'homme d'État est devenu par l'effet de la maladie un homme nu face au mystère du mal, font songer à la fin de deux autres grands amoureux de Chambord : **le maréchal de Saxe** et **Georges Pompidou**. Le premier, **atteint** d'une fièvre mortelle, riposta à sa maladie en organisant une battue au sanglier dans le parc de Chambord pour **faire taire** la rumeur qui le disait mourant et célébrer une dernière fois la nature, le 21 novembre 1750. Il revêtit son uniforme de héros. Il **se poudra**. On le **jucha** sur son cheval comme un gros sac de pommes de terre **chamarré**, il s'agrippa à la **selle**, fit semblant d'être heureux, et joua une dernière fois la comédie de la vie. Quelques jours après, il était mort. Le second, amoureux des arts et passionné des humains, frappé par une effrayante maladie, cerné par la rumeur (il disait : « Quand on me serre la main, j'ai l'impression qu'on me prend le **pouls** »), quitta une dernière fois le palais de l'Élysée, déguisé en homme **bien portant**, pour une battue à Chambord le 26 janvier 1974, en compagnie de sa vieille garde. Quelques semaines plus tard, il mourut. Le château de Chambord, folie rêvée par un adolescent dont la vie se récapitule dans une **fuite effrénée** mais digne, dans la **pudique gauloiserie**, dans la passion de la nature, est la plus française de toutes les demeures royales. Parce qu'il mélange **l'esbroufe** et la raison, qu'il en met plein la vue, mais au fond sans y croire, il

qui nous fût parvenu which has come down to us
gratuit pointless, spurious

hiérarchisent organize into a hierarchy
recoupent trim, edit
agencements arrangements, displays
Renan (1823-1892) French historian and philosopher

accoudés leaning on
Allons! Come off it!
Michelet (1798-1876) prolific French historian
accouche gives birth to

manifeste manifesto, statement

désinvolture casualness, detachment

voulu planned, ordered
Là-dessus On that subject
jalonné marked out, posted
d'indices by clues
s'adonnait he devoted himself (to it)
Laurent de Médicis Lorenzo de Medici, ruler of Renaissance Florence

incarne la frivolité et le sérieux français. C'est peut-être pour cela que la destinée a permis que Chambord restât le seul domaine royal **qui nous fût parvenu** intact. Affirmant cela, je m'expose : on dira que mon propos est **gratuit**. Peut-être. Mais après tout, les historiens les plus soucieux d'une démarche scientifique ne font pas autrement que moi qui ne suis pas historien. Ils accumulent les sources, les valident, les **hiérarchisent**, les **recoupent**, et ce qu'ils construisent, en fin de compte, ce sont les **agencements** de leurs propres fantasmes. Regardez **Renan** : il réunit avec sérieux ses sources et fabrique de toutes pièces une Grèce parfaite, harmonieuse comme un tableau du musée d'Orsay, peuplée de philosophes et de professeurs **accoudés** à des colonnes de marbre. **Allons !** Au même siècle, avec la même rigueur, **Michelet accouche** d'une France sur mesure que ses successeurs, avec la même bonne volonté encore, s'emploieront à tuer. Le Chambord que je vois est à lui seul une psychanalyse de François Ier. Il n'est pas un bâtiment, mais un **manifeste**. Et que représente-t-il ? Une pirouette de dandy.

Le mystère de l'architecte inconnu

Chambord est une pirouette de dandy, un manifeste de **désinvolture**, mais c'est aussi un château sans architecte. Il est impossible de parler de Versailles sans mentionner Hardouin-Mansart, d'évoquer la basilique Saint-Pierre sans se référer à Michel-Ange ; mais à Chambord, l'architecte est le grand absent. Qui donc a conçu le palais révolutionnaire **voulu** par François Ier ? **Là-dessus** il n'existe pas de doctrine officielle, mais le jeu de piste est **jalonné d'indices**. Premier indice, François lui-même se pensait architecte. Selon plusieurs témoignages, il **s'adonnait** avec un certain talent au dessin, et en particulier au dessin d'architecture. Il était un admirateur de **Laurent de Médicis**, qui avait en personne (un peu aidé tout de même par Giuliano da Sangallo) élaboré les plans de sa villa de Poggio a Caiano, construite à partir de 1485 sur un plan en croix. Le plan en

recopiage copycat
Mantoue the Italian city of Mantua [Mantova]
dépêche dispatch

suite result

sans ouïr without hearing

jumeaux twin

esquisses sketches, drafts

peste the plague
chantier construction site
croquis sketches

croix, c'est la grande originalité de Chambord. En fait, un intelligent **recopiage**. Un ambassadeur de **Mantoue**, Bobba, signale dans une **dépêche** datée de 1539 que le roi de France « a dessiné de ses propres mains un grand édifice », et que d'ailleurs le roi dessine des projets de châteaux « partout où il passe à la chasse », en général sans **suite**. Mais le roi était assez intelligent pour se faire aider des meilleurs spécialistes. Deuxième indice, la sœur du roi, Marguerite d'Angoulême, parle en 1531 du château de Chambord comme d'un bâtiment « fait » par François Ier ; et dans une lettre adressée à son frère, elle ajoute à propos de Chambord : « Voir vos édifices sans vous, c'est un corps mort, et regarder vos bâtiments **sans ouïr** sur cela vos intentions, c'est lire en hébreu. » Parler d'« intentions », en matière de bâtiment, c'est déjà parler de l'architecte. Troisième indice, en 1516, le roi a réussi à convaincre l'artiste et l'ingénieur le plus célèbre d'Italie, Léonard de Vinci, de le rejoindre en France. Les premières commandes qu'il lui passe concernent des projets d'architecture. François s'est mis en tête de réaliser à Romorantin, où vit sa mère, une « petite Venise ». La ville nouvelle serait dotée d'un réseau de canaux alimentés par la Sauldre, formerait une espèce de cité idéale avec des ponts, de jolies maisons, et tout au bout, deux châteaux **jumeaux**, l'un pour sa mère, l'autre pour lui. (François a vingt et un ans, son bonheur politique et sa puissance sont à leur zénith ; il ne lui manque plus que de se réfugier chez sa maman.) Léonard se met au travail. Il élabore des **esquisses**, des plans, et bientôt les travaux commencent à Romorantin. Mais une épidémie de **peste** se déclare dans le **chantier** et on arrête très vite la construction. Au milieu des carnets de Léonard se trouvent des **croquis** qui évoquent le château de Chambord. Or nous savons que les travaux de Romorantin ont été définitivement abandonnés juste quelques semaines avant que soit posée la première pierre de Chambord, en septembre 1519. Il semblerait que le projet ait, d'une certaine façon, changé de lieu. Cependant, Léonard est mort en mai 1519. Il n'a pas pu

démarrage start
ni a fortiori en assurer le suivi much less guarantee the overseeing

patte *here*: hand
maints many
convenons let's admit
mécène patron

loisir spare time
métier occupational calling, craft

Dominique de Cortone Domenico da Cortona (c1465-c1549), Italian architect brought to France by Charles VIII
Palladio (1508-1580) preeminent Italian Renaissance architect
Primatice (1504-1570) Francesco Primaticcio Italian painter, architect and sculptor who spent most of his career in France
Rosso (1494-1540) Rosso Fiorentino, Italian Mannerist painter
Vignole (1507-1573) Vignola, great Italian Mannerist architect
ligérien from the Loire region
s'engouffra dans la brèche stepped into the breach (*literally:* seized the opportunity)
tous azimuts in all directions, from all sides
molles soft, flabby

parvenues jusqu'à nous coming down to us
lots lots, batches
maçonnerie masonry, bricks
désigne designate, appoint

voir le **démarrage** du chantier de Chambord, **ni a fortiori en assurer le suivi**. Pour cette raison, la tradition ne l'a guère associé à la construction du château. Mais, nous le verrons plus tard, sa **patte** est présente dans **maints** aspects de l'édifice. Si donc il faut parler de l'architecte de Chambord, alors **convenons** que cet architecte fut un attelage de deux talents, celui d'un jeune **mécène** et celui d'un vieux savant. Le roi François et le génie Léonard furent les deux inspirateurs du projet. Pourrait-on imaginer pour un palais une plus glorieuse paternité ?Ceci étant, ni Léonard ni François ne furent vraiment des architectes du château de Chambord, le premier parce qu'il était mort avant le début des travaux, le second parce qu'il n'avait ni le **loisir** ni le **métier** de s'occuper du chantier. L'architecte proprement dit, celui qui, après avoir fait approuver un avant-projet détaillé, s'est occupé au jour le jour de l'exécution des travaux de gros œuvre, fut longtemps considéré comme inconnu. On parla de **Dominique de Cortone**, de **Palladio**, du **Primatice**, du **Rosso**, de **Vignole**. Tous des Italiens. Au xixe siècle, les historiens de l'architecture s'offrirent une controverse. Louis de la Saussaye affirmait dans la huitième édition de son *Château de Chambord*, publiée en 1859, que l'architecte du château était un bâtisseur **ligérien**. Viollet-le-Duc **s'engouffra dans la brèche** en affirmant dans son *Dictionnaire d'architecture* que Chambord n'avait « rien d'Italien ». En France, l'heure était au nationalisme **tous azimuts**. On s'avisa que le château de Chambord était plus proche de l'esthétique des *Très Riches Heures du duc de Berry* et des châteaux forts gothiques français que des **molles** villas italiennes de la Renaissance. On tenta de prouver que les architectes de Chambord s'appelaient : Pierre Trinqueau, Jacques Sourdeau, Jacques Coqueau. Des noms bien de chez nous. Mais ces trois personnages, quand on consulte les rares archives du chantier **parvenues jusqu'à nous**, n'apparaissent que comme des titulaires de **lots** de **maçonnerie**. Ils étaient maîtres maçons. Ce n'est pas ainsi qu'on **désigne** un architecte. D'ailleurs, Sourdeau ne savait

apportée furnished, put forward

retenus kept

maquette model

survenu that took place
lors de at the time of

lanternons lanterns in cupolas
hérissées spiking, shooting up

lui incomba fell to him

époustoufler amaze

ni lire ni écrire... Quant à Palladio, au Primatice ou à Vignole, aucune preuve n'était pour autant **apportée** qu'ils avaient conçu puis bâti le château. Ils avaient sans doute participé à des études préliminaires, mais leurs projets n'avaient de toute évidence pas été **retenus**, puisqu'on ne retrouve aucun règlement à leur profit pendant le déroulement des travaux. D'où l'idée reçue d'un architecte inconnu. La vérité, c'est que l'architecte de Chambord fut un Italien assimilé en France, et non le moindre : il s'appelait « le Boccador ». Dominique Bernabei, dit « de Cortone », ou « le Cortonais » ou « le Boccador » n'était certes pas n'importe qui. Il fut un des plus grands architectes de son temps, déjà reconnu quand François Ier, sans doute après l'avis de Léonard, lui passa commande d'un avant-projet détaillé et d'une **maquette**. Le Boccador s'était rendu célèbre pour avoir construit le château de Tournay. Plus tard, il construisit l'hôtel de ville de Paris. Cet Hôtel de Ville que nous connaissons (celui que nous voyons aujourd'hui est un pastiche reconstruit après l'incendie **survenu lors de** la Commune) offre avec le château de Chambord un évident cousinage : un mélange de rêve médiéval et de style Renaissance, un composé de gothique français et de moderne italien, un goût pour les **lanternons**, l'alternance du noir et du blanc, les structures **hérissées** vers le ciel. En 1532, le Boccador a reçu du roi de France la somme de neuf cents livres en paiement du solde de son travail d'« architecteur » du château de Chambord et de divers autres travaux. Les travaux étaient à cette date fort avancés, et la somme remise est plus qu'importante. Ce point suffit à prouver que le suivi du chantier **lui incomba** à titre principal. D'ailleurs, le Boccador vécut à Blois la plupart du temps, entre 1519 et 1547, pendant la durée des travaux. Cependant, il ne fut jamais mis en avant. Pourquoi ce silence ? On peut y trouver diverses raisons. La première est que Chambord devait, dans l'esprit de François Ier, garder quelque chose d'un trésor secret. Le château n'était pas destiné à impressionner la foule d'une ville, mais à **époustoufler** un entourage choisi. Il

inavouable dishonorable

clochaient went amiss
repentirs changes of plan, modifications

voûtes vaults, arches
pentes faibles gradual pitches, inclines
tuffeau freestone, tufa, sandstone
ardoise slate
casse-tête headache

mine d'ignorer pretending not to know

laïcité secularism, lay

était, dans ces conditions, difficile pour l'architecte d'en faire un argument de publicité. Une autre raison peut sembler **inavouable** : Dominique de Cortone ne fut peut-être pas satisfait de ce qu'il avait construit à Chambord. Il avait bâti certes un édifice totalement révolutionnaire, somptueux, conforme au vœu de François Ier et à l'inspiration de Léonard ; cependant dans le détail, pas mal de choses **clochaient**. Les **repentirs** dans la construction sont nombreux, mais là n'est pas le sujet. Le nœud de l'affaire, c'étaient les infiltrations. En appliquant dans l'humide Sologne des solutions adaptées au climat sec de l'Italie – **voûtes** basses, terrasses, **pentes faibles** – et en substituant des matériaux locaux à ceux qui auraient convenu à la configuration des plans – **tuffeau** de Touraine à la place du marbre blanc, **ardoise** d'Anjou à la place du marbre noir –, le Boccador avait fait du château de Chambord un **casse-tête** pour tous ses successeurs chargés de l'entretenir. En bon architecte, le Boccador ne pouvait l'ignorer. L'hôtel de ville de Paris n'avait pas ces soucis. De plus, situé en pleine ville, offert aux regards des passants, il avait tout pour être emblématique. L'histoire retint donc que Dominique de Cortone avait construit l'Hôtel de Ville, et oublia qu'il avait présidé à l'édification de Chambord. La dernière raison de cet oubli est que le Boccador, bien qu'il passât l'essentiel de sa vie en France, était italien. Chambord, souvent présenté dans les manuels d'architecture comme un prototype du génie français, ne pouvait s'offrir un architecte étranger. Viollet-le-Duc ne fut pas le dernier à passer sous silence le Boccador, faisant **mine d'ignorer** qu'il entre dans la définition même du génie français que d'avoir su s'enrichir du meilleur de ce que les pays voisins proposaient.

Un manifeste de la laïcité française

François Ier voulait faire de Chambord un symbole. Quand il parla de réaliser un « somptueux édifice », il ne s'exprima pas de manière fortuite : il avait politiquement besoin de réaliser quelque

beffrois belfries
monticules buttes, knolls, hillocks
donjons castle keeps
rotondes rotundas
stèles pillars
centres Pompidou the Pompidou Center in Paris and other such constructions
hérissent les continents stand on every continent
Hu Jintao President of the People's Republic of China since 2003
prouesse feat, exploit
démesuré over the top, outlandish

d'émouvoir to touch, move
baume balm

davantage encore que even moreso than

la couleuvrine a type of cannon
la généralisation de la comptabilité en partie double the widespread use of double-entry bookkeeping

à bord on board

chose de somptueux vis-à-vis de lui-même, vis-à-vis de la France, vis-à-vis de Charles Quint, vis-à-vis du pape. François ne fut certes pas le premier homme d'État à exprimer son programme dans un bâtiment. Ni le dernier. Tous les hommes politiques ont des fantasmes architecturaux : des arcs, des tours, des pyramides, des **beffrois**, des pagodes, des temples, des **monticules**, des **donjons**, des **rotondes**, des pavillons, des mausolées, des **stèles**, des **centres Pompidou hérissent les continents** pour nous le prouver. Mais quand certains donnent dans l'architecture massive – à la Staline –, ou dans l'architecture subtile – à la Septime Sévère –, ou dans l'utilitaire – à la **Hu Jintao** –, François Ier opte pour l'architecture technologique : il voulait faire à Chambord une **prouesse** scientifique. Il voulait prouver qu'il était capable de construire en France, c'est-à-dire de ce côté-ci des Alpes, un édifice plus complexe, plus fonctionnel, plus **démesuré** que tout ce qui existait jusque-là. Il voulait posséder ce que l'empereur n'aurait pas. Comme tous les adolescents, François avait le souci d'impressionner plutôt que **d'émouvoir**. Et ce qui lui mit le plus de **baume** au cœur, bien des années plus tard, fut la réflexion de son vieil ennemi Charles Quint, descendant des terrasses de Chambord et déclarant, face à l'escalier, un soir de décembre 1539 : « Voici un résumé de l'industrie humaine. » Ce n'est pas un hasard si le jeune François fut fasciné par le Léonard de Vinci ingénieur **davantage encore que** par le Léonard artiste, au point de lui confier le dossier de la construction : la Renaissance, c'est le pouvoir de la technique. François est l'homme de son temps. En version humaine, la Renaissance a donné Léonard. En version militaire, **la couleuvrine**. En version économique, **la généralisation de la comptabilité en partie double**. En version architecturale, le château de Chambord. François est une synthèse de toutes ces versions, qui ne font qu'exprimer une seule chose : l'homme est enfin seul maître **à bord**. Maître, seul. François, à Chambord, voulait parler aux intelligences avant de séduire les cœurs. Il voulait construire grand, inédit,

volontiers readily

tonnant bombastic
concertation cooperation

conduisirent lead
cardinal de Retz a 17th-century cardinal who wrote an important memoir

plus artificieux que prudent *more cunning than prudent*
donna sur ce chef *concerning this subject*
aussi bien que sur tous les autres *as well as all others*
atteinte à la bonne foi *undermined good faith*
rétablie *reestablished*
étendre *extend*

narquoise mocking
sommet top, summit
dit toujours long always say much, speak volumes

centralisé. En un mot, il entendait que son château exprimât sa politique. Les historiens présentent **volontiers** le règne de François Ier comme l'avènement de l'absolutisme. Et il est vrai que, sous ce souverain à la fois subtil et **tonnant**, un certain équilibre dans nos institutions, fait de **concertation** entre le roi et les parlements, et entre le roi et les états, se mit à vaciller. François aimait le pouvoir. Les circonstances le **conduisirent** à le partager de moins en moins. Le **cardinal de Retz** résume dans ses *Mémoires* comment les habitudes ont dérivé.

Il y a plus de douze cents ans, écrit-il sous Louis XIV, *que la France a des rois ; mais ces rois n'ont pas toujours été absolus comme ils le sont... Charles V, qui a mérité le titre de Sage, n'a jamais cru que sa puissance fût au-dessus des lois et de son devoir. Louis XI, **plus artificieux que prudent, donna sur ce chef, aussi bien que sur tous les autres, atteinte à la bonne foi.** Louis XII l'eût **rétablie**, si l'ambition du cardinal d'Amboise, maître absolu de son esprit, ne s'y fut opposé. L'avarice insatiable du connétable de Montmorency lui donna bien plus de mouvement à **étendre** l'autorité de François Ier qu'à la régler.*

François Ier fut notre premier roi au-dessus des lois. Il exigea très naturellement un château au-dessus des lois de la physique, un château capable d'exprimer, en version architecturale, ce que son pouvoir exprimait en version politique. À pouvoir absolu, château absolu. Le « somptueux édifice » de Chambord voulu par le roi adolescent ne devait pas être un château plus grand ou plus riche que les autres : il fallait qu'il fût différent. La commande passée à Léonard, puis au Boccador, prévoyait un château idéal et symétrique, centré autour d'un curieux escalier ne menant nulle part. Au sommet de tout, exactement au milieu du plan, à la convergence de chaque ligne, point de flèche comme à une cathédrale, point de croix comme à une chapelle, point de coupole, point de clocher : une fleur de lis, séculière et **narquoise**, régnant sur l'indifférente Sologne. Le **sommet** des édifices en **dit toujours long** sur la philosophie des temps. Faites par exemple

dépassent surpass in height
antérieurs (built) before
postérieurs (built) after

juché perched, mounted

brandit brandishes
auparavant formerly
érigea erected

manqua came close

le test de la tour Eiffel : un matin de semaine (pour éviter la queue), montez au second étage, puis regardez Paris à vos pieds. Vous remarquerez que presque tous les toits de la ville sont de la même hauteur. Seuls émergent, de loin en loin, des édifices à portée symbolique. Et vous remarquerez aussi ceci : que tous les édifices qui **dépassent** et qui sont **antérieurs** à la tour Eiffel sont des édifices chrétiens. Et que tous les édifices qui dépassent et qui sont **postérieurs** à la tour Eiffel sont des édifices profanes. Les premiers sont des flèches ou des coupoles surmontées d'une croix ; les seconds, des tours remplies de bureaux. Et au milieu de tout cela, il y a la tour Eiffel elle-même, objet de transition, surmontée non pas d'une croix, non pas d'un héliport, mais d'une antenne de radio et de télévision. Jusqu'au xixe siècle, les folies architecturales mettaient les hommes en liaison avec Dieu. Depuis le xxe siècle, elles mettent les hommes en liaison avec la terre, avec leur travail. Et à la jonction des deux, avec la tour Eiffel, une folie singulière mit les hommes en relation les uns avec les autres. Bâtie au xviiie siècle, la tour Eiffel aurait été surmontée d'une croix monumentale ; au xviie siècle, d'une statue dorée de Notre-Dame. Au xvie siècle, François Ier a **juché** sur la plus haute tour de France l'incontestable fleur de lis. Chambord est la tour Eiffel de la Renaissance française. Le château **brandit** à son sommet un symbole séculier, là où, **auparavant**, n'aurait pu être imaginé qu'un symbole religieux. Le Boccador, sans le savoir, **érigea** un monument à la laïcité française. La correspondance avec la tour Eiffel ne s'arrête d'ailleurs pas là. Comme la tour Eiffel, le château de Chambord a été construit pour l'immédiateté. Comme elle, aussitôt qu'achevé, il ne cessa de poser la question de sa fonction. Aussi inhabitable que la tour Eiffel, et aussi contraignant à entretenir, il **manqua** d'être démonté. Et comme celle de la tour Eiffel, sa silhouette est devenue, par sa gratuité, un des deux symboles, un des deux « logos » de la France. Versailles, par exemple, cet immense gratte-ciel horizontal et utilitaire, pensé comme une

caserne barracks
pensionnat boarding school
bonbonnière polissonne mischievous candy box
pas davantage nothing more
hectomètre a little over 100 yards

à l'abri de sheltered from

affrontées faced off

Vincennes an imposing castle in Paris
ponctués punctuated
nul n'est besoin de there's no need at all to

stationnement parking
débouche opens up, begins

suscité gave rise to

chevelure hairdo

caserne ou un **pensionnat**, ne permet aucune représentation figurative récapitulant la France. Le palais de l'Élysée, **bonbonnière polissonne, pas davantage**. Le Louvre, où chaque **hectomètre** de pierre nous fait changer de siècle, non plus. Peut-être pourrait-on citer un troisième symbole de la France, un troisième « logo », l'Arc de Triomphe : c'est que, comme Chambord, l'Arc de Triomphe a été bâti d'une seule pensée, pour exprimer la politique, et non pas pour mettre les politiques et leurs maîtresses **à l'abri de** la pluie. On a souvent cherché des influences dans les plans de Chambord. Sur cette question, des écoles se sont **affrontées**. Les partisans de l'influence italienne, pour qui Chambord est une transcription laïque de Saint-Pierre de Rome, avec son plan centré, s'opposaient à l'école de l'influence française, pour qui Chambord est un château fort de plaine, un **Vincennes** amélioré, aux toits **ponctués** de quelques stridentes statues. Oublions ce débat. La vérité est ailleurs. Pour la discerner, **nul n'est besoin de** se plonger dans les plans : il suffit de regarder. Arrêtez-vous côté nord du château, près du rond-point où la route de la Gabillère rejoint la route de Muides. La silhouette de Chambord, aperçue depuis cet endroit (ne vous y attardez pas, le **stationnement** est interdit), où **débouche** la route par laquelle les rois arrivaient de Paris, ne ressemble à rien de connu dans l'architecture mondiale. Peut-être pourrait-on songer au Taj Mahal, à cause de l'élan sophistiqué de la pierre blanche vers le ciel, à cause de l'impression de feu d'artifice minéral, à cause de la détonation silencieuse de la grande lanterne ; ou à Angkor Vat, à cause de la pierre et des arbres mêlés ; mais en Europe, rien de semblable. Comme le disait Alfred de Vigny, de ce point, on découvre un château « royal, ou plutôt magique ». Ce château n'a pas de prédécesseur. Il n'a **suscité** aucune copie. Il ne s'inscrit dans aucune chronologie. Il ouvre une curieuse boîte de Pandore. La silhouette de Chambord est un test de Rorschach. Victor Hugo y a vu l'Alhambra ; Chateaubriand, une **chevelure** de femme ; un sous-officier de

porte-avions aircraft carriers
songe dream
luttais fought
organigramme organizational/hierarchical chart

en goguette having fun

d'ADN of DNA

chiffres ronds round numbers

carré square
alourdi weighted
échelle scale

desservie served, serviced
propres own private
double vis double spiral ramps

dénivelés difference in level/height
entresols mezzanines
pente inclination
chapiteaux capitals

gendarmerie de ma connaissance, une superstructure de **porte-avions** ; Alfred de Vigny, la figuration d'un **songe**. Pour ma part, j'y ai discerné, quand je **luttais** pour le changement de statut du domaine, un **organigramme** administratif, du genre de ceux qu'on appelle « usine à gaz » pour les dénigrer. Bref, on y voit ce qui nous importe. J'ai un jour entendu des médecins **en goguette** affirmer que l'escalier à double révolution était une représentation de la molécule **d'ADN**. De loin, l'ensemble paraît symétrique et, de près, rien n'est symétrique. Chambord est bâti comme un arbre ou comme un visage : il est trop subtil pour être défini en **chiffres ronds**. Le plan est d'apparence simple et logique, mais, à y regarder de près, il est compliqué et paradoxal. Au premier abord, il présente une enceinte rectangulaire de cent cinquante-six mètres sur cent vingt-six, complétée, côté nord, d'un assez classique donjon **carré**, de quarante-cinq mètres de côté, **alourdi** de quatre tours rondes de vingt mètres de diamètre : une **échelle** colossale, mais rien de révolutionnaire dans l'idée d'ensemble. De plus près, pourtant, le plan de Chambord est bel et bien sans précédent. Regardons le grand escalier. Tout converge vers lui. Il est à lui seul comme la justification de tout l'édifice. Et, en même temps, il est parfaitement inutile : chaque aile du donjon est **desservie** de fond en comble par des escaliers qui conduisent commodément aux terrasses. Les appartements ont leurs **propres** accès. L'escalier central ne sert à rien, ou plutôt il fait office de démonstration de puissance. Il possède une **double vis**, comme on en voit aujourd'hui dans les parkings souterrains : ceux qui montent ne croisent pas ceux qui descendent. À l'époque de la construction, l'exécution d'un tel plan relevait de la prouesse. Les dimensions impliquées par ce système sont colossales. Chaque révolution de l'escalier correspond à huit mètres de **dénivelés**, hauteur nécessaire pour loger des **entresols** de quatre mètres sous plafond. Pour obtenir une **pente** confortable et majestueuse, il fallait donc un diamètre énorme : plus de dix mètres. Des dizaines de **chapiteaux** en bas relief ponctuent

De proche en proche Gradually, Step-by-step

inassouvis unsatisfied

Blois ou Amboise sites of other French royal castles

volées flights

duplex two-story apartments

jeu de clefs bunch of keys
oratoire oratory [small chapel for private worship]
cheminées fireplaces
abrite houses, is home to

inouï unheard of
Roi-Chevalier First Among Equals, First Knight

gabarit size

l'ascension. **De proche en proche**, des fenêtres permettent à ceux qui montent et qui descendent de s'apercevoir sans se toucher. Il y a dans cet artifice une figuration des désirs **inassouvis**, quelque chose de la chasse inaccomplie de Thibault le Tricheur. La conception de cet escalier est un pur produit des plans de Léonard. Dès les premières esquisses, le cœur du projet voulu par François était le grand escalier. Le roi voulait un escalier central, et non plus une tour d'escalier comme à **Blois ou Amboise**. Léonard travailla à diverses solutions : escalier à deux **volées** ; escalier à quatre rampes indépendantes. Trop classique. Une troisième esquisse emporta la décision du roi : un escalier central à vis double. Le système à vis double n'était pas en soi une première, mais jamais on n'avait imaginé d'en construire un d'une telle dimension, ni dans une telle position. Cet escalier sans égal serait la gloire de Chambord. Regardons les appartements. Une grande innovation de Chambord est sans aucun doute son système d'habitat collectif. L'ensemble du château est conçu comme un groupe d'appartements, des **duplex** de même modèle, disposant chacun de son escalier privatif. Chaque appartement possède son propre **jeu de clefs**, son studio, sa chambre, son **oratoire**, sa garde-robe, ses **cheminées**. Il y a tellement de cheminées qu'on a pris l'habitude de dire que Chambord en **abrite** trois cent soixante-cinq, autant que de jours dans l'année. En réalité, le château en possède en tout deux cent quatre-vingts, et c'est déjà **inouï**. La philosophie qui correspond à tous ces appartements égaux était celle du **Roi-Chevalier** : dans le donjon, l'appartement du roi est du même **gabarit** que tous les autres, celui d'un chevalier parmi les chevaliers. Les appartements sont une transposition en pierre du Camp du Drap d'or[7] : campement pour des nomades qui

---

7 The Field of the Golden Cloth, an encampment near Calais in northern France, the site of an important meeting that took place between King Henry VIII of England and King Francois I of France arranged to increase the bond of friendship between the two kings following the Anglo-French treaty of 1514.

s'attarder to linger long
compagnon comrade
popote cookery
revenu de tout having returned after everything [*implication*: depressed, down]

à ceci près so close to that

miradors watchtowers
fins finales
laisser-courre hunts
salamandres salamanders

devise motto
j'éteins I quench/extinguish/put out

flammèches sparks, flickers

cracher to spit
l'engloutit they devoured it
faisait mine pretended

ce dernier the latter [i.e., the young king]
cantique des cantiques the biblical Song of Songs
aînée eldest

n'entendent nullement **s'attarder**, habitation d'un roi **compagnon** qui partage la **popote** de son armée. Ce n'est qu'après 1530 que François Ier, **revenu de tout**, décida d'adjoindre au donjon une aile royale, réservée à lui-même et à ses proches, confortable, isolée, opposée à l'aile de la chapelle. Le plan final du château donne une idée concrète de l'isolement auquel conduit l'exercice prolongé du pouvoir. Regardons les terrasses. Elles figurent un village gothique flamboyant, avec ses ruelles, ses maisons, son clocher, **à ceci près** qu'ici le clocher est constitué par la grande lanterne surmontée de la fleur de lis. Au centre de ce village idéal suspendu à plus de vingt mètres au-dessus du sol, le maître de tout est un roi séculier. Il règne sur un territoire sauvage. Il veut que ses terrasses soient des **miradors** pour observer les **fins** des **laisser-courre**, un observatoire du triomphe ultime de l'homme sur la nature sauvage. Regardons les **salamandres**. Il y en a partout. Sur les plafonds, aux faîtes des escaliers, sur les portes, sur les fenêtres, sur les corniches. Elles sont le symbole de la famille d'Angoulême, accompagnées d'une mystérieuse **devise** : *Nutringo et extingo*, qui signifie en vieux toscan : « Je me nourris et **j'éteins** », que les initiés précisent en : « Je m'en nourris et je l'éteins. » De quelle énigme s'agit-il ? Du feu, comme le montre les **flammèches** sur les bas-reliefs. Car la salamandre avait la réputation de survivre dans le feu. En prenant la salamandre comme emblème, François Ier explicita son intention héraldique : ce dont il entendait se nourrir, c'était du bon feu ; ce qu'il voulait éteindre, c'était le mauvais. La moitié des salamandres paraît **cracher** du feu, et en réalité **l'engloutit** ; l'autre moitié crache de l'eau, et donc éteint l'incendie. Par ce message bizarre, la famille d'Angoulême **faisait mine** de décider du bien et du mal, et François de n'être pas seulement le nouveau César, mais le nouvel Adam. Après Marignan, des poèmes à la gloire du jeune roi mettaient **ce dernier** dans le personnage de l'époux du **cantique des cantiques** et la France dans celui de la fiancée. L'époux, c'est le nouvel Adam. La fiancée, la fille **aînée**

farfelue harebrained

Benvenuto Cellini (1500-1571) Italian goldsmith, sculptor, painter, soldier and musician who also penned a famous autobiography

lessive *washing*

fournaise *blaze*
tout en *while*
maîtresse gifle *mighty slap*
m'apaisa *calmed me down*
mine de rien *as if nothing had happened*

m'offrit *gave me*
piécettes *small coins*
mécène patron
châtelain lord of the castle
rôdeur prowler
buanderies laundry rooms
badaud loiterer, onlooker
celliers wine cellars
à ses heures as a pastime/hobby
déménager moving from house to house
épuisait exhausted
enrhumait caused to catch cold
astreints compelled
quémandaient begged for
désespérait (he) drove to despair
boue mud

de l'Église. Le plus curieux, dans cette affaire, est l'idée **farfelue** de faire croire en passant que les salamandres vivent dans le feu sans se brûler. Il existe à ce sujet un témoignage troublant, relaté dans les Mémoires de **Benvenuto Cellini**. L'orfèvre florentin, contemporain de François Ier pour lequel il eut l'occasion de travailler, raconte ce souvenir d'enfance :

J'avais cinq ans. Mon père se trouvait un jour dans un cellier où l'on avait fait la ***lessive*** *et où brûlait encore un bon feu de chêne. Il était seul et chantait près du feu, accompagné de sa viole. Le froid était intense, et voilà que mon père, regardant les flammes, vit par hasard au milieu des plus ardentes un petit animal semblable à un lézard, qui semblait se plaire étrangement au plus intense de cette* ***fournaise****. Il reconnut tout de suite ce que c'était et nous appela, ma sœur et moi, puis,* ***tout en*** *nous montrant l'animal, il m'administra une* ***maîtresse gifle*** *qui me fit pleurer à torrent. Il* ***m'apaisa mine de rien*** *et me dit : « Mon cher petit, la gifle que tu as reçue n'est pas pour te punir d'avoir mal fait, mais uniquement pour que tu te souviennes que ce lézard, que tu vois au milieu des flammes, est une salamandre, animal si rare qu'il n'est pas sûr qu'autre personne en ait jamais vu. » Il me baisa ensuite et* ***m'offrit*** *des* ***piécettes****.*

Cette histoire témoigne d'une pédagogie douteuse, à moins qu'elle ne soit un message crypté et que le père ne soit autre qu'une personnification de François Ier, car on sait que Cellini eut fort à endurer dans ses relations avec son **mécène**, l'homme à la salamandre, l'insupportable séducteur, **châtelain** de Chambord, **rôdeur** des **buanderies**, **badaud** des **celliers**, chanteur **à ses heures**, et surtout voyageur incessant. François Ier passait son temps à **déménager**. Il **épuisait** la cour, **enrhumait** ses amis, décourageait les artistes **astreints** à le suivre, leur parlait d'art quand ils **quémandaient** une pause, **désespérait** les ambassadeurs contraints à camper en plein hiver, dans la **boue**, entre Paris, Chambord et Cognac. Une véritable gifle. Et, dans la boue, se promenait la salamandre, pas si rare que cela. Il faut imaginer les migrations permanentes de la cour de François Ier :

d'attelages teams of horses
enlisés bogged down
caracole prances
ornières ruts

astreinte obligation
passe aux aveux makes a confession

caissons coffered ceilings

n'en déplaise à Charles Quint whether Charles V likes it or not
vide-ordures waste disposal, sewage system

réseau system
bacs de décantation settling tanks

le bout du jardin a garden plot, a bit of greenery

buanderies bath houses

fumante steaming, smoking

ce n'était pas la caravane majestueuse d'un prince oriental dans le vaste désert, mais un cortège discontinu **d'attelages enlisés** sur de mauvais chemins, des récriminations, des malédictions murmurées à l'arrière contre le roi qui **caracole** en tête, des voitures versées dans les **ornières** du Poitou ou de la Beauce. Des courtisanes renonçaient. Des ambassadeurs envoyaient des dépêches à leur prince pour être délivrés d'une telle **astreinte**. Et Cellini **passe aux aveux** : le roi l'entretenait en chemin de conversations interminables, l'épuisait, « de telle sorte, écrit-il, que j'avais pris en dégoût les Français et leur cour ». Il rêvait des chemins secs et durs de l'Italie. Mais, de temps en temps, le roi donnait des piécettes. Voilà pour la salamandre. Regardons les plafonds à **caissons** : partout des « F », initiales de François et à la fois de la France, surmontées de la couronne impériale. Le roi de France est empereur en son royaume, **n'en déplaise à Charles Quint**. Regardons les latrines. Une innovation architecturale majeure réside dans le système de **vide-ordures**. Le roi est aussi un tube digestif, et le château a ses propres entrailles. Pour la première fois, à Chambord, fut conçu et bâti un système de latrines doté d'un **réseau** d'aération et de **bacs de décantation**. C'était nouveau, car les latrines autrefois étaient la nature tout entière. Les châteaux médiévaux, et aussi les maisons de ville, possédaient certes des fosses et des puits perdus, mais on préférait depuis toujours, même chez les seigneurs, **le bout du jardin**. On pissait contre les arbres. Certains savaient opérer sans descendre de cheval. François, qui tôt eut des problèmes d'incontinence, se mit sûrement à l'exercice. Le siècle n'était pas sale : c'est tout le contraire. Les Valois se lavaient sans arrêt. François Ier, plus que les autres, passa des heures heureuses dans les **buanderies**. Le soir venu, il descendait enfin de cheval pour glisser dans sa baignoire **fumante**. Il aimait la pluie et la boue, car il savait que, tôt ou tard, la journée finirait par un bain parfumé et souvent partagé. Il savait que rien mieux que l'eau chaude ne réconforte des malédictions de l'eau froide. L'ambassadeur d'Angleterre,

dépêche dispatch
des premiers froids of the onset of cold weather
l'emmena took him

brume fog

moisissaient were going to wrack and ruin

pourris deteriorated

incunables early printed books
se soulager relieving oneself

se moucher blowing one's nose
ranger putting away
percées pierced, perforated [i.e., with a large hole in its seat]
la crasse filth
dissimulée concealed
conduits conduits, pipes
déchets waste
atterrissaient ended up
breveté invented by

déceler detecting
murée walled up

Wallop, rapporte dans une **dépêche** de novembre 1540 – le temps **des premiers froids** – que le roi, lui faisant les honneurs de son logis de Fontainebleau, **l'emmena** voir des tableaux de maîtres exposés dans la salle de bains. « Le roi m'emmena dans la salle de bains, écrit l'ambassadeur, qui étaient brûlants et fumaient tellement qu'on aurait dit qu'il y avait de la **brume** et que le roi fut obligé de passer devant moi pour me guider... » Derrière la vapeur, des toiles d'Andrea del Sarto, de Raphaël, de Léonard **moisissaient**. Quand Henri IV décida, en 1594, de transporter les tableaux de François Ier de la salle de bains vers le cabinet des peintures, on s'aperçut qu'ils étaient **pourris**... Pour le reste, François lisait dans sa baignoire, et non pas des magazines, mais des **incunables**, mais Phébus ! Alors les latrines, pour rendre admissible l'idée de **se soulager** à l'intérieur même d'un palais, se devaient d'être d'une hygiène et d'une discrétion absolue. Sous la Renaissance, l'idée de répondre à l'appel de la nature sans quitter ses appartements restait tout aussi inconcevable que, pour un Indien, celle de **se moucher** et de **ranger** ensuite son mouchoir et son contenu dans sa poche. Les chaises **percées**, cet emblème du siècle répugnant de Louis XIV – siècle de **la crasse dissimulée** sous les pommades et les poudres –, étaient inimaginables à un esprit Valois. Les latrines de Chambord sont les premières à posséder deux **conduits** parallèles, un pour les **déchets**, qui **atterrissaient** dans un système de double fosse, et un pour la ventilation, afin d'éviter les mauvaises odeurs dans les étages nobles. Un système **breveté** « Léonard ». Ces latrines ont beaucoup excité les imaginations. Des archéologues ont rêvé de trouver dans les fosses les reliefs des repas royaux. Des bactériologistes ont fait des analyses du sol. Des spécialistes de la construction y ont trouvé des arguments pour expliquer l'idée du plan initial. Un jour de 2001, un militant associatif muni d'un appareil capable de **déceler** les cavités à distance émit l'hypothèse qu'une fosse de latrines **murée** depuis des siècles se trouvait sous la tour François-Ier. L'idée était excitante, car les

vidangées drained
décelaient revealed
creusa excavated
voûtée vaulted
échelle ladder
foulant treading
dégoût ému revulsion
censément supposedly
mine de plomb lead pencil
indigent unworthy, meager

loisir *leisure*
livrer *give over, open up*

avare de lacking, short of
déconvenues disappointment
intrus intruders
combler fill in
intempestives untimely
croquis sketches
Prosper Mérimée 19th-century writer, archeologist and inspector-general of historical monuments

déblaiement clearing
on fait place nette one makes a fresh start/starts from scratch
gravitait orbited
prieuré priory
entrepris undertaken
équipe team of workers, work crew

maçon mason
adjoints assistants

autres fosses avaient été **vidangées** sous Louis XIV et sous le maréchal de Saxe, et ne **décelaient** plus grand-chose des déchets de François Ier. L'archéologue amateur fut autorisé à mettre sa supposition à épreuve : il **creusa**. Et en effet, il tomba sur une vaste fosse **voûtée**. Nous sommes descendus à quelques-uns dans le trou noir où une **échelle** métallique avait été disposée. Tout en **foulant** avec un **dégoût ému** le sol un peu trop mou, **censément** inviolé depuis les grands banquets de la Renaissance, nous découvrîmes sur une muraille, gravé à la **mine de plomb**, un poème **indigent** :

Seuls en ces lieux, aimant la solitude,
*Nous profitons d'un moment de **loisir***
*Pour **livrer** nos cœurs, comme à notre habitude,*
À leurs réflexions, tel est notre plaisir.

Signé : Desfeings, 1845. Chambord n'est pas **avare de** ce genre de **déconvenues**. La longue histoire du château a connu trop de périodes d'abandon pour que des **intrus** ne viennent pas y **combler** les vides par des visites **intempestives**. C'est vrai aussi des archives : on cherche des **croquis** du Boccador et on tombe sur des factures de **Prosper Mérimée**.

Le chantier du siècle :
la vie quotidienne
pendant les grands travaux

Le chantier de Chambord commença par une vaste opération de **déblaiement**. L'ordre était clair : **on fait place nette**. Le roi avait demandé de raser le château médiéval et tout ce qui **gravitait** autour, y compris le **prieuré**, qui serait démoli lui aussi quand on n'en aurait plus besoin pour loger les autorités pendant leurs visites du chantier. Les travaux furent **entrepris** avec une nonchalance inquiétante. La première **équipe** chargée de commencer la démolition se mit au travail en septembre 1519. Elle était minuscule. Le maître **maçon** Pierre Nepveu, dit Trinqueau, et ses **adjoints** Denis Sourdeau (fils de Jacques Sourdeau, autre maître maçon) et Jean Gobereau employaient

tâche task, job
pioche pickaxe
dérisoire ridiculous, pathetic
commissaire superintendent
péchait sin, err

frotté aux tangling with
malignités spitefulness
déléguer delegating
On ne le vit guère One hardly ever saw him
censé with common sense
parier bet, wager
avortés aborted
D'autant que All the more so
mi-sérieux half serious
mi-railleur half mocking
Malgré Despite
se mirent started
à courir sur leur erre waning, tailing off
étatique state-run
tâche job
s'enhardit became bolder
affecta allocated
produit income

recettes receipts
Or And at the same time
venait d'entrer had just entered
politico-médiatique relating to political propaganda

en mettre plein la vue à dazzle

en tout vingt et un ouvriers à la **tâche**. Une équipe artisanale. Le premier coup de **pioche** devait avoir quelque chose de **dérisoire**, lorsqu'on pense à l'ampleur du projet. De surcroît, François avait nommé comme **commissaire** aux travaux un homme qui ne **péchait** pas par excès de motivation : François de Pontbriand. En 1519, Pontbriand avait soixante-huit ans et plus grand-chose à prouver. Il avait fait l'essentiel de sa carrière sous Louis XII. Il avait dirigé les travaux d'Amboise et de Blois, mais vingt ans plus tôt. Sa principale initiative de vieux maître d'œuvre **frotté aux malignités** de la Chambre des comptes consista à **déléguer** sa signature. **On ne le vit guère** sur le terrain. Si bien qu'à l'automne 1519, un homme **censé** aurait pu **parier** que le chantier de Chambord n'irait pas à son terme et connaîtrait le sort de Romorantin ou des autres projets **avortés** dont le roi était en passe de se faire une spécialité. **D'autant que** François, **mi-sérieux**, **mi-railleur**, avait confié à Cellini : « Si l'on devait se préoccuper de la fin des choses, on n'entreprendrait jamais rien. » **Malgré** tout, les travaux **se mirent à courir sur leur erre**, pris dans une inertie administrative. Un chantier public, comme tout projet **étatique**, a tendance à grossir. Il se trouva que Trinqueau était un homme zélé. Il recruta d'autres ouvriers, des dizaines d'autres ouvriers. Le contexte budgétaire ne lui facilitait pas la **tâche**. Il **s'enhardit**. Le trésorier, René Clotet, commença à se plaindre. Clotet **affecta** au projet de Chambord le **produit** de coupes extraordinaires faites dans la forêt d'Amboise, se battant pour le maintien d'un principe que tous les gouvernements de la France, depuis mille cinq cents ans, promettent (sans succès) de respecter : les **recettes** exceptionnelles doivent être réservées au financement des dépenses non récurrentes. **Or** la France **venait d'entrer** en guerre contre l'empereur. Et François, pris d'une frénésie **politico-médiatique**, préparait parallèlement l'entrevue du Camp du Drap d'or prévue pour juin 1520 et destinée à **en mettre plein la vue à** Henri VIII. Ces projets coûtaient cher. Il fallait donc arbitrer : voulait-on oui ou non

contribuable taxpayer
affecta assigned

marécage swamp

radier horizontal structural support
pilotis pillars
graves coarse sand, gravel

l'Écriture Scripture
n'ignorait pas knew, was familiar with
Il n'en démordit pas He sunk his teeth into it (*literally*: *démordre* means to "unbite" or, open your mouth to let something go)
tombereaux wagons
gravats rubble
pataugea floundered

faire de Chambord une priorité budgétaire ? François Ier arbitra : Chambord serait une priorité. D'une certaine façon, c'est cette adversité qui, en obligeant à clarifier les choix, sauva le château. On peut d'ailleurs noter au passage que contrairement à une idée reçue, le chantier de Chambord ne représenta, dans les années de pleine activité, jamais plus de 1% du budget de la couronne, l'équivalent de la part du ministère de la Culture dans le budget de l'État aujourd'hui. Mais 1% durant vingt ans, et rapporté au budget de la nation la plus riche d'Europe, c'est tout de même beaucoup d'argent. La construction aura, au total, coûté un peu plus de six cent mille livres au **contribuable** français sous le règne de François Ier. À partir de l'hiver 1519, Trinqueau **affecta** des équipes plus nombreuses aux fondations du donjon. L'opération fut laborieuse : le sol restait un **marécage**. Le terrain était plat, difficile à drainer. Le Cosson sortait de son lit tous les hivers. De surcroît, le roi voulait qu'il y eût des douves autour de son château. La solution retenue fut la pose de fondations en **radier** sur **pilotis**. Elle consista à planter à plus de cinq mètres de profondeur des troncs de chênes en immersion constante, surmontés d'un appareil de **graves**, sur lequel reposent des fondations en pierre de tuf, sur quatre mètres de haut et cinq d'épaisseur. Ce travail énorme, au résultat invisible, dura trois ans et coûta trois cent mille francs. Il aurait été plus logique de bâtir sur le socle de l'ancien château fort. Ce choix, en déplaçant de quelques dizaines de mètres à peine l'emplacement du nouveau palais, aurait fait gagner trois ans et deux cent cinquante mille francs au projet. « Le sage a bâti sa maison sur le roc », dit **l'Écriture** que le roi **n'ignorait pas**. Mais François avait décidé d'être fou et de bâtir son palais sur le sable. **Il n'en démordit pas**. On fit venir des troncs de chênes et des **tombereaux** de **gravats**. On **pataugea**. La réalisation des fondations n'était pas achevée quand Pontbriand mourut, en 1521. François lui désigna alors comme successeur Nicolas de Foyal, un sexagénaire revenu de tout qui avait – avec le succès que l'on sait – dirigé

rare scarce
s'étiolait wilted, went into decline
replié withdrawn
d'Herbault at Herbault [a small town to the southwest of Chambord where he had property]
malheurs adversities

amer bitter

revanche revenge

atteignent took on, reached
rythme de croisière cruising speed

volontarisme philosophy of the power of the will

à titre permanent on a permanent basis
appareilleurs master stonemasons who also direct the work of stonemasons
menuisier joiner, carpenter
scieurs sawyers
charrons wheelwrights
d'échafaudage of scaffolding
manœuvres unskilled workers
charretiers carters
d'acheminer with transporting
carrières quarries
marches stairs

trois ans plus tôt le chantier avorté de Romorantin. Foyal se fit **rare**. Les travaux ralentirent, puis s'interrompirent. L'Italie occupait le roi. Sur place, l'élan bâtisseur **s'étiolait**. Foyal, **replié** dans ses terres **d'Herbault**, se révélait moins actif encore que Pontbriand. Et puis le roi eut des **malheurs**. Après la défaite de Pavie, en février 1525, il fut retenu prisonnier en Espagne par Charles Quint. Il ne revint en France qu'en mars 1526 après avoir payé une énorme rançon. Son séjour forcé lui avait laissé le loisir de lire et de méditer. Un conquérant était parti, un homme **amer** revenait. Mais l'activisme de François n'était pas mort : dès son retour, le roi décida de relancer le chantier, d'accélérer les travaux. Ce château serait sa **revanche**. Dès septembre 1526, il est sur place. Il active tout le monde. Il nomme un nouveau commissaire, jeune et motivé, en remplacement du vieux Foyal : Charles de Chauvigny. Les travaux **atteignent** alors leur **rythme de croisière**. Plusieurs centaines d'ouvriers, désormais, s'activent chaque jour. François veut aller jusqu'au bout. Il veut voir son château achevé. Il a compris qu'il n'aurait peut-être jamais l'Italie : le palais de Chambord serait son Italie à lui, son rêve incarné. L'énergie du guerrier devient l'énergie du bâtisseur. Et le **volontarisme** paie : les travaux deviennent spectaculaires. On parle, à certaines heures, de la présence de mille huit cents travailleurs sur le chantier. En 1527, le donjon commence à ressembler à un donjon : au sud et à l'ouest, il monte à vingt mètres du sol. Sous les ordres des maîtres maçons, travaillent **à titre permanent** cinquante ouvriers, treize **appareilleurs**, un maître **menuisier** aidé d'une importante équipe de charpentiers, de **scieurs** de long et de **charrons**, des poseurs **d'échafaudage**, des **manœuvres**, des **charretiers** – chargés **d'acheminer** les pierres des **carrières** de Saint-Aignan, de Bourrée et de Belleroche pour les murs et de Chilly pour les **marches** –, des cuisiniers. Les matériaux de chantier arrivent tous les jours. Les pierres sont transportées par bateau depuis les carrières jusqu'au port de Saint-Dyé sur la Loire. Les blocs sont chargés alors sur des

débités cut
contremaîtres foremen

attelages teams of animals

toitures roofing
plombeur one who works with lead
arêtiers ridges

vitrier glazier
clous nails

se livrent à engage in
primes bonuses
besogner slave away

inabouti abandoned
au jour le jour day by day
cantons sections
entendent la garder they intend to maintain it
permute switch around

solives joists, beams
dore à l'or fin gild

s'extasie rhapsodize, rave about

voitures qui les conduisent jusqu'au chantier, et là, ils sont **débités** par les appareilleurs. Le chantier bouleverse la vie du village. Les ouvriers et les **contremaîtres** habitent sur place, se nourrissent, se marient, ont des enfants. Ils s'installent pour la vie, en fait. Ils ne verront jamais le château terminé. Les charretiers, avec leurs **attelages** impressionnants, ouvrent des horizons nouveaux, vers les chantiers de la Loire, vers la Normandie, et même l'Angleterre où l'on achète du plomb pour les **toitures**. Jean Caboche est **plombeur**, responsable du métal destiné aux **arêtiers** des toitures. Il fait venir de la matière première de Londres à Caen par bateau, puis de Caen à Tours par voie de terre, puis de Tours à Saint-Dyé par bateau, puis de Saint-Dyé à Chambord par voie de terre. Jean de Beynes est **vitrier**. Il installe les vitraux, acheminés depuis son atelier de Blois. Les **clous** viennent de Gien. Chacun des quatre quartiers du donjon dispose de sa propre équipe de travailleurs : les maîtres maçons **se livrent à** un concours de vitesse. De passage en avril 1529, le roi fait distribuer des **primes** aux ouvriers afin qu'ils soient « plus enclins à **besogner** et faire diligence »... Il passe commande à un ingénieur italien, Pietro Cassia, d'une étude sur la possibilité de détourner les eaux de la Loire vers les douves, projet **inabouti**. Des approximations sont corrigées **au jour le jour**. On improvise, on innove. Les **cantons** sud et ouest ont pris de l'avance et **entendent la garder**. Le canton nord est en retard. Il subit un changement de plan : on **permute** ses ouvertures lorsque la décision est prise de créer une aile royale et des appartements particuliers pour le roi. En 1533, l'ensemble est à peu près achevé jusqu'aux terrasses. Les charpentiers posent les premières **solives**. Début 1539, on **dore à l'or fin** le couronnement des tours et des pavillons. Et enfin, en décembre 1539, a lieu l'inauguration officielle du donjon : François Ier invite Charles Quint. On donne une fête inoubliable. On **s'extasie** sur le grand escalier. On contemple la forêt depuis les terrasses. Le château n'est pas complètement achevé, mais il a

joyau jewel, gem
l'écrin the jewel case
arpents *archaic*: roughly an acre

sans vous cogner without reaching/hitting

trempé soaked to the skin, drenched
mode fashion
chenets andirons, firedogs
brandissant brandishing
massue club, bludgeon
en train de naître being born
refoulée repressed

atteint son objectif : offrir au visiteur une émotion esthétique unique au monde. Charles Quint prononce sa phrase éternelle sur le « résumé de l'industrie humaine ». François tient sa revanche.

L'histoire d'une enceinte : la grande muraille du roi François

Une maison n'est rien sans un jardin. Pendant les travaux de son château, François Ier se préoccupe du parc. Le terrain lui plaît, mais il veut le transformer en un domaine fermé, conçu pour ses chasses personnelles. Il entend être réellement chez lui, dans une sorte d'île entourée de terre. Chambord deviendra ainsi le seul lieu que le roi appellera, lui le nomade, son « chez-soi ». Mais pour fabriquer un « chez-soi », une chose est de bâtir le **joyau**, une autre de songer à **l'écrin**. En ce domaine aussi, le roi voit grand : il veut se réserver quatre mille **arpents**, c'est-à-dire près de trois mille hectares, trente kilomètres carrés. Quatre mille arpents, c'est la surface qui permet de chasser à courre dans un espace clos sans avoir l'impression d'y être enfermé. Avec quatre mille arpents, vous pouvez galoper tout droit, une demi-heure entière, **sans vous cogner** aux limites du terrain. François ne veut rien de moins. Dans l'attente de la constitution du parc, il chasse jusqu'à la Loire. Une lettre de l'amiral Chabot au connétable de Montmorency relate une chasse de deux jours sous la pluie, que François imposa à son entourage dans les environs de Saint-Laurent-des-Eaux. Tout le monde la termina **trempé**, à 10 heures du soir. François est maître de la **mode** et la mode est au mythe sauvage. Sur les **chenets** des cheminées, on représente des « sauvages » du Nouveau Monde **brandissant** une **massue**. Pour l'homme nouveau **en train de naître**, le « sauvage » symbolise la part de la violence **refoulée**. En pratiquant la chasse, l'homme pousse jusqu'au bout l'ambiguïté de sa condition, qui en fait à la fois le maître de la création et un prédateur comme les autres, capable, comme les autres, de la plus commune bestialité. Le roi de France, prototype de l'homme

revendique laying claim
veneurs hunters
mitoyens disparate but related somehow

communément usually
Roman des déduits *Collection of Deductions* a book of medieval life written by Gace de la Buigne in the late 14th century

cynégétique for hunting
d'autres lectures further reading

accroître emphasize

étanche impenetrable (*literally*: waterproof)
à l'abri sheltered from
à la ressemblance similarly to
avant l'heure ahead of (his) time
fantasme fantasy
rousseauiste based on the Swiss philosopher Rousseau's (1712-1778) ideas of Enlightenment
échelle scale

nouveau, désireux de posséder la cour la plus civilisée d'Europe, **revendique** à la fois un statut de maître du raffinement et de prédateur absolu, de « père des **veneurs** ». François Ier se passionne pour les sujets **mitoyens** de la théologie et de la vénerie. Il se veut fils de Dieu et à la fois animal. Il est reconnu, et il y tient, comme le meilleur chasseur de son temps. Parmi les livres de la bibliothèque qu'il a constitué à Blois, et que plus tard il déménagera « chez lui » à Chambord, les ouvrages de chasse tiennent une place éminente. L'inventaire dressé en 1518 par Guillaume Petit, chapelain du roi, mentionne, parmi les volumes « que le roi porte **communément** », quatre traités de chasse : un précis de fauconnerie, le *De agriculturæ* de Cresens, le ***Roman des déduits***, et le fameux *Livre de chasse* de Phébus, cet ouvrage précieux qui sera perdu sur le champ de bataille de Pavie. François voulait réaliser en Sologne une concrétisation de son rêve de paradis terrestre et sauvage, installer une espèce d'éden **cynégétique**. Un peu plus tard, **d'autres lectures** le confortèrent dans son projet, et en particulier celle d'un roman qui connaissait un vrai succès de libraire, *Amadis de Gaule*, de Montalvo. François lut ce livre pendant sa captivité en Espagne, en 1525. Il le fit traduire en français à son retour. C'était l'histoire d'un chevalier qui recherchait sa belle dans un palais secret et merveilleux, dissimulé dans une île lointaine. Chambord avait quelque chose de cette île, entouré de sa forêt. Pour **accroître** le côté insulaire, François s'avisa à son retour d'Espagne que son jardin se devrait avant tout d'être défini par une limite physique **étanche**, un mur. Dans un jardin clos, l'homme est **à l'abri** de l'hostilité du cosmos et des hommes, installé dans une sécurité presque intra-utérine. Et **à la ressemblance** de tous les hommes, François portait en lui une nostalgie de jardin. Non qu'il nourrît **avant l'heure** un **fantasme rousseauiste** : il désirait que son jardin secret fût un espace à sa royale **échelle**, et non pas un jardinet. Il se voulait comme tout le monde, mais en plus grand. Il donna donc l'ordre de délimiter un parc géant et circulaire,

foncières of property/real estate

convoitées lusted after
appartenaient belonged
particuliers individuals
entretenaient tended to

roturières owned by commoners
déguerpir moving/clearing out
fût-ce even if
piquets stakes, poles

faire les démarches canvasses
contre in exchange for
indemnisation monetary compensation
traînèrent dragged on

abouti finished

constater to notice/realize

paulx *archaic*: poles
auroient este *archaic*: would have been
pourritz *archaic*: rotted
arrachés dug up
réitérés reiterated

puis de l'isoler du monde, afin d'y agir dans une totale liberté. C'était l'idée. Mais il y avait la pratique. Dans les faits, les acquisitions **foncières** n'allèrent pas sans mal. Côté sud, vers la forêt de Boulogne des comtes de Blois rattachée depuis Louis XII à la couronne, il n'y avait guère de problème, mis à part quelques enclaves à exproprier. Mais au nord, sur la rive droite du Cosson, les terres **convoitées** par le roi **appartenaient** pour l'essentiel à des **particuliers**, qui cultivaient des terres, vivaient sur place et **entretenaient** des vignes. Les parcelles étaient petites, les propriétaires nombreux. Il y avait la terre appartenant au vilain Guillaume (où se trouve aujourd'hui la maison forestière appelée « la Guillonnière », dénommée jusqu'au XVIIIe siècle « la Guillaumière »), la terre du Pinet, où existe encore une ferme du même nom, propriété de l'État, les terres des Bouchers, la terre de la Plante aux Loups, le Bournigal, et d'autres encore. Ces terres étaient **roturières**, mais leurs habitants n'avaient pour autant aucune envie de **déguerpir**, **fût-ce** sous la pression du roi. Alors François opéra à sa manière : il délimita d'abord le périmètre de ce qu'il voulait acquérir, y fit planter des **piquets**. Ensuite, il envoya un magistrat de la Chambre des comptes, Nicolas Violle, **faire les démarches** auprès des propriétaires situés à l'intérieur du périmètre pour leur demander de partir **contre** une **indemnisation**. Les choses semblaient simples, et pourtant elles **traînèrent**. En 1524, au moment où le roi repartait faire campagne en Italie, solidement installé à cheval, son livre de Phébus dans son sac, Violle n'avait pas **abouti**. En 1526, quand le roi revint séjourner à Chambord après sa détention en Espagne, il ne put que **constater** que non seulement les acquisitions foncières n'étaient pas achevées, mais que les limites initiales prévues pour le parc avaient en partie disparu : il fallut remplacer « les **paulx** [...] qui pour le grand laps de temps **auroient esté** partie **pourritz**, partie **arrachés** ». Lorsqu'on consulte des archives, il existe une preuve irréfutable que des ordres ne sont pas exécutés : ils sont **réitérés**. C'est exactement ce qui se passa

n'aboutissait did not accomplish [the job]

attelé in charge of (*literally*: harnessed, yoked)
d'expertiser for assessing
compensations en nature in kind payment/compensation

Les affaires traînèrent The business dragged on
sentaient sensed
acquéreur buyer
motivé motivated, enthusiastic

espèce cash
surévaluées inflated, overpriced

pour des motifs de forme for reasons of appearance

sursauta blenched, was taken aback
réunion meeting
amère bitter
rédigea wrote, penned
feu late, deceased

pour le parc : à partir des années 1530, le roi relança régulièrement les magistrats chargés des expropriations. Nicolas Violle **n'aboutissait** pas, soit qu'il fût soucieux d'aller à son propre rythme par volonté d'indépendance et respect du droit de propriété, soit qu'il fût simplement inefficace. (Les deux, peut-être.) Par lettre patente du 29 janvier 1538, le roi essaya une autre procédure : il demanda aux propriétaires concernés de lui faire connaître directement l'indemnisation qu'ils réclamaient, et de porter leur demande, par écrit, au procureur du roi à Blois. Le roi chargeait par la même occasion Violle (toujours lui, **attelé** au dossier depuis quinze ans) **d'expertiser** la possibilité d'offrir des **compensations en nature** aux expropriés, sous forme de terrains à prendre dans le duché d'Orléans, en Touraine ou dans la seigneurie de Dourdan. **Les affaires traînèrent** encore. À l'évidence, les intéressés **sentaient** qu'ils avaient en face d'eux un **acquéreur motivé**, capable de leur offrir beaucoup. Ils ne se précipitaient pas. Le 16 février 1540, le roi demanda par écrit à François Cordon, receveur général du comté de Blois, de payer des indemnités en **espèce**. À partir de là, et sur la base d'estimations **surévaluées**, Nicolas Violle signa peu à peu les actes d'acquisition au nom du roi. Et encore pas tous. La Chambre des comptes refusa de valider certaines transactions, comme celle de la terre du Périou, **pour des motifs de forme**. Le roi n'y pouvait rien. Cet impatient, ce roi au-dessus des lois dut, pour une fois, céder devant les magistrats. Il mourut sans avoir acquis intégralement le grand terrain de jeu dont il avait rêvé. Les terres acquises par le roi l'avaient été bien au-dessus de leur valeur, pour un prix que les archives ont d'ailleurs oublié de conserver. Mais nous savons qu'en mars 1577, le roi Henri II, fils de François Ier, **sursauta** en découvrant la facture, au cours d'une **réunion** tenue à Saint-Germain-en-Laye. Henri II avait horreur des réunions. Cette fois, il trouva la nouvelle **amère**. Lui qui écrivait peu, il **rédigea** ceci : « Les anciens propriétaires furent très bien et très chèrement récompensés [...] par le **feu** roi, notre

rapprocher compare

Larzac a plateau in the south

l'imaginaire the imagination/vision

devis cost estimates

abordons reach
davantage further
reste is still, remains
maréchaux the ring boulevards around Paris named after Napoleon's field marshals
franchir passing through
landes moors
touffus leafy
débordent par-dessus le faîte spill over the top

foncières of land, property, landholdings
sols la toise an archaic unit of money

maîtrise rights of ownership

passoire sieve
riverains locals
d'aller à la glandée to gather acorns
brèches holes, breaches

très honoré seigneur et père. » La procédure d'expropriation avait duré près de vingt ans. Si l'on voulait **rapprocher** de quelque affaire récente cet épisode où la propriété privée et la raison d'État se sont combattues sur fond d'idéologie écologique, avant de se résoudre par l'argent, on pourrait citer par exemple l'extension du camp militaire du **Larzac** dans les années 1970. Pour être parfait, l'espace sauvage voulu par François Ier ne devait pas seulement être délimité : il devait être séparé. Dans **l'imaginaire** du roi, le lieu idéal était un refuge caché du monde extérieur. Dès son retour d'Espagne, François avait demandé des **devis** pour la construction d'un beau mur d'enceinte. Ce mur, après bien des vicissitudes, a subsisté jusqu'à nous. C'est lui que nous découvrons d'abord lorsque nous **abordons** le parc par la route. Haut de trois mètres ou **davantage**, long de trente-deux kilomètres, il **reste** aujourd'hui le plus long mur d'Europe. Il égale en longueur les boulevards des **maréchaux** à Paris. Lorsqu'on arrive à Chambord par la route d'Orléans, au moment de **franchir** la porte de la Gabillère, on en aperçoit une belle portion. D'un côté, le mur est bordé par des vignes et des **landes** ; de l'autre, on devine une profonde forêt. Des arbres **touffus**, des chênes, **débordent par-dessus le faîte**. Le roi bâtisseur n'eut pas beaucoup plus de chance avec le mur qu'avec les acquisitions **foncières** du parc. Les travaux du mur, confiés à Guillaume Robert pour le prix de trente-trois **sols la toise** (l'équivalent d'à peu près cent euros le mètre linéaire, si cela a un sens), commencèrent en 1542, du côté sud et ouest, où la **maîtrise** du foncier était acquise. Ils furent suspendus au nord, où le terrain n'était pas encore disponible. Mais avant même que le mur sud fût achevé, il se transforma en **passoire**. Les **riverains**, qui avaient gardé leurs habitudes **d'aller à la glandée**, au bois mort ou à la chasse, firent des **brèches** un peu partout. Le roi et sa cour ne venaient presque jamais : quelques jours tous les ans, au maximum. Dans l'intervalle, chacun faisait, à ses risques et périls, ce qu'il voulait. Une note du 4 juillet 1549 signale que les

rappela reminded
paroisses parishes
faire le ménage clean house
rompures *archaic*: breakers
fit défense prohibited

mitoyenne adjacent

veiller watch over

à peu près more or less

Voilà qui en dit long That was a telltale sign

capitainerie royal game preserve and its gamekeeper
l'intégrisme vert the greening [*meaning*: instituting ecological-green ideas]

trous dans le mur sont créés « de jour en jour et d'heure en heure ». La Chambre des comptes ordonna des travaux de réparation et **rappela** les gardes du domaine à leur mission de surveillance. Sans succès. Le procureur général demanda aux **paroisses** voisines du mur de **faire le ménage** chez elles : les curés et vicaires furent priés de révéler l'identité des auteurs des « **rompures** de muraille ». Sans suite. Alors l'autorité **fit défense** à toute personne « de rompre, ne faire brèches en la muraille, sous peine de punition corporelle et de confiscation des biens ». Peine perdue. Si bien que dans une lettre patente du 1er avril 1550, le roi lui-même, constatant qu'il se commettait « telles et si excessives dégradations et dépopulation dans le parc de Chambord qu'il s'en va quasi ruiné », confia la responsabilité du mur aux riverains. Chaque voisin du parc, sur la portion de mur **mitoyenne** de sa propriété, était responsable de l'entretien. Le propriétaire mitoyen devait non seulement faire la police sur sa portion, empêcher les braconniers ou les maraudeurs de passer, mais encore **veiller** au bon état du mur, faute de quoi il était tenu de répondre des démolitions observées. Le système fonctionna **à peu près**, ce qui n'empêcha pas quelques difficultés. Une des portions du mur s'appelle d'ailleurs, aujourd'hui, sur les plans de l'Office des forêts, « la Grande Brèche ». **Voilà qui en dit long**. François Ier ne vit pas son mur achevé. Un siècle après sa mort, Gaston d'Orléans mena enfin le projet à bien, en l'amplifiant encore. Le parc d'aujourd'hui est celui qui fut accompli en 1645. Il est vaste de plus de dix mille arpents, soit cinquante kilomètres carrés. Et il n'a pas cessé d'être un souci : chaque année, l'entretien de ce mur coûte cent mille euros.

La capitainerie,
ou l'intégrisme vert au pouvoir.

Peu d'hommes autant que François Ier ont considéré le respect de la nature comme une affaire d'État. Le premier acte de son règne fut la promulgation d'une ordonnance sur le « fait de

plaidoyer plea
à l'égard des on behalf of
connins *archaic*: rabbits
se livrent à engage in
pilleries plunder, pillage
larcins petty thievery
pillant pillaging

s'achève concludes

gâché spoiled, ruined

étendue expanse
livrée given over

chasse ». En dix-sept articles, il y exprime sa vision personnelle de l'écologie. Elle est sans concession. Le texte commence par un **plaidoyer** compassionnel **à l'égard des** animaux sauvages, « bestes rousses et noires, comme **connins**, lièvres, faisans, perdrix et autres gibiers », menacés par les inconscients qui **se livrent à** des « **pilleries**, **larcins** et abus es eaux et forests ». Mais aussitôt, le jeune roi précise ce qu'il a derrière la tête : en **pillant** la nature, les braconniers font pis qu'outrager la création : ils le « frustrent du passe-temps [qu'il prend] à la chasse ». En quoi, ajoute l'ordonnance, « ils perdent aussi leur temps qu'ils devraient employer à leurs labourages, arts mécaniques ou autres selon l'état ou vocation dont ils sont... » Autrement dit, l'écologie vue par François Ier se résume au principe : le roi seul a tous les droits sur la nature. Et l'ordonnance **s'achève** de manière terrible : elle institue la peine de mort pour les braconniers récidivistes. Le texte n'a pas été improvisé : il témoigne de tout ce que le nouveau roi, chasseur depuis l'enfance, portait de longue date dans le cœur et dans la tête. Jamais un roi de France n'avait osé envisager la peine de mort pour un délit de chasse. François Ier n'a pas peur de cette provocation. Et il n'a pas peur d'annoncer sa logique : si le braconnage est un crime, c'est parce qu'il frustre le roi de son plaisir de chasser. Ne cherchons pas ici l'expression d'un droit de l'animal !François ne croit pas à la vertu d'une nature en soi, d'un équilibre écologique ayant une valeur sans témoin humain pour l'aimer. Dans son esprit, l'amour de la nature est manifesté dans l'acte de prédation, et le prédateur, c'est lui. Le roi met donc en place – ce n'est pas le côté le plus sympathique du personnage – un système juridique tout entier orienté vers son propre passe-temps. Il en vient à créer une institution oubliée aujourd'hui, mais qui, pendant trois siècles, a **gâché** le climat des campagnes françaises : les capitaineries. Les capitaineries, selon la définition donnée par Boucher de la Richarderie en 1789, étaient, « pour les plaisirs du roi et des princes, une **étendue** quelconque de pays, **livrée** sans réserve aux ravages des fauves, des sangliers

menu small
sourdes non-verbal, unspoken

tout son soûl his fill, to his heart's content

préavis notice, warning

révocables dismissible
gré will, whim

lieues leagues
chevreuils roe deer

cultures crops
broutés fed on, grazed

et de toute espèce d'animaux malfaisants, au despotisme dur et insultant des divers officiers des chasses, chargés de la conservation ou plutôt de la multiplication excessive du gros et **menu** gibier, et aux vexations **sourdes** et continues des gardes qui sont sous leurs ordres ». Cette définition militante, donnée l'année même du début de la grande Révolution, en dit long sur les frustrations accumulées du fait de l'écologisme de l'Ancien Régime. En 1538, François Ier crée une première capitainerie à Corbeil. Il n'a pas d'intention perverse, mais seulement le désir de se constituer une réserve de chasse protégée. Il veut que sur un territoire donné, il lui soit possible de chasser **tout son soûl**. En fait, il met en route une mécanique infernale. Quelques mois plus tard, il crée la capitainerie de Chambord. Il y nomme un capitaine, François de Racine, sieur de Villegomblain. Le choix est heureux. Trop heureux : Villegomblain prend sa mission à cœur. À l'intérieur du parc de Chambord, la terreur écologique s'installe peu à peu. Puisque le roi ne vient presque jamais, mais peut à tout moment arriver sans **préavis**, Villegomblain s'organise pour qu'il y ait le maximum de densité de gibier ; faisant cela, il met en œuvre une véritable dictature verte. Il nomme des gardes **révocables** à son **gré**. Il menace les ennemis de la nature sauvage, à commencer par les agriculteurs des alentours. Il institue une sorte de « périmètre sauvegardé », bande d'une lieue de largeur (quatre kilomètres) autour du parc, où personne ne peut chasser, même sur ses propres terres, et même si ces terres sont nobles. Ce périmètre, appelé « lieue de couvert », est porté à trois **lieues** pour les **chevreuils** et les sangliers. À l'intérieur du périmètre, et dans le parc de Chambord lui-même, Villegomblain se réserve le droit de chasser à des fins d'équilibre écologique, quand le roi n'est pas là. (Et le roi n'est jamais là.) Les paysans n'ont d'autre choix que d'obéir. Le projet réussit. Le gibier se multiplie. La pression des animaux sur les **cultures** devient insupportable. Pour preuve, même les jeunes arbres sont **broutés** : des conflits apparaissent entre le capitaine de Chambord et le maître des Eaux et Forêts

sylviculture forestry

opiniâtreté obstinacy
digne d'un militant vert allemand worthy of a German Green Party member
faucher reap, cut
foins hay, hayfields
nidification nest-building, nesting
semé sown
moissonner harvesting
chardons thistles
seigles rye
blés wheat
orges barley
avoines oats
chaumes stubble

en friche laid fallow
épines local term for the type of untilled land

livres tournois (the) Tournoise pound, a medieval currency named after the town of Tours where it was minted
verges switches

de Blois, le premier se souciant de préserver la faune sauvage, le second de défendre la **sylviculture**. (La querelle entre les chasseurs et les forestiers est un classique de Chambord. Elle a resurgi dans les mêmes termes en 1746, sous le maréchal de Saxe et à nouveau en 1970, à l'époque de Pompidou, entre l'Office national des forêts et le Conseil supérieur de la chasse.) En 1542, le maître des Eaux et Forêts de Blois obtient confirmation de sa juridiction sur Chambord, mais pour le bois seulement. Or, le vrai sujet, c'est évidemment la faune. Villegomblain poursuit, avec une **opiniâtreté digne d'un militant vert allemand**, son œuvre de protection radicale. Il fait adopter un règlement qui interdit de **faucher** les **foins** avant la Saint-Jean, afin de ne pas gêner la **nidification** des oiseaux. Il interdit aussi aux cultivateurs qui ont **semé** des pois d'entrer dans leur champ après le 1er avril, et de **moissonner** sans avoir prévenu huit jours avant le garde du canton, « lequel aura soin de pourvoir à la conservation des perdrix et faisans ». Il n'est plus permis de couper les **chardons** dans les récoltes, après le 15 avril pour les **seigles**, après le 10 mai pour les **blés**, et après le 21 mai pour les **orges** et les **avoines**. Jusqu'à la moisson, le cultivateur n'a plus le droit d'entrer dans son champ sans autorisation du garde. La simple promenade en forêt est interdite du 1er avril au 1er octobre. Il est interdit d'arracher les **chaumes** avant le 8 septembre, et interdit de les brûler. Les chiens doivent être tenus attachés. Enfin, les cultivateurs doivent garder **en friche** une partie de leurs terres pour favoriser la reproduction du gibier, les « **épines** ». Tous ces règlements ne sont pas sans évoquer les règles imposées aujourd'hui dans les parcs naturels, où les agriculteurs sont requalifiés en « jardiniers de la nature » à leur corps défendant. Le dispositif est mis en place à l'ombre des redoutables dispositions pénales de l'ordonnance de 1515 : ceux qui chassent les « grosses bestes » sont condamnés la première fois à payer l'amende de deux cent cinquante **livres tournois** s'ils ont de quoi, et à être battus avec des **verges**, sous la custode, jusqu'au sang s'ils n'ont pas de quoi payer. « La tierce

dernier supplice ultimate punishment (i.e. death)
à peine slightly
atténuées reduced
passibles de liable for
détiendraient would keep, possess
arbalètes crossbows
échopètes archaic hunting device
harquebuses *archaic*: arquebus, early muzzle-loaded fire arm used in the 15th-17th centuries
collets snares
filets nets
tonnelles archaic hunting device

suscité stirred up
rancœurs hard feelings, resentment, rancor

pourvu supplied, endowed
galant gallant
Capétien the House of Capet, a dynasty of kings who ruled the Kingdom of France from 987 to 1328
volontiers pingre et misogyne readily money-grubbing and misogynous
flambeur a player
accueilli received
sur le ton bougon with the grumpy tone
père du désert desert hermit
expédier get rid of

fois, seront mis aux galères, et s'ils étaient incorrigibles, seront punis du **dernier supplice.** » Des sanctions **à peine atténuées** sont prévues pour les braconniers de petit gibier. Sont enfin **passibles de** peines sévères ceux qui **détiendraient** « en leur maison, **arbalètes**, arcs, **échopètes, harquebuses, collets, filets, tonnelles** ou autres engins ». On parle de corriger les récidivistes en les battant de verges « jusqu'à la fin ». Une littérature récente a fait du braconnier un personnage sympathique en lutte burlesque avec un garde-chasse à moustache. Ce n'est pas l'image qu'on en avait au moment où le château de Chambord sortait de terre. On ne braconnait pas pour s'amuser. La capitainerie de Chambord ainsi assise a continué à fonctionner de manière plus ou moins tragique et chaotique – nous y reviendrons – jusqu'à être finalement supprimée par Louis XVI en 1777. L'institution avait **suscité** de nombreuses **rancœurs** chez les Chambourdins, mais elle avait aussi contribué, par un système répressif impitoyable, à sauvegarder des espèces sauvages menacées de disparition par les progrès de l'agriculture.

Souvent femme varie

Le château de Chambord, avait-on répondu à l'ambassadeur Sozano qui s'était demandé à quoi il pouvait bien servir, poursuit deux vocations : une vocation de rendez-vous de chasse et une vocation de rendez-vous pour les dames. François Ier était assez **pourvu** en châteaux militaires et en châteaux politiques : il voulait un château cynégétique et **galant**. Là encore, le roi innovait. Quand Louis XII – c'était son penchant vieux **Capétien** – se montrait **volontiers pingre et misogyne**, François se fit très vite une réputation de **flambeur** et de séducteur. En 1501, Louis XII avait **accueilli** au château de Blois la reine de Castille **sur le ton bougon** d'un **père du désert** : « Madame, allez-vous-en voir ma femme et nous laissez icy entre hommes. » François était plutôt du genre à **expédier** le mari. Aussitôt que devenu roi, il créa le titre de « gentilhomme de la chambre », qui lui permit d'offrir un

débouché opportunity
but purpose
d'héberger to accommodate
Brantôme (c1540-1614) French historian, soldier and writer of famous memoirs
à tour de bras left, right and center, prolifically

badine take lightly
dauphin heir apparent
prouesse achievement

à les égarer to lead them astray

picciola *archaic Italian*: *tiny*
un lieu de ralliement a gathering place

s'enfuit runs off, bolts

gâchent frittering away, debasing

jonché strewn
fougères ferns
naquit was born [*simple past tense*]

débouché professionnel à ses anciens compagnons de la « petite bande » et – c'était le **but** principal – **d'héberger** sous son toit leurs petites amies. Il affirmait, selon **Brantôme** : « Une cour sans femmes, c'est un jardin sans aucune belle fleur. » Il recruta **à tour de bras** du personnel de maison. En quelques mois, il fit de la cour de France la cour la plus brillante d'Europe. La plus libérée, aussi. Isabelle d'Este observe en 1517 : « Si la cour de Rome est étonnante par ses cérémonies [...], celle de France est stupéfiante et extraordinaire par son désordre, sa confusion, l'absence de distinction entre les personnes et un mode de vie libre et sans contrainte. » François ne **badine** pas avec certains types de liberté. Lors du baptême du **dauphin**, il impose une innovation majeure : un plan de table où alternent les hommes et les femmes. Chambord, son château à lui, il veut qu'il soit une **prouesse** destinée à séduire les demoiselles et **à les égarer**. Ce sera pour la « petite bande », devenue une quasi-institution (l'ambassadeur d'Henri VIII parlera avec envie dans ses dépêches de la *« privy band »* – dont il n'est pas –, et les diplomates italiens de la *« **picciola** banda »* – où ils rêvent d'être admis), **un lieu de ralliement**. Après son couronnement, François Ier prend l'habitude, qu'il conservera toute sa vie durant, de disparaître des semaines entières. Il **s'enfuit** avec sa « petite bande ». Il héberge le groupe à Montfraud, puis, quand le donjon est achevé, au château de Chambord lui-même. Rares sont les étrangers invités à ce genre de sortie : Chambord est une résidence privée. François s'y emploie au dur labeur de chasser le jour, et de séduire le soir. Il y est heureux, mais pas toujours. Il manque des cerfs ; des demoiselles lui **gâchent** la vie. Son ancien page, Gaspard de Saulx-Tavannes, raconte que le roi « eut quelques bonnes fortunes et beaucoup de mauvaises ». La chose, en tout cas, occupe ses soirées. Dans les quartiers du donjon, au milieu de ses compagnons, sur un sol **jonché** de **fougères**, devant les cheminées monumentales où brûlent des feux généreux, le roi pratique un mélange curieux de raffinement courtois et d'exhibitionnisme. L'année où **naquit**

saine in the pink, healthy

On s'estime de se respecter They think highly of each other

signes de connivence signs of complicity
menus présents small gifts

dupe fooled, duped

partagée torn
mye *archaic poetic*: girlfriend
balourd oaf
la comble de he showers her with
broderies embroidery
colliers necklaces

révéler *discover*

remettait recompensed, rewarded

faite all but accomplished

le projet de Chambord fut celle où la brune Françoise de Foix éclipsa la blonde reine Claude. L'affaire commença de la façon la plus petite-bourgeoise, sous le regard expert de la reine mère Louise de Savoie. François reçoit à la cour Françoise de Foix et son mari, Jean de Laval. Le jeune roi estime le mari, dont le rôle en Bretagne est précieux à sa politique. Mais il tombe amoureux de la femme, une brune vive et **saine** qui parle latin, espagnol, italien aussi bien que français, et le dévore des yeux. On se regarde chastement. On se respecte. **On s'estime de se respecter**. On est fier de s'estimer. On échange des lettres de pure amitié. On s'adresse des **signes de connivence**. Le roi envoie de **menus présents**. Françoise, courtisée par son puissant ami, répond avec tact et réserve. Ah ! comme ce tact est une vertu rare ; cette réserve, une qualité irrésistible aux yeux d'un séducteur à qui d'ordinaire personne n'oppose de scrupule ! Françoise fait sentir dans ses lettres – toujours écrites en vers – cette distance respectueuse et à la fois affectueuse qui, dans le cœur du roi, crée l'irréversible. Elle-même, est-elle **dupe** ? Nul ne sait. Elle fait semblant de pleurer, mais ses larmes sont vraies. Elle fait semblant d'être **partagée**, mais se comporte en femme passionnée. Elle se présente comme la « **mye** du roi de France », en tout bien, tout honneur. Le « gros garçon » en devient **balourd**, **la comble de** cadeaux encombrants, des **broderies** à porter, des **colliers**, et pour se faire pardonner redouble d'attentions pour le mari, qui se retrouve commandant de compagnie sans l'avoir demandé. Françoise écrit finalement au roi qui l'a promue dame d'honneur de la reine :

*Ce que je veux maintenant **révéler***
C'est qu'il te plaise de garder mon honneur
Car je te donne mon amour et mon cœur.

La jolie Françoise **remettait** au beau François son honneur et lui avouait sa passion : bref, ils n'étaient pas encore amants, mais l'affaire était **faite**. Cela se passait en 1519, au moment où le roi donnait l'ordre de bâtir Chambord. Une fois la reine

délaissée gave up
la prit en grippe took a sudden dislike to her
remplaçante substitute
diaphane diaphanous

avait perdu de sa superbe was no longer so high and mighty

en otage as hostage

Lord Byron (1788-1824) English Romantic poet

elle en était bardée she was extremely self-confident

hurla roared

passade passing fancy

méprisée loathed
se braqua dug his heels in

Claude **délaissée** et Françoise installée dans le lit royal, Louise, mère du roi, **la prit en grippe** et lui chercha une **remplaçante.** La remplaçante fut trouvée assez facilement par la sœur de François : ce fut une blonde **diaphane** âgée de dix-huit ans, une autre habituée de la « petite bande », Anne de Pisseleu. Elle conquit le cœur du roi dès son retour de captivité, pendant l'été 1526, au moment où le chantier du château allait recevoir un coup d'accélérateur décisif. Le roi qui regagnait la France **avait perdu de sa superbe**. Libéré dans des conditions peu glorieuses, il avait versé la rançon demandée, cédé la Bourgogne à Charles Quint en violation des lois fondamentales du royaume, abandonné ses fils **en otage**. Il était âgé de trente et un ans, l'âge où l'on cesse de se croire éternel. (« À trente et un ans, il reste si peu d'années de mois, de jours que *carpe diem* ne suffit plus », affirme **Lord Byron**, qui s'y connaît en dandysme.) Sa jeunesse, le roi savait, et maintenant *sentait*, qu'elle lui échappait. Tout lui semblait urgent. Il ordonna de pousser les feux dans tous les domaines. Il n'était pas du genre à regarder en arrière. Il voulait recommencer sa vie. La brune Françoise de Foix en fit les frais. Anne de Pisseleu, qui la supplanta, ne fut jamais amoureuse comme elle, faute d'avoir nourri un temps une passion secrète ; elle ne parlait pas italien, ni latin, cependant elle possédait une ambition dévorante. Le roi avait besoin de retrouver des certitudes : **elle en était bardée**. Et elle eut sur le roi un pouvoir que personne avant elle n'avait possédé. Françoise, d'abord, ne se laissa pas faire. Elle **hurla** comme une bête blessée. Puis elle intrigua. Puis elle attendit. Puis elle fit mine de penser qu'Anne ne serait qu'une **passade** parmi d'autres. Puis elle ironisa. Elle écrivit au roi une missive, sur le ton des *brunes comptent pas pour des prunes* dans laquelle elle tournait en dérision la pâleur d'Anne. (« Blanche couleur doit être **méprisée...** ») Le roi prit mal l'allusion. Elle insista. Il **se braqua**. Elle avait trente-deux ans, un an de plus que son ancien amoureux, douze ans de plus que la nouvelle favorite ; elle finit par comprendre qu'elle avait perdue

partie game
vers verse
d'aménager with doing up
l'agencement the layout

relié connected
son avis her advice
comblait showered with
Il s'en remettait à elle en tout He left everything to her
éperdument madly

s'aveugla turned a blind eye
fit tendre had hung

crochets hooks

grava etched

varie fluctuate, change
malhabil *archaic spelling*: inept
in-octavo octavo [small printed size]

gaullien like de Gaulle (1890-1970) famous French president

fougueux impetuous, fiery

la **partie**. Elle s'exila en Bretagne. Elle envoya quelques lettres en **vers**. Elle pardonna, puis elle mourut. Pendant ce temps, le roi se préoccupait **d'aménager** à Chambord un appartement pour Anne. Il modifiait sur les plans **l'agencement** du donjon pour le prolonger par une aile royale où il pourrait s'isoler. Au-dessus de son appartement, **relié** par un escalier particulier, il prévoyait celui d'Anne. Il prenait **son avis**. Il la fit duchesse d'Étampes. Il la **comblait** d'argent et d'honneurs. **Il s'en remettait à elle en tout**. Il vieillissait. Elle le trompait **éperdument**, de préférence avec des amis communs, l'amiral Chabot, le poète Clément Marot. Le roi commençait à souffrir, car il commençait à aimer. Trop tard. Il fit alors ce que font les amants trompés : il **s'aveugla**. Il refusa d'entendre les allusions méchantes aux inconstances de la duchesse. Il **fit tendre** des tapisseries dans ses appartements, juste au-dessus du sien, dans la grosse tour nord. (Les tapisseries ont disparu, mais on discerne encore les **crochets** qui les supportaient.) Cependant, un soir des années 1540, le roi **grava** au diamant sur un vitrail de sa chambre de la tour nord, en présence de sa sœur Marguerite, la sentence fameuse : « Souvent femme **varie**, bien fol qui s'y fie. » D'autres sources disent qu'il écrivit : « Toute femme varie, **malhabil** qui s'y fie. » Un petit **in-octavo** daté de 1552, provenant de la bibliothèque de Diane de Poitiers, donne une version musicale du propos. Il reproduit le texte d'une chanson dont les paroles et la musique (perdue, hélas) sont, d'après l'ouvrage, de François Ier lui-même :

Qui veult tout son service perdre
Vieil homme, enfant ou femme serve
L'homme se meurt, l'enfant oublie
En tout propos femme varie.

Vieil homme ! Le roi François, au crépuscule de son règne, devient **gaullien**. L'homme meurt, l'enfant oublie, la femme varie : telle est la conclusion de la vie du grand épicurien. Le monarque **fougueux** découvrait, tout surpris, le désenchantement amoureux. Il est douloureux, lorsqu'on

pressentir anticipating
sombrer sinking [into depression]

le trahissait betrayed him
de donner dans le lamento ordinaire to give himself over to common melancholy (*lamento* = Italian for lament)

cachot dungeon

Le cœur n'y était plus He no longer had the heart for it

égard consideration

Il n'empêche All the same

avertissement warning
connaisseur someone in the know, an expert

moulures moulding

a bâti sa gloire sur sa supériorité physique, de voir arriver la décrépitude, de **pressentir** cette heure où l'amour devra s'acheter à prix d'argent. François accepta cette nécessité sans **sombrer**. Sa mère était morte, sa maîtresse le ridiculisait, son corps **le trahissait**, et il refusait **de donner dans le lamento ordinaire** du don Juan fatigué. On raconta qu'un soir il avait découvert la duchesse dans les bras d'un de ses anciens compagnons de la « petite bande », un de ses gardes, et qu'il avait fait semblant de ne pas la reconnaître. Il expédia quelques jours le garde au **cachot** sous un faux prétexte, parce que c'était bien le minimum, et à Anne il ne dit rien. **Le cœur n'y était plus.** Mais il continuait à tenir le rôle. Il continuait à faire semblant d'être heureux, d'être triomphant, par **égard** pour ses amis. Jusqu'à la fin, il joua au séducteur insatiable. Il n'était pas dupe, mais il était devenu indulgent. La nature humaine, il connaissait. **Il n'empêche**, il laissa cette phrase : « Souvent femme varie »... La sentence ainsi gravée n'était pas un cri de désespoir, mais un **avertissement** de **connaisseur**. Le vitrail a disparu. La tradition le situe côté est, sur la première fenêtre de la chambre du roi, en bas à gauche de l'escalier qui rejoint l'appartement de la duchesse d'Étampes. Si vous voulez méditer à son sujet, mettez-vous face au mur opposé à la porte en chêne (une belle porte à salamandre, une des rares qui soit d'origine, où vous verrez de minuscules traces d'or dans les **moulures**), et regardez la fenêtre : c'est là que François a écrit. On raconte que c'est Louis XIV qui a cassé le vitrail, à la demande de Louise de la Vallière. Voire. Ce qui est certain, c'est que le docteur Bernier, médecin ordinaire de Madame, mentionna encore la phrase : « Souvent femme varie, malhabil qui s'y fie », qu'il avait repérée « écrite sur un carreau de vitre ». C'est la dernière fois que la curiosité est mentionnée par un visiteur.

chatoyant shimmering
Cocagne an imaginary land of idleness and luxury
teigneux cantankerous
qu'à défaut d'avoir eu le dessus sur that failing to get the upper hand over

enverrait would send

jeté à cheval sur le Cher straddling the river Cher

traînèrent would dawdle, dawdled

Charles Quint à Chambord : l'inauguration

Charles Quint détestait prendre le bateau. Or son empire était en morceaux : pour passer de ses terres d'Espagne aux possessions des Flandres ou à l'Italie, il lui fallait prendre la mer, car au milieu de cet empire, il y avait la France, le grand royaume interdit, **chatoyant** comme un pays de **Cocagne**, **teigneux** comme un coq. Ce fut une longue et discrète revanche de François Ier de songer **qu'à défaut d'avoir eu le dessus sur** l'empereur, il l'avait, toute sa vie, condamné au mal de mer. Et puis, l'âge venant, le roi commença à voir les choses autrement, c'est-à-dire en face. L'empereur était décidément toujours là. En Europe, il y aurait toujours face à face l'empire et le royaume ; il fallait vivre avec. François songea qu'il était possible de réconcilier les deux visions de l'Europe, la vision française et la vision impériale, ou au moins d'organiser leur cohabitation, en attendant de régler la question italienne. Or en 1539, une révolte menaçait les Flandres. Charles Quint devait s'y rendre d'urgence. Il se trouvait en Espagne. Il demanda, sans trop y croire, l'autorisation à François de traverser le royaume de France avec quelques troupes pour aller au plus vite vers les Pays-Bas. (Il demanda cela un peu comme l'Amérique demande des autorisations de survol pour ses B 52.) Et, surprise, François Ier accepta : il fit dire qu'il **enverrait** une escorte attendre l'empereur dans les Pyrénées et l'accompagner pendant toute la traversée de la France jusqu'aux Flandres. Prudence et courtoisie. Le roi se régalait d'avance de jouer au grand seigneur avec son vieil ennemi. Charles passa en Aquitaine, puis en Poitou. François vint à sa rencontre à Chenonceaux. Là, les deux rivaux réconciliés se congratulèrent. Ils visitèrent ensemble le château audacieusement **jeté à cheval sur le Cher**. Puis ils visitèrent le château d'Amboise. Puis ils visitèrent le château de Bury. Puis ils visitèrent le château de Blois. Puis ils allèrent à la chasse. Puis ils **traînèrent** un peu, parlèrent politique. Puis François organisa une autre chasse. Il faut dire que pendant ce

attelé à saddled with
ardue arduous

fit démonter had taken down
échafaudages scaffolding
bricola tinkered with
tentures wall hangings
meubles furnishings
jonchées scattered here and there
gravats junk, refuse
abords surroundings

canton oriental eastern section
portait le deuil de was in mourning for
brocarts brocades
rehaussaient set off, enhanced
les colonnes d'Hercule the pillars of Hercules
à caissons coffered
se tiendraient were held

a préparé ses effets orchestrated the elements to create an impression
bavardent chat
jusque dans right into
ors golds
débouché outlet
allée forestière forest approach

temps-là, le connétable Anne de Montmorency était **attelé à** une mission **ardue** : préparer à toute vitesse Chambord pour la visite « surprise » des deux chefs d'État. Le nouveau commissaire, Philibert Babou, avait débloqué un crédit de deux mille livres pour accélérer les finitions. Mais le château n'était encore qu'un chantier. Montmorency fit poser en urgence des vitres aux fenêtres. Il **fit démonter** des **échafaudages**. Il **bricola** des décorations intérieures : **tentures** partout, **meubles** précieux, **jonchées**. On cacha des **gravats** derrière des tapisseries. On nettoya les **abords**. Deux appartements du donjon, de même configuration et de même taille, furent spécialement aménagés pour les deux souverains européens. Dans celui de Charles, logé dans le **canton oriental**, on mit des velours noirs, car l'empereur **portait le deuil de** son épouse, Isabelle de Portugal. Des **brocarts** d'or **rehaussaient** ces velours. Ils portaient les armes impériales et **les colonnes d'Hercule**. Sur tous les plafonds **à caissons** des galeries du second étage, là où **se tiendraient** les banquets, les « F » gravés dans la pierre, symbole à la fois de la France et de François, étaient accompagnés de la couronne impériale. Le message se voulait discret, mais sans équivoque : à Chambord, l'empereur, c'est François. Enfin, le grand jour arriva. Le 18 décembre 1539, on annonce que les deux grands hommes sont sur le point d'arriver, à cheval, accompagnés de leur énorme suite. Montmorency a tenu globalement son objectif : Chambord est prêt pour l'inauguration. François **a préparé ses effets** : pendant que les deux chefs d'État **bavardent** à la fin d'une chasse que le hasard a conduite **jusque dans** les bois de Chambord, dans la lumière du soir, entre les **ors** des arbres illuminés par les derniers rayons du soleil d'automne, au **débouché** d'une **allée forestière**, le donjon apparaît tout à coup. L'empereur pousse un cri d'admiration. « Quelle est donc cette merveille ?– Ah ! c'est vrai, fait le roi en se caressant la barbe, j'avais oublié de vous dire que j'ai ici un petit rendez-vous de chasse où nous pourrons passer la nuit : venez donc chez moi... » Je suppose que François

s'éloigner to recede
alignées lined up in a row
vêtues dressed
plombs leading
lanternons cupola lanterns
vif vivid
profond intense
brandies (as if) brandished
embrasé fiery
surgissent rise/stand out
hôte guest
entresols mezzanine
le livre d'or imaginaire the fanciful guestbook

confie confides

rayonnant radiant

délabrée damaged

buveur d'eau water drinker
égaré gone astray
au pays de Rabelais in Rabelais' land [the Renaissance writer is known for his earthy characters and tales of excessive indulgence of all kinds]

prononça une phrase de ce genre, mais la postérité ne l'a pas retenue. En approchant du château, qui se révèle gigantesque (plus on marche vers lui, plus il semble **s'éloigner**), on découvre des jeunes filles **alignées**, **vêtues** – ou plutôt dévêtues – comme des nymphes, qui lancent des pétales de roses vers l'escorte. Puis on aperçoit les détails de la construction. Les **plombs** des **lanternons** ont été dorés à l'or fin. Le bleu **vif** des ardoises, le blanc **profond** du tuf, les innombrables statues **brandies** vers le ciel **embrasé surgissent** dans le crépuscule. À l'intérieur, une réception gigantesque attend les cavaliers. Des torches illuminent les murs. Des feux sont allumés dans toutes les cheminées. On joue de la musique. François fait les honneurs des lieux à son **hôte** : ils vont dans les **entresols**, ils prennent le grand escalier, s'attardent sur les terrasses, s'intéressent au système des latrines. Charles Quint inaugure **le livre d'or imaginaire** du château avec sa fameuse sentence sur le « résumé de l'industrie humaine », et, un peu plus tard, il **confie** à sa sœur Marie de Hongrie qu'il n'a jamais rien vu de plus beau que ce palais surgi du fond des bois. Pendant deux jours, on chasse. On ne parle pas trop de politique. On annonce un temps de paix en Europe. Les deux souverains décident que François, veuf de la reine Claude, se remariera avec Éléonore, la sœur de Charles Quint. Entre beaux-frères, on est sûr de s'entendre. À quoi pense François pendant ces journées ? Il ne l'a pas confié. Mais tout le monde l'a trouvé **rayonnant**. À côté de l'austère empereur, c'est le roi de France qui a fait la meilleure figure, le plus beau match. Il a quarante-cinq ans, une santé passablement **délabrée**, mais du haut de son double mètre, il a séduit tout le monde. Le frêle Charles Quint laissa l'image d'un **buveur d'eau égaré au pays de Rabelais**. Le château, pendant deux jours, a rempli sa mission. Car Chambord n'a pas été construit pour la postérité, mais pour des usages immédiats comme celui-là. François Ier ne croyait qu'au temps présent. Eût-il eu le choix entre un instant exceptionnel de félicité et un long bonheur caché, nul doute qu'il aurait préféré l'instant

l'aimable comfy
mené à son terme brought to its fruition
Son Chambord ne vaudrait que par ce que vaudraient certains moments His idea of Chambord would be worth only the value of certain occasions
emprunté self-conscious
accoudé à leaning on

rafistolages patches
repliées folded/rolled up, put away
fonds de cruches contents of chamber pots
vidés emptied

l'étanchéité watertightness
ailleurs elsewhere
parachever put the finishing touches to

courant sometime in

malfaçons defects
fastes pomp
comme à l'accoutumée as is customary

exceptionnel. Il croyait au moment d'héroïsme ; à la seconde de grâce. Pas à **l'aimable** routine. Son premier grand projet d'architecture **mené à son terme** avait été un palais de bois et de tissus : le Camp du Drap d'or, conçu comme la scénographie d'une exposition temporaire. **Son Chambord ne vaudrait que par ce que vaudraient certains moments**. Son Chambord, ce serait l'écrin de son triomphe face à l'empereur admiratif et un peu **emprunté, accoudé à** la balustrade. Immédiatement après le départ de Charles Quint, le 19 décembre 1519, les ennuis commencèrent.

Premières fissures, premiers rafistolages

La fête terminée, les tentures **repliées**, les feux éteints, les derniers **fonds de cruches vidés** dans les latrines, l'empereur parti et avec lui le roi, Philibert Babou s'avisa que les travaux devaient reprendre. En fait, on avait inauguré un chantier. Le donjon ressemblait à ce qu'il devait être, mais les ailes étaient à peine sorties de terre. Et les enceintes n'existaient encore que sur les plans. La reprise des travaux était compliquée, car les premiers signes de fragilité se manifestaient déjà sur les terrasses. Construit pour des besoins expéditifs, version en dur du Camp du Drap d'or, le château de Chambord se révélait mal armé pour passer l'hiver. Avant même d'être achevé, il commençait à donner, du côté de **l'étanchéité**, des motifs d'inquiétude. Et le roi, la fête passée, regardait **ailleurs**. Pour commencer, si l'on peut dire, on continua à commander des pierres de Bourré pour le gros œuvre : il restait à **parachever** la superstructure du donjon et à monter les ailes. On acheva le cabinet de travail du roi, **courant** 1540. On progressa lentement dans l'édification du gros œuvre de l'aile de la chapelle, côté ouest. Et parallèlement, on reprit certaines **malfaçons**. Le roi revint chasser en février 1541. Il revit son château sans les **fastes** de la réception de Charles Quint, mais, **comme à l'accoutumée**, il arriva précédé

impedimenta *Latin: belongings, trappings*

logis lodgings

le plus clair de most of
scellé sealed
s'agirait it would consist
éclairs lightning

range put away
sommairement summarily, immediately

le mythe de Sisyphe the ancient myth of Sisyphus, a man who was eternally doomed to push a boulder up a hill, only to have it roll back down again
dalles flat stones
à faible pente in the gradual slope
surplombait overhung
voûtes à caissons vaults, box beams
dégâts damage
recense lists, outlines
se plaignent complains
termes voisins *here*: in one way or another
gâte rots

glacis causeway
fentes cracks

d'une impressionnante caravane de meubles. Car Chambord n'avait toujours pas de mobilier permanent. Le roi voyageait avec sa cour, mais aussi tous les ***impedimenta*** de sa maison. On raconte que le cortège était si long que les dernières voitures quittaient tout juste Blois quand les premières entrèrent dans le parc de Chambord : un convoi de quinze kilomètres. Le **logis** royal de l'aile orientale ainsi que l'appartement dédié à la duchesse d'Étampes, Anne de Pisseleu, étaient enfin habitables, mais nullement achevés. Le roi s'y installa. Mais comme il passa **le plus clair de** son temps à la chasse, il n'eut guère le loisir de s'attacher au confort. Le destin du château semblait **scellé** : il **s'agirait**, pour le palais du fond des bois, de vivre intensément par intervalles et, entre deux visites **éclairs** du souverain, d'être réduit au statut de grande carcasse vide et inachevée, comme un grand jouet qu'on **range sommairement** après usage. Ce que le roi préférait à Chambord, c'était la silhouette aperçue depuis la forêt. De loin, tout était parfait. Mais de près, la terrasse et la grande lanterne donnaient des soucis grandissants à Philibert Babou, qui commençait à penser que la construction du château rappelait **le mythe de Sisyphe**. Les **dalles** de tuf, sensibles au gel et perméables, laissaient passer de l'eau jusqu'au toit invisible **à faible pente** qui **surplombait** les **voûtes à caissons** du second étage du donjon. Des **dégâts** furent mentionnés dès 1544, et un rapport de la Chambre des comptes daté de juin 1556 **recense** déjà des travaux qualifiés de « réparations ». Ce sera le destin de Chambord que d'être, depuis lors, sujet à de perpétuelles restaurations. Il existe une manière édifiante d'écrire l'histoire du château : elle consiste à relater les rapports d'expertise à travers les siècles. Tous **se plaignent**, en des **termes voisins**, des infiltrations. Rapport Noblet, 1566 : « L'eau passe à travers les terrasses et **gâte** les quatre belles voûtes des salles. » Rapport à Gaston d'Orléans, 1641 : « Il faut reprendre entièrement les voultes, terrasses et **glacis** pourris et rompus par les eaux. » Rapport de la Saussaye, 1668 : « Sur les terrasses, des **fentes** sont

l'entre-deux joints

poutres beams
solives joists
carreaux tiles
vétusté dilapidated

chancelle (is in) a precarious state, dilapidated (*literally:* staggering)
miné undermined
délabrement disrepair, ruin

charpente framework

L'étanchéité The watertightness

l'écroulement collapsing

à l'identique in the identical way

appareil equipment
rouvrit reopened
pria asked

faites dans **l'entre-deux** des pierres. » Rapport Colbert, 1679 : le château est « dans un état pitoyable, sans fenêtres, sans vitres, il pleut partout ». Rapport René Honoré Marie, 1791 : l'état général « laisse la liberté de l'eau de la pluie pourrir les **poutres**, les **solives** et même les **carreaux** ». Rapport Marie, 1804 : le donjon est « pourri de **vétusté** ». Rapport Robinet de Cléry, 1820 : « Les terrasses [...] laissent abondamment pénétrer la pluie et la neige. » Note de Victor Hugo, 1830 : « Nous avons vu Chambord, cet Alhambra de la France. Il **chancelle** déjà, **miné** par les eaux du ciel qui ont filtré à travers la pierre tendre. » Rapport Faucheur, 1856 : « État d'abandon et de **délabrement**. Menace ruine dans plusieurs de ses parties. » Rapport Paquet, 1937 : « La **charpente** est en partie pourrie. » Rapport Ranjard, 1945 : « Les terrasses prennent l'eau. » Rapport Ponsot, 1993 : « **L'étanchéité** des terrasses est à reprendre. » Par quel miracle un bâtiment aussi fragile est-il parvenu jusqu'à nous ? C'est que presque chaque génération a participé à l'entretien. Laissé à lui-même, Chambord serait devenu une ruine dès le xviie siècle. Mais le château a suscité l'attachement d'assez de rois et de mécènes pour être, à chaque fois, sauvé *in extremis* de **l'écroulement**. Car après chaque rapport d'architecte, il y eut des maçons au travail. C'est à Chambord qu'a été inventée la notion de « restauration **à l'identique** ». Gaston d'Orléans, découvrant le château tout juste un siècle après la dernière visite de François Ier, ordonna de « refaire et réparer » les terrasses non seulement dans le même esprit, mais dans le même détail et avec le même matériau que l'œuvre originale détériorée. Les voûtes, Gaston demanda aux maçons de les reprendre « de même ordonnance d'architecture et sculpture que ce qui est en bon état, et de même nature de pierre et de même **appareil** ». Tout devait être semblable au château initial. On **rouvrit** les anciennes carrières pour retrouver les mêmes pierres. On **pria** les ouvriers d'imiter strictement leurs prédécesseurs. Quarante ans plus tard, Louis XIV ordonna de réparer et d'achever le château dans le scrupuleux respect

primitif original

à y déroger to depart/deviate (from this)
n'osa pas did not dare to

Inlassablement Doggedly

À force de By dint of
sans s'écouter without concern for himself, letting himself go

subit suffered

tonitruantes booming
aîné eldest

du projet **primitif**. Les effets de tuf et d'ardoise voulus par François Ier impressionnaient à tel point la postérité que jamais personne ne s'est jamais cru autorisé **à y déroger**. Le maréchal de Saxe lui-même **n'osa pas** toucher aux intentions de Léonard. Ni le maréchal Berthier. Ni le comte de Chambord. Ni les architectes des monuments historiques de la République. Ainsi, le château parvenu jusqu'à nous, malgré nombre de pierres changées, est-il exactement celui qu'avait aimé son père fondateur. Le cas, à y regarder de près, est unique en Europe. D'autant plus que l'exigence d'authenticité a aussi concerné le parc. **Inlassablement** le mur a été relevé sur son périmètre. Quand le parc de Versailles a perdu le plus gros de sa superficie, celui de Chambord garde les limites idéales du début, agrandies par Henri II et Gaston d'Orléans.

Henri II se lance en politique et fait de Chambord la capitale d'Allemagne

François Ier vient faire ses adieux à Chambord à la fin de l'hiver 1545. Il est âgé de cinquante ans. Il refuse de le laisser paraître, mais tout le monde sait qu'il est malade. **À force de** vivre **sans s'écouter**, de passer des journées à cheval sous la pluie, de manger comme un glouton, il a oublié de prendre soin de son énorme carcasse. Il souffre de la prostate. Il **subit** depuis des années une humiliante incontinence. Il est sujet à des fièvres. Plus grave, ses colères **tonitruantes**, ses explosions légendaires cèdent la place à des ironies glacées, à des silences. Son fils **aîné**, son préféré, vient de mourir. La réconciliation avec Charles Quint a tourné court. La guerre a recommencé en Italie. Le roi a l'impression d'avoir mené une vie de vanité. Il sait qu'il n'en a plus pour longtemps. Alors, pour la première fois de sa vie, il se pose : il s'attarde à Chambord. Il y reste trois semaines. Il chasse tout le jour. Cependant, symptôme qui n'échappe pas à ses gardes, il suit désormais les chasses à dos de mule et non plus

destrier charger
histoire de détendre l'atmosphère looking to lighten the mood
cercueil coffin
mi-carême third Thursday of Lent

Rafioules *archaic: Raviolis*
Cafiades *Caviar*
crémonèse *Cremona style*

Myrobolans *Indian fruit* [plum-sized with a rhubarb-like taste]

Cartouffle *Potato*
passementée *adorned*
Longes *Tongue*
sinapisées (with) *mustard flour*
zinzibérine *archaic:* (and) *powdered ginger*
massepain *marzipan*
d'ambre *amber tone*

frasques escapades

ombrageuse crabby
assoiffée de thirsting for

On chuchote They say (*literally*: They whisper)

sur un **destrier**. Il déclare, **histoire de détendre l'atmosphère** : « Vieux et malade, je me ferai porter à la chasse, et mort je voudrais y aller dans mon **cercueil**. » Le soir, il sacrifie au devoir de faire la fête, par amitié pour ses fidèles. Pour la **mi-carême**, il donne un souper colossal, dont nous connaissons le menu (à lire comme la carte d'un buffet) :

Cerf en potage
***Rafioules** de blanc-manger feuilletées*
***Cafiades** d'esturgeon*
*Cygne rôti en sauce **crémonèse***
Neige de lait au sucre
***Myrobolans** confits*
Grenouilles frites au persil
Pâté de grue
***Cartouffle** bouillie*
*Gelée **passementée** au chou*
Longes** de veau rôties froides **sinapisées** de poudre **zinzibérine
*Grand **massepain** doré*
Lard d'amande
*Gelée **d'ambre***
Petits beignets de la micarême, à plaisir

Après un tel souper, le roi n'est plus en état de repartir. Il se repose. Il prend du temps « chez lui », s'autorisant seulement, le 11 mars, une nuit de pèlerinage au château de Montfraud, peut-être pour faire mémoire des **frasques** de la « petite bande », dont beaucoup de membres ont disparu. Il lui reste évidemment Anne de Pisseleu, devenue duchesse d'Étampes et maîtresse officielle. Mais la blondinette qui, quinze ans plus tôt, galopait en sous-bois et faisait les yeux doux au roi dans les sorties officieuses, est devenue une **ombrageuse** quadragénaire, **assoiffée** de pouvoir et détestée de la cour. Elle ne cesse de compliquer les relations déjà pas simples du roi avec son fils Henri, devenu le dauphin après la mort de son frère aîné. **On chuchote** qu'Anne a mis son amant sous influence. Pour la première fois depuis Pavie, on

âne-bœuf donkey-ox

frustré de deprived of

n'a que faire d'Annebaut couldn't care less about Annebaut

par quel bout prendre how to handle (*literally*: from which end to take it)
garde retains, has
carrure build

éclaté blown up

villégiature holiday, vacation

coquet pretty, charming
émeut touches [one]
brandi stand out, come to life
au détour at the turn
layon path

parle du roi avec compassion. Au printemps, François quitte Chambord. Il n'y reviendra plus. Il meurt dans son lit le 31 mars 1547, à Rambouillet. Parmi les recommandations qu'il laisse à son fils, il cite un seul nom, celui de l'amiral d'Annebaut, qui pourtant n'était pas aimé, et que les mauvaises langues appelaient l'**« âne-bœuf »**, parce qu'il était jugé sot et protégé par la duchesse d'Étampes. Mais d'Annebaut était l'ami d'autrefois, le survivant de la « petite bande », l'organisateur des grandes chasses de l'été 1519, à l'époque où le jeune roi, **frustré de** la couronne impériale, avait ordonné de bâtir un magnifique palais « au lieu et place de Chambord ». Henri II **n'a que faire d'Annebaut**. Et il n'a que faire de Chambord. Quand il monte sur le trône, il change toutes les équipes de collaborateurs, et il ne sait pas **par quel bout prendre** le château. Il faut dire que le nouveau roi, âgé de vingt-neuf ans, **garde** un complexe vis-à-vis de son père. Il n'a pas son brio, ni sa **carrure**. Sa maîtresse, Diane de Poitiers, est l'ennemie jurée de la duchesse d'Étampes. Elle n'a cessé de nourrir de douloureux malentendus entre le père et le fils. La dernière grande colère de François contre Henri, début 1546, avait **éclaté** à propos du rôle que le fils proposait à Montmorency, et qui déplaisait à Anne. Le père n'avait pardonné au fils que sur son lit de mort. Henri vient à Chambord comme roi une première fois vers 1548. Il connaît bien les lieux. Mais l'empreinte de son père y est forte. Il a du mal à s'y sentir chez lui. Il ne s'attarde pas. Il repart en **villégiature** à deux journées de cheval, dans le plaisant château qu'il vient d'offrir à sa petite amie Diane : Chenonceaux. Le château de Chenonceaux, Henri l'aime bien parce que c'est une antithèse de Chambord : l'endroit est **coquet** plutôt que grandiose. Il **émeut**, mais n'impressionne pas. Il n'est pas **brandi** au fond d'une forêt, mais couché dans le lit d'une rivière. Il ne surgit pas d'un coup, **au détour** d'un **layon**, mais commence de loin son exercice de séduction lascive. Et surtout il n'a pas été construit par François Ier. Chambord est un refuge pour chasseur glorieux ; Chenonceaux, une résidence de week-end pour couple

nettement decidedly

gibets gallows
d'ôter to do away with/eliminate

métairies small land holdings
clairière clearing, glade
tessons de tuiles tile fragments

souci concern

affectée allocated

a dépéri fell in decline
rayé crossed off
écurie stables
héberger boarding
cabanes huts
masures en dur sturdy hovels, hovels left standing

illégitime. Henri s'y sent **nettement** mieux. Parce qu'il aime la chasse (c'est de famille), Henri s'intéresse tout de même au parc de Chambord. Il estime que son père a payé trop cher les riverains expropriés. Mais les choses étant ce qu'elles sont, il décide de réparer le mur, où les brèches sont nombreuses. Il prend des mesures radicales contre les intrusions. La surveillance est renforcée, des **gibets** sont posés près des portes de l'enceinte, manière **d'ôter** des idées aux curieux. Henri II réorganise les chasses. Il entretient deux meutes, une de chiens gris provenant de son père, et une de chiens blancs qu'il crée. Il met à jour l'inventaire des **métairies** que son père avait concédées à l'intérieur du parc : la Gabillère, la Piverie, le Travail Ribaud (aujourd'hui une simple **clairière**, mais où des **tessons de tuiles** affleurent dans l'herbe), le Pinet (exploité de nos jours par la famille Joly), le Périou (dont il ne reste rien), la Hannetière (où j'écris ces lignes), Maurepas, et d'autres. Trente fermes, en tout. Le **souci** d'Henri est de remettre en ordre les comptes. C'est sa manière à lui de tuer le père. Il exige de la Chambre des comptes que la totalité des recettes provenant de ces métairies soit **affectée** à la conservation du parc. Les fermes sont prospères, il est vrai, mais le village de Chambord **a dépéri**. Il est pratiquement **rayé** de la carte. Il s'est vidé de ses habitants avec la fin du chantier. En 1550, l'ambassadeur Sozano n'y trouve même pas une **écurie** pour **héberger** son cheval. Le prieuré a disparu. Du vieux fort, il ne reste rien, ni des **cabanes** qui l'entouraient. On ne mentionne que trois ou quatre **masures en dur**. Il faut imaginer l'immense carcasse du château, debout au milieu de la lande, avec son aile ouest interrompue en pleine construction, posé comme un objet extraterrestre. Le roi Henri néglige ce trop grand château. Il se préoccupe de rebâtir des maisons dans le village. Il offre au connétable de Montmorency, pour sa retraite, un hôtel particulier en face du parterre sud, dont ce qui subsistait a été bien plus tard brûlé par les nazis, en 1944, et dont la ferme attenante, appelée « ferme de Lina » par le maréchal Berthier, tient toujours debout

messire *archaic*: Milord, My Lord

à rebours contrary

ressentie intuited
désaveu rejection

contre-sommet counter-summit conference
de longue main at great length

échoué failed
coiffer put on
traité treaty
l'évêque the bishop
Albert de Brandebourg (1490-1568) Prussian duke
vicaire vicar
évêchés bishoprics
en outre furthermore, moreover

aujourd'hui. Il donne une autre maison au duc de Bouillon, en face de celle de **messire** Marin. Il lance une campagne de promotion pour des hôtels en pierre dans le village. Tout se passe comme si le nouveau roi voulait agir **à rebours** de son père en ne donnant pas à ses princes d'appartement dans le donjon lui-même. Il faut attendre 1552 pour voir Henri se sentir enfin chez lui au château. Il est alors dans la trentaine. Son père est mort depuis trois ans. Le jeune roi a liquidé son complexe, celui d'avoir été le fils mal aimé du père tant admiré qui lui avait préféré son autre fils, l'aîné, mort jeune. La douleur du roi François Ier à la mort de son fils aîné François, le cadet l'avait **ressentie**, il y a bien longtemps, comme un **désaveu** : pour toujours, Henri serait le fils que son père ne préférait pas. Mais la page est finalement tournée : dans les bras de Diane, cette maîtresse maternelle, de presque vingt ans plus âgée que lui, Henri commence à regarder sa vie avec ambition. Sur son insistance féminine et déterminée, il prend enfin les choses en main à Chambord. Il donne le feu vert à d'indispensables travaux d'entretien. Le dernier acte d'émancipation d'Henri vis-à-vis de son trop illustre prédécesseur est d'accueillir au château une sorte de **contre-sommet**, d'inverse de la réception offerte par son père à Charles Quint. Le coup politique est préparé **de longue main**. En janvier 1552, Chambord qui, douze ans plus tôt, avait reçu l'empereur Charles pour célébrer la paix, accueille à présent ses ennemis pour préparer la guerre. Henri reçoit en grande pompe plusieurs princes allemands. Il veut réussir là où son père a **échoué** et **coiffer** cette couronne impériale qui manque au roi de France pour être vraiment le nouveau Charlemagne. Un **traité** négocié jusqu'en décembre 1551 par **l'évêque** de Bayonne avec les princes électeurs protestants y est ratifié en présence d'**Albert de Brandebourg**. Ce traité reconnaît à Henri le titre de **vicaire** impérial pour les territoires d'Empire où l'on ne parle pas allemand : les trois **évêchés** de Metz, Toul et Verdun, et la ville de Cambrai. Les princes allemands s'engagent **en outre** à aider la

Gênes Genoa, an important seaport in northern Italy

En contre-partie In exchange

dessine design
écus shields

poignards daggers

à coup sûr brillant certainly ingenious

d'envergure large-scaled, grand
paille-maille a ballgame of the period

déchiré torn asunder

réitère reaffirms

croissants de lune crescent moons

France à reconquérir **Gênes** et Milan, perdues par François Ier, et, s'il était question d'élire un nouvel empereur, à en choisir « un qui fût ami de Sa Majesté Très Chrétienne », le roi de France lui-même de préférence. **En contre-partie**, Henri finance les armées des principautés qui se placent sous la protection de la France. Pour couronner le tout, on **dessine** un blason : d'azur aux trois lis de France, entourés des **écus** des princes allemands. Et on définit un emblème : un bonnet républicain entre deux **poignards** et la devise : *Pro patria*. Chambord, en ce 15 janvier 1552, devient la capitale d'un Empire germanique sous protectorat français. Le coup diplomatique est **à coup sûr brillant**, mais la réalité des choses se joue sur le terrain. Et là, Henri rencontre moins de réussite. La guerre contre Charles Quint s'engage une nouvelle fois. Au début, elle est victorieuse. En quelques semaines, la France acquiert les Trois-Évêchés. Mais en Italie, les choses tournent mal, et l'Empire germanique sous autorité française ne voit jamais le jour. Henri, emporté par ses projets politiques et militaires, ne met plus les pieds à Chambord au cours de l'année suivante. Mais il ne s'en désintéresse pas. Il commande à distance des travaux **d'envergure**. Il fait aménager pour la reine un jeu de **paille-maille** du côté de Maurepas. Mais surtout, il fait édifier une vaste chapelle, dans l'aile occidentale du château, à l'opposé de l'aile royale. Le geste est politique : dans le royaume **déchiré** par les disputes religieuses, et au moment même de son alliance stratégique avec des princes réformés, le roi donne un signe en direction de l'Église catholique. Il **réitère** auprès du pape l'affirmation des deux objectifs de sa politique : défendre la paix en Europe et la catholicité en France. Dans la voûte monumentale qu'il fait réaliser, il respecte les plans de son père ; cependant, à la place des « F » des chapiteaux, il fait sculpter le « H » de son nom enlacé dans des **croissants de lune** opposés qui ont le bon goût d'évoquer avec assez de discrétion le « D » de Diane, et en même temps le « C » de Catherine de Médicis, son épouse légitime. C'est un bien commun mystère

quinquagénaire woman in her fifties

répond aux bonnes âmes answers back to those kind souls

balisent lining

subite sudden

lices tiltyards

un tonnerre d'applaudissements a thunderous applause

passe outre pays no heed

visière visor
chancelle staggers

On s'affole They panic

que cette relation d'Henri et de Diane : gratifié d'une épouse ravissante, et amoureuse, et intelligente, et jeune, le roi a dans la peau une **quinquagénaire** à qui il trouve toutes les grâces. Pourquoi ? Catherine ne comprend pas. Elle qui n'est dupe de rien ne cache pas sa souffrance. Elle **répond aux bonnes âmes** qui la poussent à l'indulgence, et au nom de toutes les épouses délaissées : « Jamais femme qui aima son mari n'aima sa putain. » En 1554, Henri fait expérimenter à Chambord un nouveau modèle d'arquebuse de chasse. En 1558, il commence à poser les charpentes de l'aile de la chapelle. En même temps, Henri fait bâtir l'escalier extérieur, symétrique de celui de l'aile royale, édifié vingt ans plus tôt par son père. On construit l'escalier jusqu'en haut, mais les sculptures qui **balisent** les balustres ne sont pas complètement achevées, car la mort du roi interrompt les travaux, et nous les voyons encore aujourd'hui dans l'état brut où Henri les a laissées. Il faut dire que la mort du roi est une tragédie **subite**. En juin 1559, pour fêter la « paix universelle » enfin conclue entre la France, l'Espagne et l'Angleterre, on avait organisé une grande fête à Paris. À cette occasion, était prévu le mariage de la fille du roi Henri, Élisabeth, avec le roi d'Espagne. La fête devait commencer par trois jours de tournois organisés dans les **lices** de la rue Saint-Antoine. Le roi aimait beaucoup cet exercice, où il excellait. Le 30 juin, à la fin de la première journée, au moment d'arrêter le tournoi sous **un tonnerre d'applaudissements**, le roi proposa au capitaine des gardes écossais, son ami le comte de Montgomery, de faire une dernière passe. La reine est contre. Elle dit qu'il est tard. Le roi **passe outre**. Lors du premier choc, la lance de Montgomery se brise, et un éclat passe à travers la **visière** du roi et « lui entre fort avant dans l'œil droit ». Le roi **chancelle**, murmure que ce n'est rien et qu'il pardonne à Montgomery. Mais il perd beaucoup de sang. On le transporte au palais des Tournelles. En quelques heures, tout Paris est au courant. On s'inquiète. **On s'affole**. On se lamente. On annonce la mort du roi. Pendant ce temps, Henri

arracher to extract

rédigé drawn up

blêmit blanches
périrait would die

otage hostage

entraîna led to

force hunts down

sautes d'humeur mood swings
ennuyeux worrying
s'apprête à is about to

réglé settled

connaît une agonie atroce et interminable, avant de succomber au bout de onze jours de tourment aggravé par la ronde de tous ces hommes de pouvoir qui viennent lui **arracher** d'ultimes décisions. Henri est parti trop jeune, comme tous les Valois. Il avait quarante et un ans. Brantôme raconte qu'après sa blessure il avait demandé qu'on lui apportât l'horoscope **rédigé** pour lui bien des années plus tôt par Nostradamus, et qu'à l'époque personne n'avait voulu prendre au sérieux. Il fit lire l'horoscope par le secrétaire d'État Laubépine, et tout le monde **blêmit** : le texte prédisait que le roi **périrait** en combat singulier. Les personnes présentes se rappelèrent qu'Henri, qui détestait Charles Quint depuis qu'il avait été son **otage** en Espagne à l'âge de huit ans pour son père François, avait passé sa vie à chercher le contact direct avec Charles Quint qu'il voulait affronter à tout prix en duel. Aucune guerre ne lui avait donné cette occasion. La mort d'Henri **entraîna** la disgrâce de Chambord, qui passa pendant plusieurs décennies dans un oubli morose. Elle donna à Nostradamus sa réputation.

Charles IX force un cerf sans chien

Le fils d'Henri, devenu François II, n'eut guère le temps de venir à Chambord. Il y passa une journée ou deux à rencontrer les responsables de la capitainerie, ce qui lui donna l'occasion de renouveler, en aggravant les peines, l'ordonnance de François Ier sur la chasse. Mort d'une mastoïdite après quelques mois de règne, il céda la place à son frère, qui devint le roi Charles IX. Charles IX n'était pas un homme facile. Il n'avait que dix ans quand le trône lui tomba sur la tête, et il était violent. Ce garçon avait de curieuses **sautes d'humeur** ; il ne cessait pas de changer d'avis, ce qui est **ennuyeux** pour qui **s'apprête à** exercer le métier de chef d'État. Charles aimait sa mère, la régente Catherine, qui, après la mort accidentelle de son mari, avait décidé de se retirer à Amboise, non sans avoir **réglé** quelques comptes avec Diane de Poitiers, de qui elle exigea la restitution du château

Comme Since

éclair quick
sacre coronation

pour de bon for good

charpente roof structure
prit des allures took on the appearance
vaisseau ship, vessel

broussailles undergrowth
envahissaient overran
douves moats
manœuvres workers, laborers
enleva removed

faute de due to lack of
s'effondrer crumble, fall apart
nef nave

réfection repair
reviendraient would come to
glosa de rambled on about

s'en moquait didn't care about it

de Chenonceaux. **Comme** la reine mère était avec la cour à Amboise, à une demi-journée de cheval de Chambord, Charles IX en profita pour faire un passage **éclair** à Chambord un peu après son **sacre**, le temps de quelques chasses. Il était un peu jeune pour en profiter pleinement. Après cela, Charles partit faire un tour de France pour parfaire la pacification, et on ne le vit plus. Le grand château tomba **pour de bon** en sommeil. Le palais de François Ier, pratiquement achevé à l'exception de la chapelle où la **charpente** n'était pas couverte, **prit des allures** de **vaisseau** fantôme. Charles supprima le poste de trésorier des Bâtiments du roi à la mort de son dernier titulaire Claude Pelloquin, et confia la compétence de l'entretien de Chambord au receveur ordinaire de Blois. Sur place, il ne restait qu'une équipe réduite à presque rien : un jardinier chargé d'enlever le plus gros des **broussailles** qui **envahissaient** les **douves**, un chapelain pour assurer le service religieux quotidien, une vingtaine de **manœuvres** pour pourvoir à l'entretien minimum du parc. Dans le village à peu près abandonné, ne vivaient plus que quelques familles misérables. On **enleva** les échafaudages qui subsistaient autour de l'aile de la chapelle. D'un seul coup, l'immense bâtisse allait passer du statut de chantier à celui de ruine. En 1566, **faute de** couverture, la chapelle commencée par Henri II commença à **s'effondrer**. Le contrôleur des Bâtiments du roi, Noblet, signala que la **nef** prenait l'eau et menaçait ruine. Des travaux d'urgence furent décidés sur l'initiative de la reine mère Catherine. On fit observer que les travaux de **réfection reviendraient** à vingt mille francs pour un coût initial de huit mille francs (et alors qu'un entretien régulier n'aurait coûté, paraît-il, pas plus de mille écus). Il fallut y passer. On **glosa de** l'utilité de mettre le gros œuvre hors d'eau. « Si l'on fait des économies maintenant, il faudra dépenser beaucoup dans quelques années », plaida Noblet. C'était des propos de bon sens. Mais Chambord n'avait plus d'avocat. Le roi Charles **s'en moquait**. Sa mère avait d'autres soucis. Officiellement, il

fit don à gave, donated to

passablement quite, rather

n'épargnèrent did not spare

comportement behavior
digne worthy

démesuré inordinate
reconduit renewed

se tenaient remained

pâturer to graze
au ras des métairies *here*: reaching the land holdings

vergers orchards
cervidés deer

se livrer au engaging in

verbaliser record/write up as offenders

découvert open, exposed

poursuivi chased
servir slay

n'y avait pas les crédits. En août 1570, Charles **fit don à** l'église Sainte-Solenne de Blois, qui venait de subir un incendie, de la charpente de la chapelle de Chambord, pourtant **passablement** pourrie. Ce geste témoigne du désintérêt qu'il manifestait pour le monument de son grand-père. Dans le même temps, les guerres de religion **n'épargnèrent** pas le village : en 1562, des huguenots assassinèrent le curé de Chambord pendant la messe, au moment de l'élévation. Un **comportement digne** de Thibault le Tricheur. En vérité, si le château n'intéressait pas Charles IX, la forêt lui paraissait digne de quelques visites. Il apprécia assez vite ce territoire qui, grâce au zèle écologique **démesuré** de Villegomblain, sans cesse **reconduit** depuis 1542 dans ses fonctions de chef de la capitainerie, connaissait une prolifération surprenante de grands animaux, en particulier de cerfs. Les cerfs **se tenaient** en grand nombre dans la partie boisée du parc, sur la rive sud du Cosson, et ils venaient en toute impunité **pâturer** dans les landes de la rive nord, **au ras des métairies** du Périou, de la Guillaumière ou du Pinet. Des compagnies de biches y mangeaient les pommes dans les **vergers** en plein jour. On apercevait les grands **cervidés** depuis les terrasses du château, comme dans le rêve de François Ier. Les règlements de la capitainerie étaient sévères au point que presque personne n'osait prendre le risque de **se livrer au** braconnage : les gardes de Villegomblain n'avaient à peu près personne à **verbaliser**. On trouve trace de quelques peines subies dans la prison de Chambord, mais pas pour délit de chasse, à l'exception de paysans condamnés pour n'avoir pas « épiné », c'est-à-dire maintenu des friches pour le gibier dans leurs cultures. C'était la sauvagerie organisée. Quand le roi Charles venait chasser, c'est du côté nord qu'il préférait attaquer, car ce bon cavalier aimait galoper en terrain **découvert**. On raconta qu'il avait réussi un jour à forcer un cerf sans chien. Il avait isolé l'animal et l'avait **poursuivi** seul à cheval jusqu'à lui faire tenir l'hallali et le **servir** lui-même, à l'arme blanche. Lazare du Baïf en tira ce poème :

vantardise boast
colloque conference
aborda addressed
évoqua referred to
affaibli impaired
consanguinité inbreeding
empêcher preventing
se rembucher to go back into (his) lair
songer reminded
prétendait claimed
rattrapé caught
cerf élaphe a kind of buck
prouesse feat
sainte horreur holy terror

craqué cracked up
rude harsh
démissionné resigned

de mener to make
puisque since

Au coup de votre main, sur le chêne branchu
Vouant du chef du cerf le branchage fourchu
Le roi Charles neuvième et premier qui a vue
Sans meute, sans relais, à la bête accouru
Piquant et parcourant fait rendre les abois
Et consacre la tête à la dame des bois.

Les veneurs solognots n'ont jamais cru à cette histoire. Peut-être était-ce une **vantardise** d'adolescent. Un **colloque** tenu à Senlis en 2005 par la Société de vénerie **aborda** la question sans conclure. On **évoqua** l'hypothèse d'un cerf malade ou **affaibli** par la **consanguinité**. Ou peut-être, suggéra-t-on, y avait-il assez de monde autour du roi pour **empêcher** l'animal de **se rembucher** en forêt. En tout cas, l'anecdote est présentée comme certaine par le chroniqueur. Et elle fait **songer** à un témoignage récemment entendu en Argentine : un jeune cavalier **prétendait**, là-bas aussi, avoir **rattrapé** à cheval un **cerf élaphe** dans les prairies de la pampa. Charles IX n'eut pas le temps de renouveler l'exploit, car il mourut de la tuberculose peu après sa **prouesse**, âgé de seulement vingt-quatre ans. Son successeur Henri III était un Valois atypique : il détestait la chasse. Il préférait l'étude, le silence, le raffinement. Il avait une **sainte horreur** des grands espaces et des hivers à la campagne. Élu roi de Pologne en 1573, il avait **craqué** au bout de quelques mois dans ce pays trop **rude** et avait **démissionné** pour rentrer à Paris. Devenu roi de France, après un bref passage au château où il signa la « paix de Monsieur » avec son frère, le duc d'Alençon, il laissa Chambord sous la dictature verte de la capitainerie, de Villegomblain d'abord, puis de son successeur Pierre Chausse. Pierre Chausse continua **de mener** la vie dure aux riverains, et chassa pour lui seul, **puisque** le roi ne venait pas. Le château tomba dans l'abandon. On venait le visiter de loin, mais comme on visiterait une curiosité naturelle. En 1577, l'ambassadeur de Venise, Jérôme Lippomano, fit le voyage. Il laissa une jolie description.

J'ai vu dans ma vie, écrit-il, *plusieurs constructions magnifiques,*

créneaux *crenellations*
ainsi que *just as*
séjour *sojourn*
Morgane ou d'Alcine cunning fairies in Renaissance literature
ébahis *dumbfounded*
confondus *mystified*
prêta pay
aïeul forebear
décharge exoneration
n'épargna guère did not really spare

disposait de possessed
fierté dignity, pride

pourtant even though

passerait would surpass

un château de la Belle au bois dormant délabré a Sleeping Beauty's dilapidated castle *mais jamais aucune plus belle et plus riche. L'intérieur du parc est rempli de forêts, de lacs, de ruisseaux, de pâturages et de lieux de chasse, et au milieu s'élève ce bel édifice avec ses* ***créneaux*** *dorés, ses ailes couvertes de plomb, ses pavillons, ses terrasses et ses galeries,* ***ainsi que*** *nos poètes romanciers décrivent le* ***séjour*** *de* ***Morgane ou d'Alcine*** *[...] Nous sommes partis de là* ***ébahis****, ou plutôt* ***confondus****.*

La dorure des lanternons, quarante ans après la réception de Charles Quint par François Ier, était donc encore visible. Mais ce n'était pas suffisant pour motiver Henri III, qui ne **prêta** pas attention à l'œuvre de son **aïeul**. Il faut, à sa **décharge**, admettre que la rigueur des temps **n'épargna guère** ce roi homosexuel et cultivé, sans cesse confronté aux atrocités compliquées des guerres de religion, jusqu'à son assassinat pendant l'été 1589.

Gaston d'Orléans voit les choses en grand

Henri IV, monté sur le trône en pleine crise nationale, avait tout pour rendre à Chambord son lustre interrompu. Il **disposait de** beaucoup d'argent, il aimait l'architecture, il voulait donner à la France des motifs de **fierté** et d'unité. Mais il ne s'intéressa pas au château. Il préféra faire des travaux au Louvre. En Val de Loire, il concentra ses efforts sur l'agrandissement du château de Blois qui avait l'avantage à ses yeux épicuriens d'être situé en ville. Dans son livre de 1608, André Du Chesne regrette ouvertement ce désintérêt du bon roi pour le palais de François Ier, **pourtant** qualifié de « résumé de l'industrie humaine » par Charles Quint, rappelle l'auteur. « Si notre Henri, écrit-il, ce grand amateur des bâtiments, y faisait encore ce qu'il a fait ailleurs, cette seule maison **passerait** en excellence et en grandeur toutes les autres. » Henri ne le fit pas. En 1610, il mourut en pleine gloire, mais sans avoir mis les pieds une seule fois à Chambord. Son successeur Louis XIII s'arrêta une première fois dans le domaine en 1614. Il découvrit pour une journée **un château de la Belle au bois dormant délabré** au fond de sa forêt. Louis

propice conducive
émois excitement
au pas de course at top speed

l'étape this phase

remontant going up

en amont de upstream from

campagne project, program

se moquaient bien didn't give a care

autarciques autarchic, despotic

n'avait que treize ans ; ce n'est pas un âge **propice** aux **émois** architecturaux. L'enfant explora **au pas de course** les galeries et joua à se perdre dans les entresols. Mais ce qui l'amusa le plus, c'étaient les poissons dans les douves. Il en oublia le reste. Son médecin, Jean Hédouard, relate ainsi **l'étape** dans son journal : « Va visiter le château. Fut partout. Le trouve beau. Va pêcher. » Comportement d'enfant gâté. Louis XIII repassa à Chambord deux années plus tard, au pas de course, avec sa jeune épouse Anne d'Autriche. On peut supposer que les propos des jeunes mariés se limitèrent à des commentaires sur l'inconfort des lieux, car ils n'y revinrent jamais. La vérité, c'est que le château, depuis la mort du roi Henri II, tournait lamentablement à l'état de ruine. Plus grave, il passait de mode : puisqu'il ne séduisait plus les rois, c'est qu'il n'était plus digne d'intérêt. Un siècle après son édification, le palais connaissait sa période de purgatoire. Il était démodé. En 1638, Léon Godefroy raconte comment, visitant la vallée de la Loire en **remontant** le fleuve en bateau, on le dissuada de passer par Chambord. Il se posa la question en arrivant **en amont de** Blois, à quelques kilomètres à peine du site. « J'étais bien irrésolu de savoir si je descendrais à terre pour m'en aller à Chambord, lieu très fameux, ou bien passerais outre. On m'en détourna tout à fait, me faisant entendre que, outre que ce lieu n'est point achevé [...], on le laisse ruiner. » Chambord en 1638 ? Aucun intérêt ! Il est vrai que depuis 1566, aucune **campagne** d'entretien sérieuse n'avait été entreprise. La fragilité de la pierre condamnait le château au délabrement. Les habitants alentour parlaient de l'édifice avec compassion ou dédain. Seul prospérait décidément la capitainerie, passée au sieur de Vineuil en 1593, puis au sieur de Corbet en 1596, puis au sieur de Boisrenard en 1605, puis au fils de ce dernier en 1643. Tous ces capitaines se passionnaient pour le parc et **se moquaient bien** du château. La chasse les occupait tout entiers, et comme l'État ne leur demandait plus de comptes, ils se laissaient aller à des comportements **autarciques**. Nous le savons par les plaintes

imprévue unexpected
l'inconduite misconduct, debauchery

il était de ces he was one of those
redoutables formidable
balourds simpletons
emportent la mise takes the winnings
à force de volonté by force of will/willpower alone
susciter spark, elicit
faute de in the absence of (a)
statut status
d'aubaine negotiating, deal-making
coriace tough
calcul cunning
fautif guilty
en apanage *archaic*: as a high privilege

D'autant que All the more so
projet plan
maria married
royaume realm, kingdom

ressentit felt
vive keen

émanant des riverains. Quant à l'argent public qu'ils pouvaient trouver, ils ne l'affectaient qu'à l'entretien du mur du parc. Les capitaines et leurs gardes s'enrichissaient aussi dans le commerce des...peaux de lapins ! Les lapins en effet proliféraient autour du château, et depuis Villegomblain on avait interdit la chasse au collet. Les gardes seuls avaient le droit de porter un fusil, et ils tiraient les lapins par centaines. Le capitaine se réservait les cerfs. Au début du xviie siècle, Chambord était vraiment mal parti ! Le château fut sauvé *in extremis* par un coup du destin. Cette chance **imprévue** fut **l'inconduite** politique de Monsieur, Gaston d'Orléans, le frère du roi Louis XIII. Gaston d'Orléans ne passait pas pour un homme très intelligent, mais il était tenace. Dans les négociations, **il était de ces redoutables balourds** qui ne cherchent pas à briller, mais finalement **emportent la mise à force de volonté**. Gaston n'aimait pas son frère aîné, et il n'aimait pas le savoir roi de France. À partir des années 1620, il déploya une énergie colossale à **susciter** des conspirations contre lui. Sous des couverts compliqués, sa motivation n'était pas bien difficile à comprendre : le roi n'avait pas de fils ; **faute de** dauphin, Gaston avait le **statut** d'héritier direct du trône, et, avec un peu de persévérance et **d'aubaine**, il pensait pouvoir lui prendre sa place. Mais Louis XIII, le grand frère, était **coriace** lui aussi. Et il était intelligent. Par magnanimité (et **calcul**), il ne condamna pas le cadet **fautif**, mais essaya de lui trouver d'autres centres d'intérêt que le complot familial. En 1626, il lui offrit **en apanage** le comté de Blois et le château de Chambord. Pour ce passionné de chasse et d'architecture, cela ouvrait des perspectives. **D'autant que** le roi, qui avait de la cohérence dans son **projet**, **maria** simultanément son frère avec Marie de Montpensier, la plus riche héritière du **royaume**. Un immense château en ruine et une immense fortune à dépenser pour le réparer, voilà qui était de nature à occuper Gaston pendant quelques années. Et le projet fonctionna : en découvrant le château abandonné que le roi lui offrait, Gaston **ressentit** une **vive** émotion esthétique.

abords surroundings
impraticables impassable
ronces brambles

cessa ceased
se borna à contented himself with
chargea commissioned

degré *staircase*

se voient *see each other*

l'attraper *catching him*
aise *pleased*

Fronde name of a French 17th century civil war
tardif belated, late in life
les coups bas de la cour the court's low blows

Le jour où il vint en prendre possession, le Cosson avait débordé dans la prairie. Les **abords** du château étaient **impraticables.** Des **ronces** partaient à l'assaut des murs. Les douves étaient envahies. C'était beau et c'était triste. Monsieur décida alors de tout restaurer. Il **cessa**, pour un temps, de comploter contre son frère, et **se borna à** lui demander de nouveaux avantages financiers. Il les obtint. Et il **chargea** l'architecte François Mansart de restaurer Chambord sans limite de budget. C'est ce miracle qui nous permet de contempler un château intact aujourd'hui. Au début de l'été 1637, peu avant les travaux de Mansart, Gaston fit découvrir Chambord à sa fille Anne Marie Louise de Montpensier. La princesse Anne Marie Louise relate dans ses Mémoires ce jour d'été qui la marqua toute sa vie parce que, pour une fois, Gaston d'Orléans s'était comporté en véritable père.

Monsieur vint au-devant de moi jusqu'à Chambord qui est à trois heures de Blois ; c'est un château qui lui appartient, bâti par François Ier d'une manière fort extraordinaire, au milieu d'un parc de huit ou neuf lieues de tour, sans autre cour qu'un espace qui règne autour du logis, qui fait une figure ronde. Une des plus curieuses et des plus remarquables choses de la maison est le ***degré****, fait d'une manière qu'une personne peut monter et une autre descendre sans qu'elles se rencontrent, bien qu'elles* ***se voient*** *; à quoi Monsieur prit plaisir de se jouer d'abord avec moi. Il était en haut de l'escalier lorsque j'arrivai ; il descendit quand je montai, et riait bien fort de me voir courir dans la pensée que j'avais de* ***l'attraper****. J'était bien* ***aise*** *du plaisir qu'il prenait, et je le fus encore davantage quand je l'eus rejoint.*

Anne Marie Louise avait dix ans. Sa mère était morte en la mettant au monde. Son père, elle ne le voyait jamais. Lorsqu'on regarde sa vie de lutte et de solitude, ses coups de folie pendant la **Fronde**, son mariage **tardif** et secret avec le pauvre Lauzun, **les coups bas de la cour**, le voyeurisme de ses ennemis, la vieillesse humiliante, on se prend à songer que ce court moment

tendre les bras reaching out, caring

qu'on n'attendait plus whom they awaited no longer

subventions benefits

Au fil du temps As time went by
piège trap
jadis long before
libertins freethinkers, libertines
cabalistes experts highly skilled in obscure, occult or esoteric matters
femmes galantes courtesans
à tour de bras at full force
languissait languished
était mordu de chasse he'd gotten the hunting bug (*literally:* he was bitten by the hunt)

abouties concluded
alla au-delà went further/beyond
clos enclosed
reboisa reforested
lit bed [of a river]
arcs-boutants flying buttresses
effondrés caved in

d'amour paternel fut peut-être la seule part de bonheur sans mélange que la Grande Mademoiselle connut en ce monde. La vie lui aurait au moins offert cet instant : un père qui prend du plaisir à **tendre les bras**, qui rit dans l'escalier, et qu'on prend du plaisir à rejoindre. Quand il n'aurait servi qu'à cette minute d'un jour de l'été 1637, l'escalier de François Ier aurait justifié son existence. Pour Gaston aussi, le bonheur dura peu. Le 5 septembre 1638, une naissance était annoncée : celle du fils de Louis, le dauphin **qu'on n'attendait plus.** Gaston perdait son statut d'héritier présomptif, et, par la même occasion, les **subventions** royales. Il avait prévu de poursuivre à la fois les chantiers de Blois et de Chambord, et il lui fallait choisir. Il se décida pour Chambord. Il abandonna les travaux de Blois et chargea François Mansart de réaliser un plan de sauvetage de Chambord avec les moyens financiers qui lui restaient, ce qui n'était pas rien. **Au fil du temps**, Gaston était tombé dans le même **piège** que **jadis** François Ier : il se découvrait amoureux de la Sologne. « La Sologne, écrit-il alors, est le pays que j'aime le mieux. » Il constitua une sorte de « petite bande » composée de chasseurs, de **libertins cabalistes** et de **femmes galantes**, dans l'esprit du père fondateur. Il chassa **à tour de bras**. Il fit la fête. Au vrai, la majesté abandonnée de Chambord convenait à merveille à la nostalgie complaisante où Gaston se **languissait**, lui, l'ancien futur roi de France. Parce qu'il **était mordu de chasse**, les premiers devis qu'il demanda concernèrent l'enceinte du parc. Il lança des travaux de restauration systématique du mur à partir de janvier 1639. Puis il acheva les acquisitions foncières non **abouties** sous François Ier, et **alla au-delà**. Il finit par porter le parc **clos** à sa configuration et à sa surface actuelles, soit cinq mille cinq cent quarante hectares. Il **reboisa**. Il draina les abords, remit le Cosson dans son **lit**. Parallèlement, Mansart se lançait dans une restauration globale du château. Les terrasses étaient reprises, les grandes voûtes restituées, les fenêtres réparées. Deux **arcs-boutants** de la grande lanterne s'étaient **effondrés**. Ils

confortés reinforced
tirants trusses
enduits plaster
balustres balustrade pillars
repu d'échecs having had enough of setbacks
pour de bon for good

brame bellowing
Mazarin (1602-1661) Italian cardinal who was the chief minister of France
Pyrénées the Pyrenees chain of mountains separating France and Spain
accueillait received
s'adjugea judged himself
ravi delighted

arriérées backward
copieusement extravagantly
ne se gêna pas pour le montrer was not at all embarrassed to show it
se laisser aller to let himself go
traîna sulked, languished
fauteuil armchair
goutte gout
purges taking laxatives and/or enemas
saignées blood letting using leeches
déconseillait advised against
malsain unhealthy
matelas mattresses
draps bed linens
moites damp
l'haleine the breath [i.e., slight breeze]
brume mist

furent reconstruits, puis **confortés** par des **tirants** de fer. Les **enduits** furent rafraîchis, les joints des **balustres** réparés. Vers 1650, le château avait à peu près retrouvé sa splendeur initiale, et Louis XIII avait retrouvé la paix. Après la Fronde, **repu d'échecs**, Gaston décida de s'installer **pour de bon** dans son château de Chambord. Il se mit à imiter François Ier, en plus sédentaire. Il vivait en chasseur et en romantique. Il regardait depuis ses terrasses les saisons colorier la forêt. Il écoutait le **brame** des cerfs. Quand, en janvier 1559, **Mazarin** se rendit en Espagne pour négocier le traité des **Pyrénées**, il lui organisa une étape grandiose, dans le goût de la réception de Charles Quint. Quelques mois plus tard, il **accueillait** avec magnificence le tout jeune Louis XIV accompagné de sa mère, Anne d'Autriche. Gaston organisa une chasse dans le parc et il **s'adjugea** un succès, car son neveu Louis XIV en fut **ravi**. Le lendemain, il offrit un banquet dans son château de Blois où les choses ne se passèrent pas aussi bien. La réception fut jugée un peu provinciale par Anne Marie Louise, la propre fille de Gaston, qui trouva ses demi-sœurs timides et **arriérées**. Anne Marie Louise raconte que le jeune Louis s'ennuya lui aussi **copieusement**, comme seul un jeune roi est capable de s'ennuyer, et **ne se gêna pas pour le montrer**. Une fois la fête achevée et le roi parti, Gaston n'avait plus qu'une chose à faire : **se laisser aller**. C'est ce qu'il fit : il **traîna** de **fauteuil** en fauteuil et mourut en février 1660, âgé de cinquante-deux ans, exactement comme son idole François Ier. Sa santé n'avait jamais été bonne. La **goutte** et les rhumatismes le faisaient souffrir. Il les soignait avec les remèdes de l'époque, des **purges** et des **saignées**. Son médecin, Turpin, lui répétait que le climat solognot ne lui valait rien. Il lui **déconseillait** les séjours à Chambord, lieu « **malsain**, aquatique et de forêt », où, à chaque arrivée, il fallait faire « chauffer les **matelas** et les **draps** tout **moites** ». Mais Gaston d'Orléans n'écoutait rien. Il aimait la magie de Chambord. Il chérissait **l'haleine** froide qui le soir monte de la rivière et la **brume** qui s'élève des douves

givre frosty
argentée silvery
colverts mallards
plan flat plain
gelé icy
terre mouillée damp/wet soil/ground
criblé sprinkled
attrapa des rhumes caught colds
soin care
lourdaud oaf

il n'endurait pas la royale prédestination comme tant de ses devanciers on the fate of being king, he did not feel the same as so many of his predecessors
métier profession
roué the archaic pronunciation sounds like the word meaning 'cunning devil'
paysans poitevins country folk from the Poitou region in central western France
contre-emploi miscast
Saint-Jean-de-Luz a charming Basque country port on the French-Spanish border
soirées d'après-souper after-dinner parties
crépuscules twilights
paisible tranquil, peaceful
grillons crickets
ébloui dazzled
confondu confused
Pour tout dire Indeed
moué archaic pronunciation of 'me'

dans les matins glacés. Il goûtait l'air cristallin et les matins de **givre**. Il suivait des yeux la trajectoire **argentée** des **colverts** sur le **plan** d'eau **gelé**. Il adorait l'odeur de **terre mouillée**, les nuits lumineuses sous un ciel **criblé** d'étoiles. Il séjourna au château en hiver, sortit le soir dans les bois, **attrapa des rhumes**. Il mourut d'amour pour son château. Aucun homme avant lui, François Ier excepté, n'avait autant chéri Chambord, et aucun n'y avait consacré autant de **soin**, de temps et d'argent. Gaston était un **lourdaud**, mais nous lui devons d'avoir sauvé l'œuvre de François Ier.

Le Roi-Soleil s'amuse

Louis XIV vint à Chambord pour la deuxième fois de sa vie le 9 juillet 1660, trois mois après la mort de Gaston d'Orléans. Il était heureux. Il venait de se marier, **il n'endurait pas la royale prédestination comme tant de ses devanciers** ; au contraire, il était ravi d'être roi, d'avoir à pratiquer le « **métier** délicieux de roi », comme il disait. Il affirmait à qui voulait l'entendre, il répétait : « Je suis le roi. » Il le répétait avec le ton. « Le roi ! » (Il prononçait : « le **roué** ! », comme aujourd'hui ne parlent plus que de vieux **paysans poitevins**). Pour la première fois depuis longtemps, peut-être pour la première fois depuis François Ier, un roi de France ne se sentait pas à **contre-emploi**. Louis XIV arrivait à Chambord, au retour de **Saint-Jean-de-Luz**, avec à son bras la jolie Marie-Thérèse d'Espagne. Il avait vingt-deux ans. Il faisait beau, le Val de Loire offrait d'interminables **soirées d'après-souper**, de longs **crépuscules** habités du chant **paisible** des premiers **grillons**. En retrouvant Chambord dans la lumière du soir, le jeune roi fut **ébloui** par la beauté du château. Ébloui, mais pas **confondu**. **Pour tout dire**, il trouva la résidence à sa mesure. Il pensa (et déclara) : « Ce château a été bâti pour moi ! » (« Pour **moué** ! ») Il faut songer que Versailles n'était pas même encore un projet, que le jeune roi était mordu de chasse, et que Chambord restait le plus grand château du monde, à la seule

La Granja 80kms north of Madrid in Spain, famous for its magnificent Royal Palace

jusqu'à ce que until

remontaient were carried out

devis estimate

superflu unessential, superfluous

en enfilade with rooms lined up in succession

l'aile orientale the eastern wing
affecta allocated

avant-goût foretaste
cloisonnée divided up
conforme à in keeping with
l'étiquette protocol
rhabillées redone
lambris paneling
carreaux de terre cuite terracotta tiles
soie silk
accrocha hung
grand-siècle The Great Century, the reign of Louis XIV and the 18th century in general

exception, depuis la fin du XVIe siècle, du palais de **La Granja**, voulu par les rois espagnols. Louis avait le sens pratique. Il décida de faire de Chambord un séjour de vacances. Et il y revint, en effet, passer trois semaines avec sa cour presque tous les étés, **jusqu'à ce que** le chantier de Versailles l'occupe, bien des années plus tard. Ses séjours furent beaucoup plus longs et assidus que ceux de François Ier. Comme d'habitude, le château avait besoin de travaux. Les dernières restaurations de Gaston d'Orléans **remontaient** seulement à une quinzaine d'années, cependant l'édifice était si grand que lorsqu'on avait fini de le restaurer d'un côté, il fallait le reprendre de l'autre. Et Louis XIV n'imaginait pas de passer des vacances dans un palais délabré. Il voulait que ce fût parfait. En 1664, il approuva un **devis** de deux cent mille livres, pour une première campagne de travaux intérieurs. Il s'occupa du **superflu** avant de traiter l'essentiel. L'idée était simple : aménager au premier étage du donjon, côté nord-ouest, un grand appartement **en enfilade**, adapté à son goût de la mise en scène. Le Roi-Soleil se devait d'occuper le centre du palais. Il ne se voyait pas dans l'appartement historique de François Ier, exilé dans **l'aile orientale**, ni *a fortiori* dans celui que Gaston d'Orléans s'était aménagé à côté. Il **affecta** l'appartement de François Ier à son frère Philippe. Et il se fit aménager son propre appartement dans le milieu du donjon. Il y fit réaliser, avec une certaine ingéniosité, un arrangement qui était un **avant-goût** de Versailles. La salle nord fut **cloisonnée** pour permettre la création d'une suite **conforme à l'étiquette** : seconde antichambre, première antichambre, chambre du roi. Dans ces trois pièces, les vieilles cheminées Renaissance de François Ier furent **rhabillées** dans le style classique, en marbre. Une salle de billard fut aménagée. Des **lambris** furent posés sur les murs, et des tapisseries. On remplaça dans ces pièces les **carreaux de terre cuite** par des parquets en chêne. On mit de la **soie** sur les murs. On **accrocha** des tableaux. Chambord à cet étage se donnait des airs **grand-siècle**. Mais ces travaux d'aménagement

réglaient dispose of
lancinant persistent, nagging
l'étanchéité waterproofing
réglé seen/tended to
signalait reported
occidentale western
effondrée fallen
prédation plundering
mal élevés rude, ill-mannered
serrures locks
emportées removed
carrelages tiles
descellés taken up
réchauds stoves
volés stolen
dégâts damage
chargea commissioned
Colbert (1619-1683) Louis XIV's minister of finance
de fortune makeshift, rough-and-ready
se saisit d'un grabbed hold of a
lâche let go
s'exécute complies
confié entrusted
Bâtiments Construction
petit-neveu great-nephew
fait approuver gets approved
s'élève comes to
rétablit restores
étanchéités waterproofing
dégage unclogs
canalise channels
parterre formal garden
achève finishes
Au-dessus Above

ne **réglaient** pas le **lancinant** problème de **l'étanchéité**. Le superflu **réglé**, il fallut quand même s'occuper du principal : du côté de l'aile orientale, dans le logis de Monsieur, on **signalait** des infiltrations. La chapelle de l'aile **occidentale**, dont les travaux avaient été repris par Henri II un siècle plus tôt et la charpente démontée par Charles IX, se trouvait à l'état de ruine romantique, avec sa voûte **effondrée** et de la végétation dans ses murs. Louis était tout sauf romantique. De surcroît, l'ensemble du bâtiment souffrait non plus d'abandon mais de **prédation**, car la cour du jeune roi Louis XIV était composée de gens **mal élevés** : un rapport de 1668 signale des **serrures emportées**, des **carrelages descellés**, des **réchauds volés**. Bref, en trois semaines de séjour, les deux cents hôtes du roi faisaient des **dégâts** considérables. Et à chaque séjour, c'était pire. Au bout de quelques années, les dégradations étaient si avancées que le roi **chargea** directement **Colbert** du dossier, avec mission d'en finir avec les restaurations **de fortune**. Quant Colbert **se saisit d'un** dossier, il ne le **lâche** pas. Tout le monde le sait, tout le monde **s'exécute** : c'est l'« effet Colbert ». Colbert traite le dossier de Chambord avec son efficacité habituelle. Un plan général de restauration et d'achèvement est **confié** à Jules Hardouin-Mansart, architecte en chef des **Bâtiments** du roi et **petit-neveu** de François Mansart. François d'Orbay est chargé de la coordination des travaux. Il **fait approuver** un projet dont le total **s'élève** cette fois à trois millions de livres, davantage que ce qu'avait fait Gaston d'Orléans, davantage même que la dépense consentie par François Ier pour la construction initiale. Hardouin-Mansart **rétablit** les **étanchéités** : cela coûte cher et ne se voit pas. Hardouin-Mansart **dégage** les douves et on **canalise** le Cosson. Cela coûte moins et se voit davantage. Il crée un **parterre** côté nord et une esplanade côté sud. Vingt mille livres. Il **achève** la chapelle. Là, c'est très cher. **Au-dessus** des

reprendre redo
alterner alternating
caissons coffers

s'attaquer to tackling
communs servants' quarters
dote provides, outfits
mansardé attic
rez-de-chaussée ground floors
l'actuel present day

en règle in order

délaissa neglected

Lully (1632-1687) favored composer of the king
transperce transfixes
clavecin harpsichord
L'auteur comédien The playwright
a la quarantaine bien sonnée well into his forties
il se sent dans la peau he feels as if (*literally*: in the skin of)
le vit plutôt mal took it badly
apporté brought

un soir sur deux every other evening

murs bâtis par François Ier et Henri II, tout est à **reprendre**. La nouvelle voûte, réalisés sur les plans de l'ancienne, fait **alterner** sur ses **caissons** les « F » de François Ier et les « L » de Louis XIV, ainsi que des salamandres et des soleils. Il ne s'agit plus d'une restauration à l'identique, comme à l'époque de Gaston d'Orléans : Louis a demandé une restauration « dans l'esprit », mais il veut sa signature. La charpente est reposée, la couverture en ardoise d'Anjou toute neuve installée. Hardouin-Mansart ayant traité les étages nobles, il lui faut ensuite **s'attaquer** aux **communs**. Il **dote** les enceintes basses d'un étage supplémentaire **mansardé** pour loger les gens de service. Il aménage des cuisines dans les **rez-de-chaussée** des ailes. Il édifie, à l'ouest, près de **l'actuel** hôtel Saint-Michel, une écurie de trois cents chevaux. Il reconstruit une église sur le haut de l'ancienne butte féodale de l'ancien château fort. Et pour que les choses soient parfaitement **en règle**, le roi institue la paroisse de Chambord, dont les limites correspondent exactement à celles du parc et de la commune actuelle. Une fois ces travaux achevés, le Roi-Soleil **délaissa** Chambord : il est vrai que le chantier de Versailles battait son plein, et que le roi s'y consacrait avec passion.

Molière s'inquiète,
Lully transperce un clavecin

La première fois que Molière vit Chambord, il pensa à un théâtre. Nous sommes en septembre 1669. **L'auteur comédien a la quarantaine bien sonnée** et son ami Lully, le musicien, à peine plus de trente ans. Le roi, leur patron, n'en a que vingt-huit. Molière est le plus âgé, **il se sent dans la peau** du grand frère et **le vit plutôt mal**. À la cour règne une atmosphère juvénile. On a **apporté** les guitares. Pour les trois semaines de vacances qu'il offre à deux cents invités, pour la plupart des garçons et des filles de sa génération, Louis XIV a prévu de chasser le jour et de partager les soirées entre les jeux de société et les spectacles. Les spectacles, **un soir sur deux**. Avec de la

potache juvenile
la nationale 7 formerly the main road from Paris to the South

chevelures hairstyles

l'angélisme naïve optimism
divertissement entertainment

bricoler throw together
gratte scribbles

de décevoir of disappointing
où en êtes-vous how far along with it are you
copie play, script
en catastrophe in a panic
passablement bâclée a rush job

larrons scoundrels
occulte conceals
loge theater box
escalier staircase
On s'installe Everyone takes their places

déboires tribulations

people VIPs
le trac stage fright

va en se dégradant gets worse and worse

plante abandons

danse en abondance, car le roi est en ce domaine à la fois passionné et compétent. Sur la route des vacances qui les conduit de Paris à Chambord par Étampes et Orléans, règne une ambiance **potache**. La route d'Étampes, c'est **la nationale 7** du Grand Siècle. On va à Chambord à cette époque comme on allait sur la Côte d'Azur dans les années 1960. La première cour de Louis XIV avait ce côté hippie, avec ces **chevelures** vagabondes et ce complexe de supériorité. Et comme chez les hippies, **l'angélisme** n'y dura pas. Chemin faisant, Louis passe commande à Molière d'un **divertissement**. (« Faites-moi quelque chose de plaisant. ») Molière se met au travail. Une fois à Chambord, il passe quelques journées avec Lully à **bricoler** un texte et une chorégraphie. Pendant que la cour s'amuse en forêt, il **gratte** du papier dans son cabinet. Il s'inquiète : il a horreur d'être sous la pression. Il a horreur **de décevoir**. Et le roi lui demande au retour de la chasse : « Alors, **où en êtes-vous** ? – Cela avance, Majesté... » Molière finit sa **copie en catastrophe**. Le 6 octobre, est programmée la première représentation de sa pièce, *Monsieur de Pourceaugnac*. Elle est **passablement bâclée**, mais Molière a du génie, Lully du talent, et comme tout le monde a décidé d'être de bonne humeur, le risque semble raisonnable aux deux **larrons**. Le bras sud des salles en croix du donjon au premier étage a été aménagé en théâtre. La scène occupe le mur du fond et **occulte** les fenêtres donnant sur le porche royal. Une **loge** a été installée contre le grand **escalier**. **On s'installe**. Les comédiens vont entrer en scène. La farce – car c'est bien de ce genre de théâtre qu'il s'agit – raconte les **déboires** d'un provincial, Léonard de Pourceaugnac, venu de Limoges à Paris où il tombe dans les pièges du monde « **people** ». Pourceaugnac est un amoureux ridicule. Rien de bien original. Molière a **le trac**. Comme il est à la fois l'auteur et le principal interprète, et que l'ambiance des vacances **va en se dégradant**, il est victime d'un blocage psychologique. Le voilà incapable d'entrer en scène. Il décide qu'il est malade et il **plante** Lully cinq minutes avant le

triste sad sack
ressent feels
blessants cutting
milliardaires billionaires
flambeurs high rollers
mépris contempt
angoissé nervous type
sur ma parole (you have) my word
est grippé has the flu
Effectivement In fact, Sure enough
spleen melancholy
se couche et rabat la couverture goes to bed and pulls up the covers
dureté harshness
tracas worries
faire lever make get up
au pied levé on the spot, posthaste
passe la rampe passes muster, is a success
Jean-Baptiste the first name of both Lully and Molière
laisse l'assistance de marbre leaves the audience cold
ne déride personne makes no one smile, bombs
bâiller yawn
démène tries harder
fait le pitre plays the clown/buffoon
frémissement stir
en rajoute vamps it up
le ballet des médecins the dance of the doctors [part of the play]
brandit waves about
À bout d' At the end of his
saute jumps
atterrit lands
traverse de part en part goes right through
se fait mal injures himself
en boitillant with a slight limp
en rasant les murs keeping a low profile (*literally*: hugging the walls)

lever de rideau. À la cour, Molière a la réputation d'être un **triste**. Et à la cour, on n'aime pas les tristes. Le comédien connaît une pression insupportable. L'amitié enthousiaste que lui voue Louis XIV suscite des jalousies. En tout cas, il le **ressent** ainsi. Les larges sourires **blessants** de ces grands adolescents **milliardaires**, de ces ducs **flambeurs**, de ces marquises cyniques, il les reçoit comme des humiliations, lui qui a le statut de valet de chambre du roi et ne sait même pas monter à cheval. L'humour le plus innocent, il le prend pour du **mépris**. Même les compliments, il les reçoit comme des sarcasmes. Louis XIV le rassure, le console, mais Molière est pour toujours un **angoissé**. « Si vous étiez comme moi, dit-il à Chapelle, occupé de plaire au roi [...], vous n'auriez pas envie de rire, **sur ma parole**... » Inutile d'insister, Molière **est grippé**, il ne jouera pas dans la première de sa pièce. Il n'y assistera même pas. Il fait dire qu'il est au lit. (**Effectivement**, il s'est mis au lit.) Quand Molière a le **spleen**, il **se couche et rabat la couverture**, comme François Ier montait à cheval et partait à la chasse : deux réactions face à la **dureté** du monde et aux **tracas** humains. Impossible de **faire lever** Molière, impossible d'annuler la soirée. Lully doit donc remplacer le rôle-titre **au pied levé**. Sa musique **passe la rampe**, mais l'humour du texte de l'autre **Jean-Baptiste laisse l'assistance de marbre**. La farce **ne déride personne**. Le roi commence à **bâiller**. Tout le monde se croit obligé de bâiller à son tour. Lully se **démène**. Nulle réaction du public. Il **fait le pitre**. Aucun **frémissement** dans la salle. Il **en rajoute**. Silence. Il devient pathétique. Il gesticule désespérément dans **le ballet des médecins**, **brandit** une seringue. Pas un rire, pas un applaudissement. **À bout** d'inspiration, Lully **saute** de la scène sur l'orchestre. Il **atterrit** sur un clavecin qu'il **traverse de part en part**. Il **se fait mal**. Le roi éclate de rire. La pièce est sauvée. Lully finit le séjour **en boitillant** et Molière **en rasant les murs**.Le loisir privilégié à Chambord reste tout de même la chasse. Mlle de Scudéry, dans une lettre à Pélisson écrite à Chambord et datée du 14 octobre,

égal à equal to

porté brought
l'effectif the size
Mme de Maintenon Françoise d'Aubigné, the second, morganatic wife of Louis XIV

délais time allotted, deadline
de feu hellish
d'arrache-pied flat out, relentlessly
donjon dungeon
pèlerinage pilgrimage
M. Jourdain s'avisa qu'il faisait de la prose sans le savoir Mr. Jourdain realized that he was performing prose without being aware of it [reference to a famous line from Molière's play]
ne s'était pas dérobé hadn't slipped away

muphti mufti, jurisconsult [often linked to a mosque]
prend le parti de tourner en dérision take sides with those who made fun of
surdimensionné oversized
qui de surcroît that besides
mal comporté poorly acquitted/behaved
soutenait en sous-main was secretly backing
l'Autriche Austria

une semaine à peine après le saut de Lully, ne croit pas utile de faire mention de *Monsieur de Pourceaugnac*, mais indique : « Le roi et la reine sont allés souvent à la chasse. Rien n'est **égal à** la magnificence de tous les équipages et au bonheur avec lequel on a pris tout ce qu'on a attaqué. Les plus grands cerfs ont à peine duré une demi-heure. » Il est vrai que le roi avait **porté l'effectif** de la meute de Chambord à cent chiens. Et si les cerfs ne durent qu'une demi-heure, c'est que c'est la période du brame... **Mme de Maintenon** écrit de son côté : « La cour est fort gaie, le roi chasse très souvent, on mange toujours avec le roi ; il y a un jour bal et l'autre comédie. » Fin octobre, tout le monde est rentré à Paris. L'année suivante, on recommence. En août, le roi décide du départ traditionnel pour la Sologne : porte d'Orléans, Étampes, Orléans, Notre-Dame de Cléry, et terminus à Chambord. Il demande de nouveau à Molière et Lully une pièce, un « divertissement ». Pour Molière, le stress recommence. Les **délais** sont trop courts. Les vacances deviennent pour lui des vacances **de feu**. Il travaille **d'arrache-pied** à la fois au texte, à la mise en scène et au décor, pendant que Lully compose des ballets. Ce sera *Le Bourgeois gentilhomme*. Un chef-d'œuvre. Pour la première fois, le 14 octobre 1670, à environ 20 h 30, devant un public de cent cinquante personnes environ, au premier étage du **donjon**, côté sud (exactement sous la grande fenêtre, pour ceux qui voudraient faire un **pèlerinage**), **M. Jourdain s'avisa qu'il faisait de la prose sans le savoir**. Le rôle-titre était tenu par Molière qui, cette fois, **ne s'était pas dérobé**. Armande Béjart jouait Mme Jourdain. Lully interprétait le **muphti**. La pièce est courageuse, car elle **prend le parti de tourner en dérision** une visite officielle turque à Paris organisée quelques mois plus tôt et qui avait mal tourné. Le roi avait reçu avec un protocole **surdimensionné** un personnage de second rang, **qui de surcroît** s'était **mal comporté**. La France alors **soutenait en sous-main l'Autriche** et Venise dans une guerre défensive en Méditerranée contre l'Empire ottoman, et, dans ce contexte, la réception à

la Sublime Porte the Sublime Door, an epithet for the Ottoman Empire's government
il s'était avéré qu'en fait d'ambassadeur it turned out that in the role of ambassador
sous-fifre underling
sans mandat without any power/authority
n'aurait jamais du recevoir should never have received
chevalier d'Arvieux (1635-1702) French traveller and diplomat
mœurs customs
attrapper un fou rire (having a) fit of the giggles
soufflé whispered, suggested

ratée a flop
prend pour des grues takes us for cranes [type of bird] (*archaic use:* thinks we're bird-brained)
de pareilles pauvretés such banalities
accablé devastated, stricken
s'y rend attends, shows up
comme au supplice as if for torture/punishment

plus été jouée the most performed (play)

avait le tracassin had his load of trouble, was vexed
affaire crisis, concern
dragonnades persecutions against protestants

Paris de l'ambassadeur de **la Sublime Porte** avait été un exercice délicat. Et **il s'était avéré qu'en fait d'ambassadeur**, la Turquie avait envoyé un **sous-fifre sans mandat**, que le roi **n'aurait jamais du recevoir**. Louis XIV avait pris la chose avec humour. Le **chevalier d'Arvieux**, spécialiste de la Turquie, fit alors une conférence sur les **mœurs** ottomanes devant la cour, où la salle finit par **attraper un fou rire**. Molière et Lully avaient choisi de se référer à ces événements vieux d'à peine quelques mois. Ils avaient pris un certain risque, même si c'est le roi lui-même qui leur avait **soufflé** l'idée d'écrire une « turquerie », et leur avait demandé de prendre comme expert le chevalier d'Arvieux. Le soir de la première représentation, le 14 octobre 1670, personne n'ose applaudir le premier. Et le roi est fatigué. Il ne manifeste rien. Du coup, l'assistance considère que la pièce est **ratée**. Les gens sont impitoyables. « Molière nous **prend pour des grues**, de croire nous divertir avec **de pareilles pauvretés**. » Molière est **accablé**. Il passe la journée du 15 octobre sans sortir de sa chambre. Pendant plusieurs jours, personne ne peut le voir. La semaine suivante, a lieu la seconde représentation. Molière **s'y rend comme au supplice**. Et là, le roi applaudit. Il déclare bien haut : « En vérité, vous n'avez encore rien fait qui m'ait plus diverti, et votre pièce est excellente. » Changement total dans l'opinion de la cour, qui crie au génie. Le roi a donné le signal : *Le Bourgeois* sera un triomphe. La pièce est rejouée trois soirs de suite à Chambord avant d'être reprise à Saint-Germain, puis, dès le 23 novembre, au théâtre du Palais-Royal à Paris. Depuis cette date, elle passe pour être la pièce de Molière qui a le **plus été jouée,** et la pièce du répertoire français la plus souvent interprétée après *Cyrano de Bergerac*, de Rostand. Au cours des années suivantes, Louis XIV continua à venir à Chambord, mais l'ambiance n'était plus exactement la même : la cour vieillissait. Le roi **avait le tracassin**. Il arrivait la tête remplie de soucis politiques. Sa grande **affaire**, c'était les finances, l'équilibre stratégique en Europe et les **dragonnades**. Il s'inquiétait des

conversions *i.e.,* religious conversions from Catholicism to Protestantism
apprend hears/is told/learns of
austérité sûre d'elle-même self-assured severity

calvinistes Calvinists were the principal Protestant sect, *aka* Huguenots
l'édit de Nantes the Edict of Nantes, 1598, gave Protestants civil rights
rose bonbon candy-pink (hues)
duc de Berry Duke of Berry, title conferred upon Louis XIV's grandson

quitta left
donc consequently
ne reviendrait plus never to return
Son château à lui The castle where he felt most at home
désormais from then on
à présent by now

carrosse horse-drawn carriage
courage *here:* energy, will
À la rigueur In a pinch, When absolutely required

farniente *Italian locution*: doing-nothing
Il n'avait pas la bougeotte *idiomatic:* He didn't have the fidgets
bien léché *here:* well-groomed (*literally:* well-licked)
grandes chevauchées long *or* ostentatious horseback rides
D'ailleurs Besides, Furthermore
effrénée frenetic

statistiques des **conversions**. En 1685, il fait son dernier séjour au château. C'est la fin d'une époque : le roi **apprend** à Chambord la mort de Corneille[8]. La mort de Corneille, c'est la mort d'une certaine grandeur française, la fin de cette **austérité sûre d'elle-même**, et à la fois inventive, qui marqua le Grand Siècle. Louis ressent cela confusément, il rédige à Chambord deux ordonnances contre les **calvinistes**, prélude à la révocation de **l'édit de Nantes**, mais sa tête est déjà à Versailles et son cœur plongé dans le **rose bonbon** du xviiie siècle qui pointe à l'horizon. En 1700, le roi d'Espagne Philippe V visite Chambord, mais le Roi-Soleil ne prend pas le temps de l'y accueillir : il s'y fait représenter par le **duc de Berry**.

Chambord, victime de Versailles

Le 28 octobre 1685, Louis XIV **quitta donc** Chambord pour la dernière fois de sa vie. Il terminait ses vacances ; il rentra à Paris sans savoir, peut-être, qu'il **ne reviendrait plus**. Le château avait cessé de le passionner. **Son château à lui**, c'était **désormais** Versailles. En bâtissant son nouveau palais, le roi avait perdu le goût des voyages. Il avait **à présent** quarante-sept ans, l'âge du confort. Mettre tout son monde dans un convoi, partir en **carrosse** sur des routes interminables (il fallait deux jours et demi pour rejoindre Chambord depuis Paris), dormir loin de son grand lit, il n'en avait plus le **courage**. **À la rigueur**, il voyageait pour la guerre, mais pour les vacances, il goûtait le **farniente** à domicile. **Il n'avait pas la bougeotte** de François Ier. Il préférait, et de plus en plus, la promenade tranquille dans un jardin **bien léché** aux **grandes chevauchées** en forêt. **D'ailleurs**, il n'avait jamais vraiment aimé la chasse à courre. Les meutes, les trompes, la course **effrénée**, ce n'était pas sa préférence. Sa chasse

---

8 Pierre Corneille (1606-1684), with Molière and Racine one of the three great dramatists of the age. His most important works include *Le Cid* and tragedies based on Classical themes.

tir shoot
d'arrêt pointers
cajolait cuddled, petted
commandait à ordered from
Desportes Alexandre-François Desportes (1661-1743) a court painter who specialized in animals and royal hunting scenes
trombinoscope *here:* album (*usually:* photo board)
chenil kennel
dix cors with ten-pointed antlers
perdreau young partridge
faisanderies pheasantries [where pheasants are reared]
vallonné hilly

C'est le relief qui fait l'oiseau It's the (hilly) landscape that makes (hunting) birds (interesting)
l'adage the saying/adage
viser aim
depuis les talwegs from within/the floor of deep valleys
point de relief (it was) completely flat/level
layons pathways
carrefours crossroads, intersections
étangs ponds

s'avérait turned out, proved to be
seuil verge
aboutis completed
Selon In keeping/accordance with

acharnés fierce
crédit *here:* standing
Ils passaient à la cour pour They were thought of at court as
hobereaux petty noble land owners
sabots crottés muddy clogs

à lui était à **tir** et aux oiseaux, avec des chiens couchants, c'est-à-dire **d'arrêt**, qu'il nourrissait lui-même et qu'il **cajolait**, chose impossible avec un chien de meute. Il **commandait à Desportes** des toiles représentant ses chiens couchants préférés, consultait volontiers ce luxueux **trombinoscope**, mais les meutes de grands chiens d'ordre, il n'allait jamais les voir au **chenil**. Son gibier de prédilection n'était pas le cerf **dix cors**, mais le **perdreau**. Il ne sonnait pas de trompe comme Louis XIII et plus tard Louis XV. Sa passion était les beaux fusils. Pour changer d'air sans avoir à faire un long voyage, il avait construit Marly, un palais de chasse accessible facilement de Versailles, où des **faisanderies** avaient été aménagées. Pour le petit gibier à plumes, le territoire **vallonné** de Marly était plus intéressant que la plate forêt de Chambord. « **C'est le relief qui fait l'oiseau** », disait **l'adage**. Le roi voulait **viser** haut, **depuis les talwegs**. Et à Chambord, **point de relief**. Avec ses **layons** biens percés, ses **carrefours** en étoile et ses douze **étangs**, le parc de François Ier et de Gaston d'Orléans était un paradis pour le veneur, mais rien de bien excitant pour qui veut tirer un faisan au vol. Du côté du théâtre, Versailles aussi **s'avérait** plus commode. La troupe du roi était composée de gens compliqués qui, en voyage, ennuyaient tout le monde. Le Roi-Soleil ne voulait finalement plus de résidence secondaire : son château serait Versailles, et c'est tout. Une nouvelle fois, au **seuil** de l'hiver 1685, le château de Chambord allait donc tomber dans l'oubli. Les travaux d'achèvement, presque **aboutis** sous l'impulsion de Colbert, furent progressivement suspendus. **Selon** un scénario classique, le château allait s'endormir, les terrasses se délabrer et la capitainerie reprendre le pouvoir. Pendant quarante ans, le château resta en sommeil. La capitainerie était depuis deux générations aux mains de la famille de Saumery, des chasseurs **acharnés** qui, d'après Saint-Simon, descendaient d'un jardinier d'Henri IV. Les Saumery ne sortaient guère du domaine et n'avaient aucun **crédit** à Paris. **Ils passaient à la cour pour** des **hobereaux** en **sabots crottés**. Le périmètre du

poids importance (*literally:* weight)

faisandiers pheasant breeders
canardier duck farm
limiers bloodhounds
rétrocéda gave back, rescinded
moyennant finance for a fee

litigieux litigious, contentious
dissocia dissociated, separated
pourtant mitoyennes du parc although they divided/cut up the park

affectés appointed/assigned
répartis allocated
à sa guise as he wished
arrêt *here:* judgement
soupçonnées suspected

diligence *here:* haste
métairie small land holding
subsister remain
rares few, scarce
éparpillées scattered
mousse moss
mare (a) pond
jaune à l'huile yellow oil paint

territoire soumis à la juridiction de leur capitainerie avait été étendu par Gaston d'Orléans bien au-delà du parc de Chambord, jusqu'au Beuvron au sud et à la Loire au nord, en passant par Mont-près-Chambord à l'ouest et Neuvy à l'est, sur une surface de plus de vingt mille hectares au total. Cela leur donnait un **poids** non négligeable, localement. À l'intérieur de cet espace, ils avaient recruté une demi-douzaine de gardes supplémentaires, des **faisandiers**, un **canardier**, des valets de **limiers**. Quand il fut manifeste que le roi ne viendrait plus à Chambord, le marquis de Saumery se sentit autorisé à prendre davantage d'autonomie. Il **rétrocéda**, **moyennant finance**, le droit de chasse à certains riverains, sous forme de « permission de chasse ». Il s'installa un appartement dans le château. Pour le reste, il exploita le parc à son profit. Plus **litigieux** encore, il **dissocia** ses terres familiales, **pourtant mitoyennes du parc**, de l'emprise de la capitainerie. Il constitua ainsi une enclave où les gardes n'avaient pas juridiction. Il rémunérait sur fonds publics deux lieutenants, quatre gardes forestiers **affectés** au parc de Chambord, et dix gardes-chasses **répartis** sur l'ensemble de la capitainerie, mais pas chez lui. Il chassait **à sa guise**. Quand en 1700, au terme d'une longue procédure, un **arrêt** du Conseil du roi décida de démolir la ferme de la Hannetière au milieu du parc, habitée par des personnes sans titre **soupçonnées** de braconnage, il n'exécuta pas l'arrêt. Il est probable qu'il imagina une transaction orale. Nul doute que s'il avait pensé que le roi pouvait venir sur place, il aurait fait autrement **diligence**. Saumery appliquait sa propre jurisprudence. À preuve, le même arrêt ordonna la démolition de la **métairie** du Périou, qui fut réalisée au plus vite, car elle n'apparaît plus sur les cartes dès les années suivantes. (Je suis allé sur place voir ce qui pouvait **subsister** des bâtiments rasés : on trouve à l'emplacement des chênes centenaires, et de **rares** pierres **éparpillées** dans la **mousse**. Une trace de **mare**, aussi.) Du côté du château, les infiltrations recommençaient. Les fenêtres, repeintes en **jaune à l'huile** par Hardouin-Mansart (il faut imaginer le château habillé

menuiseries woodwork
criard garish
des combles of the attic
suintait seeped in

crédits appropriations, funds

vaut was more effective, beat
fondaient melted away, vanished
sort fate

repli withdrawal
y compris including

parut seemed [*simple past tense*]

résumait summed up, embodied
royaume ancestral ancestral kingdom
inexpugnable impregnable
victoires du maréchal de Villars Marshal Villars' victories [Louis' armies began to win under Field Marshal Villars' command]
Faute d' Excepting for
pied-à-terre small abode kept for occasional use (*literally*: foothold)

logis dwelling, lodgings, abode
épave wreck
Il pourrissait lentement It was slowly rotting
s'aventuraient ventured

de **menuiseries** d'un jaune **criard**, presque orange ; il en subsiste à l'étage **des combles**), commencèrent à se détériorer. Des ardoises ne furent pas remplacées. Les terrasses, hiver après hiver, gelaient. L'eau **suintait** jusqu'aux voûtes à caissons. Des contrôleurs des Bâtiments passaient de temps en temps, lançaient des travaux d'entretien minimum, mais les **crédits** ne suivaient plus. Les notes adressées aux ministres du roi restaient sans réponse. Pour financer des travaux sur des bâtiments publics, rien ne **vaut** un projet de visite officielle. Louis XIV ne s'annonçait pas. Les crédits **fondaient** : tout l'argent était pour Versailles. Un jour, en 1712, le château manqua de connaître un **sort** tragique et glorieux. Après la prise du Quesnoy[9], le roi approuva un plan de **repli** du gouvernement, dans l'hypothèse où une armée étrangère encerclerait Paris. On envisagea plusieurs solutions, **y compris**, si la situation l'exigeait, l'évacuation de Versailles. Le plan proposait que l'état-major militaire, et donc Louis XIV et ses maréchaux, poursuivraient dans ce cas extrême le combat depuis Chambord. Le choix de Chambord **parut** tout naturel : situé au milieu de ce Val de Loire que déjà au Moyen Âge on appelait la « vieille France », le domaine de François Ier **résumait** à la fois l'âme et le cœur du **royaume ancestral**. À Chambord, le roi serait **inexpugnable**. Les **victoires du maréchal de Villars** rendirent le projet inutile. On oublia même qu'il avait existé. **Faute d'**un drame national, le château ne revit jamais le Roi-Soleil. Il ne reçut pas même une mission de travaux. Les Saumery en profitèrent pour agrandir leur **pied-à-terre** dans l'aile ouest. En 1725, après de longues années d'abandon (à l'exception du **logis** des Saumery), le château était à nouveau une **épave**. **Il pourrissait lentement** sous le ciel de la Sologne, au fond de sa forêt. Le seigneur de Saumery ne s'occupait que de ses chiens et de ses chevaux. Des sangliers **s'aventuraient** sur ce qui subsistait

---

9 A fortified city taken in 1712 by the English in the War of the Spanish Succession.

parterres borders
entraient got in
brèches breaches
sauvages wild
transi chilly
broussailles undergrowth, thickets
gagnaient advanced, gained ground
au pacage le long douves grazing along the moats
squattaient squatted in
le laissent à penser leads us to believe it
volets shutters
éventrées without window panes (*literally:* disemboweled)
dérisoire derisory

ne fit pas les affaires did not benefit/bode well
contrôleurs des Bâtiments buildings' inspectors
annotait annotate, comment on [written]
négligé neglected

retiennent contain, retain
nonchalamment lazily
fruste rough, uncouth
garde-truc…garde-machin guard/warden what's-his-name [today, the words *truc* and *machin* are used colloquially as catch-all terms]
le métayer the sharecropper/farmer
Un tel some guy/chap
maintenu en friche à gibier kept [land] uncultivated for quarry
parcelle parcel [of land]
mis à l'amende punished
divaguer run free, stray
relève finds, turns up
bavure flaw *here:* official malfeasance (*literally:* overflowing liquid or froth)
chien mâtin mastiff

des **parterres**. Des loups **entraient** par les **brèches** du mur. Des canards **sauvages** traversaient le ciel silencieux devant le donjon **transi**. Les **broussailles gagnaient** du terrain au pied des enceintes. On mettait des bœufs **au pacage le long des douves.** Parfois, peut-être, des vagabonds s'introduisaient dans le château et y **squattaient** un appartement, déshonorant la chambre de la duchesse d'Étampes. Des graffitis datés de cette période, visibles sur les murs des combles, **le laissent à penser**. Chaque hiver, le vent faisait claquer les **volets** sur des fenêtres **éventrées.** La grande lanterne de François Ier se dressait, **dérisoire**, vers un ciel muet.

Stanislas trouve le temps long

La mort de Louis XIV en 1715 **ne fit pas les affaires** de Chambord. Le Roi-Soleil n'y était certes pas revenu depuis trente ans, mais tant qu'il régnait, il pouvait décider d'y aller voir. Certains dossiers rédigés par les **contrôleurs des Bâtiments** arrivaient jusqu'à son bureau. Il ne les **annotait** pas, mais il les lisait. Chambord était **négligé**, mais Chambord existait. Après 1715, sous la Régence[10], Chambord n'exista plus. De la décennie qui suivit, les archives ne **retiennent** rien de notable, si ce n'est dans les affaires de la capitainerie, qui poursuivait **nonchalamment** sa vie rurale et **fruste** : le **garde-truc** est remplacé par le **garde-machin, le métayer Un tel** est assigné à comparaître pour n'avoir pas « épiné » (**maintenu en friche à gibier**) telle **parcelle**, le fermier Un tel **mis à l'amende** pour avoir laissé **divaguer** son chien. Un certain 20 décembre, on **relève** une **bavure** : le garde à cheval Charles Quentin ayant rencontré dans la plaine de Montlivault (à l'ouest du château) le nommé Guillaume Rentien accompagné par un **chien mâtin**, tua le chien, et reçut des coups de bâton de la part de

---

10 The regency of Philippe II d'Orleans (1715-1723) just prior to Louis XV's fourteenth birthday (a period which officially ended in 1723, but politically, that carried on for many years afterwards). Although it was a period of great social progress, it also marked the State's loss of credibility.

un arrêt de travail work stoppage order
chirurgien surgeon, medical doctor

de loin en loin *here:* from time to time, less and less
Aucun roi ne vient y porter la gloire No king comes here to bring glory

planifiée planned out
promise intended, fiancée

Les conseillers s'avisent The councillors decide
une épouse capable de lui donner une descendance a bride able to produce an heir
échapperait aux would slip out of the hands of the

renvoyer send back, banish

dresse draws up
prétendantes candidates
de haut rang of high rank
sans délai without delay
Son père, à vrai dire, n'est plus roi que de nom Her father, indeed, has nothing but the title of King
retiré withdrawn

Rentien. Une autre fois, c'est le garde Bruneau qui reçoit un coup de bâton. Il obtient **un arrêt de travail** après examen par Jacques Godichaud, **chirurgien** à Blois. Une autre fois, un certain Jean Racaud est condamné pour avoir insulté François Pissonnet, garde de la capitainerie, et avoir tiré un coup de fusil en sa direction. On pourrait en relater des pages, aussi passionnantes que ce qui précède : Chambord ne connaît plus, **de loin en loin,** que les petites misères de l'humaine condition. **Aucun roi ne vient y porter la gloire**. Aucun Molière n'y joue la comédie. La musique de Lully a cédé la place à celle des chiens blancs et noirs de M. de Saumery. Et dans les grandes salles du donjon, les jours de pluie, l'eau passe à travers les voûtes. Le château allait menacer une nouvelle fois de tomber en ruine, quand il se produisit un nouveau miracle. Ce miracle fut le mariage du jeune Louis XV. Le nouveau roi de France devait se marier quand il aurait dix-huit ans. La chose était **planifiée** : la **promise** était la fille du roi d'Espagne, l'infante Victoria. Mais il se trouve qu'en 1725, Louis XV, âgé d'à peine quinze ans, tombe gravement malade. Victoria n'a alors que sept ans. **Les conseillers s'avisent** qu'il faut donner d'urgence au roi **une épouse capable de lui donner une descendance**, car s'il venait à mourir sans enfant, le trône reviendrait au duc d'Orléans, et donc **échapperait aux** Bourbons[11]. Et il est trop long d'attendre que Victoria ait quinze ans, l'âge légal. Le Premier ministre décide donc de **renvoyer** la fiancée espagnole et de chercher une autre princesse. Le secrétaire d'État aux Affaires étrangères, M. de Morville, **dresse** une liste de **prétendantes**. Toutes sont des princesses européennes **de haut rang**, disponibles pour se marier **sans délai**. En dix-huitième position arrive la fille du roi de Pologne, Marie Leszczynska. **Son père, à vrai dire, n'est plus roi que de nom.** Il vit **retiré** à Wissembourg, en Alsace. Ce n'est pas

11 An important European royal house, a branch of the Capetian dynasty. Bourbon monarchs ruled Navarre (from 1555) and France (from 1589) until the French Revolution and also held thrones in Spain, the Kingdom of Sicily and Naples, as well as Parma.

parti idéal perfect
contre toute attente contrary to all expectations, against all odds
sur la foi d'un on the evidence of a
procuration proxy
prend congé de takes leave of

beau-père father-in-law
Il ne peut plus vivre médiocrement He can no longer have a mediocre life

voilà l'idée good idea
séduit charms, seduces

voitures *here:* wagons, wagonloads, carriages
trajet journey

déprime depression, dejection
patauger slosh, trudge

ruisselle streams, drips

Même le temps est délabré Even the weather is dilapidated

s'installe settles himself in
studiolo *Italian locution:* small office
Lui prend ses quartiers He settles in/makes his quarters
se répartissent divide up

comité d'entreprise public housing department or council

le **parti idéal** pour un roi de France. Mais pour des raisons irrationnelles et compliquées, c'est, dans l'urgence et **contre toute attente**, Marie qui est retenue, **sur la foi d'un** portrait envoyé à la cour. Il est vrai qu'elle est très jolie. Le 15 août 1725, le mariage a lieu par **procuration**. Le 16, Marie **prend congé de** son père et part pour Versailles. Le 4 septembre, elle fait la connaissance de son mari. Elle a vingt-deux ans. Il en a quinze. Ce mariage fait sensation en Europe. Stanislas Leszczynski, devenu **beau-père** de Louis XV, triomphe. **Il ne peut plus vivre médiocrement** à Wissembourg comme un roi exilé. Il lui faut une nouvelle résidence digne de sa nouvelle situation. « Pourquoi ne le mettrions-nous pas au château de Chambord ? », suggère le duc de Bourbon. « Chambord, **voilà l'idée** », répond Morville. L'idée **séduit** parce que, justement, tout le monde se demande à quoi sert ce château, et à quoi sert ce roi de Pologne. L'affaire est décidée. En octobre 1725, la cour polonaise en exil quitte Wissembourg pour Chambord, avec soixante **voitures** de mobilier. Après un mois et demi de **trajet** sur les routes qu'on imagine, la caravane arrive à l'entrée du parc. Là, c'est la **déprime**. Nous sommes fin novembre. Il fait froid. Il pleut. Il faut **patauger** dans la boue pour accéder au donjon. Le château est trop grand (les soixante voitures de déménagement ne suffisent pas à meubler la moitié d'un étage). La pluie **ruisselle** dans les combles. Rien ne sèche dans les appartements glacés. **Même le temps est délabré**. Aucun endroit du château ne semble chaleureux au roi en exil. Il songe : « Si j'avais su, je serais resté en Alsace. » Le roi Stanislas **s'installe** malgré tout. Sa femme, la reine Catherine, aménage un oratoire dans le **studiolo** de François Ier. **Lui prend ses quartiers** dans l'appartement refait par Louis XIV. La cour et les serviteurs polonais **se répartissent** les appartements du donjon. On allume du feu dans les cheminées. On répare des fenêtres. On transforme des chambres en cuisines et des cuisines en chambres, comme dans un château de famille massacré par un **comité d'entreprise**. Et

se plaint complains
gendre son-in-law
pare au plus pressé deals with the most urgent matters first
rafistole patches
On restaure les étanchéités He makes it watertight
affecté assigned to
va-et-vient comings and goings
résonne reverberates, echoes
cris shouts
hennir neighing, whinnying
marteaux hammers
couvreurs roofers
l'époque du brame the era of the bellow

décrépitude decay
échouent break down, fail
joncs rushes [plants]
brûlés withered, blasted (*literally:* burned)
marécages swamps
calcinés killed, reduced to a skeleton (*literally:* burned)
broutis rooting, foraging
boueuses muddy
flaques puddles
tourmenté stormy
au ras du at the level of the
vanneaux plovers [birds]
ne savent s'enflammer que don't get enthused/fired up except
récits tales
se déclare breaks out
n'y tient plus can't stand it anymore
lourdaud oaf
prêter loan

du monde arrive de partout, une foule de gens qui veulent rencontrer le beau-père du roi de France pour s'introduire à la cour. Stanislas **se plaint** de ces visites incessantes qui lui coûtent trop cher. Il demande de l'argent à son **gendre**. (L'argent est son obsession.) Il l'obtient. Et, une nouvelle fois, le château fait l'objet de travaux. Il était temps. On restaure l'intérieur, on **pare au plus pressé**. On **rafistole** les toitures. **On restaure les étanchéités**. Un régiment de cavalerie française est **affecté** à Chambord ; les Grandes Écuries de Louis XIV revivent. Partout il y a du **va-et-vient**. La cour royale **résonne** de **cris**. On entend **hennir** sur la place d'armes. Les **marteaux** des **couvreurs** cassent le silence. Les plus anciens du village se rappellent les temps lointains où la cour du Roi-Soleil passait au château pour **l'époque du brame**, accompagnée de trois cents chevaux et de la troupe de Molière. Le soir, on entendait depuis le village la musique de Lully, il y a si longtemps. Une nouvelle fois, le château est passé près de l'oubli et de la **décrépitude**. Une nouvelle fois, il a recommencé sa vie. Cependant, Stanislas n'aime pas le château. Il se voit ici comme à l'intérieur d'une parenthèse. Il veut retrouver son trône en Pologne. Ses projets **échouent**. L'hiver à Chambord lui semble interminable. Le Cosson a débordé. L'eau noire des douves, les **joncs brûlés** des **marécages**, les chênes **calcinés** par le gel, les **broutis** des sangliers sur la pelouse le dépriment. Il en a assez de la campagne, assez des routes **boueuses**, assez des **flaques** dans la cour, assez du ciel gris et **tourmenté**, assez de ces nuages bas qui passent en troupeaux **au ras du** donjon, assez de ces **vanneaux** qui crient dans les étangs, assez de ces gardes qui **ne savent s'enflammer que** pour des **récits** de chasse, assez de Saumery qui joue au petit chef. Comble de tout, une épidémie de malaria **se déclare** et tue des serviteurs de Stanislas, pendant ce premier hiver. Au bout de trois mois, Stanislas **n'y tient plus**. Il déménage. Il s'installe d'abord chez ce **lourdaud** de Saumery qui l'héberge dans sa maison au bord du parc. Puis il se fait **prêter** une maison

l'évêque the bishop

faibles low-lying (*literally:* feeble)

rente private income, annuity
a gardé des réflexes de nécessiteux still had the impulses of the needy
résilier terminate, rescind, cancel
bail lease
Il n'y a pas de petites économies Every penny counts (*literally:* There are no small savings)

maux evils, troubles
combler filled in
pierraille gravel

la prise en charge directe direct refinancing (*literally*: taking charge over)
défait unpacks (*literally:* undoes)
soupire sighs

prélève takes, withdraws
dégarnit clears

assèche dries up

nivelle levels out
toises measures [a historical measure equal to about 6ft/2m]

à Blois, par **l'évêque**. Et enfin, il loue le château de Ménars, au-dessus de la Loire, qui est confortable et offre une vue sur les **faibles** collines du Blaisois, une vue sur des prairies et des vignes, une vue sans forêt. Mais malgré les largesses de Louis XV qui lui offre deux cent mille livres de **rente**, Stanislas **a gardé des réflexes de nécessiteux**. Cela l'ennuie de payer à la fois un loyer pour Ménars et des frais d'entretien pour Chambord. Il décide de **résilier** le **bail** de Ménars qui lui coûte dix mille livres, et, en septembre 1726, il se réinstalle à Chambord. **Il n'y a pas de petites économies.** Et pourtant à Chambord règne toujours l'humidité : celle qui descend à travers les terrasses et celle qui monte depuis les douves. Les douves, justement, Stanislas les accuse de tous les **maux**. Ce sont elles qui attirent les moustiques en été et donnent des fièvres en hiver. Il les fait **combler**. Il les remplit de **pierraille**. Il déménage une nouvelle fois chez Saumery, puis dans une maison qu'il loue à Saint-Dyé-sur-Loire. Il ne se rend plus au château de Chambord que comme on va au travail : par nécessité et le jour seulement. Chambord est son adresse professionnelle, pas sa maison. Fin 1727, il obtient de son gendre Louis XV **la prise en charge directe** d'un nouveau bail au château de Ménars. Il s'y installe à nouveau et **défait** ses valises. Stanislas **soupire** dans une lettre adressée à sa famille polonaise : « Enfin, je ne serai plus vagabond... » La vérité, c'est qu'il rêve de sa Pologne. Les années passent et Stanislas s'ennuie. Louis XV, pourtant, s'occupe de son beau-père, matériellement du moins : il **prélève** un mobilier complet des réserves royales pour meubler Chambord. Il **dégarnit** même une partie de Marly pour décorer le château ; il fait livrer des suites de tapisseries. Le seigneur de la Hite est chargé de coordonner des travaux à l'extérieur. Il canalise le Cosson, **assèche** les marais, achève la construction d'un pont de pierre, celui qui existe toujours à côté de l'hôtel Saint-Michel, **nivelle** le jardin en y apportant six mille **toises** cubes de terre, donne aux abords du château leur aspect actuel. Peu à peu, le château redevient le séjour agréable qui avait

Car Because
ni le mal du pays neither (his) homesickness
maugréer grumble, complain
se réjouir to be delighted
le feu vert *here:* permission (*literally:* green light)
replonge dives back in

flotte fleet
bien sentis well-targeted

différends quarrels, disputes, conflicts

dédommagement compensation
marqué influenced, affected (*literally:* marked)
guère hardly

débarrassé cleared out
calleuses callous
subtilité coutumière usual nonchalance
chagrin sullen, glum

enseveli buried

tant séduit Gaston d'Orléans et le jeune Louis XIV. Mais Stanislas y vient comme on vient au bureau. **Car** l'ancien roi de Pologne n'a pas perdu le virus politique, **ni le mal du pays**. En 1733, après sept ans passés à Chambord, plus souvent à **maugréer** qu'à **se réjouir**, il présente à nouveau sa candidature au trône de Pologne, après avoir obtenu **le feu vert** de son gendre. À cinquante-six ans, il **replonge** dans l'aventure. Il traverse l'Allemagne incognito, et arrive à Varsovie au moment où la **flotte** française avance dans la mer Baltique. Les finances françaises, la présence de la flotte, quelques messages **bien sentis** de Louis XV portent leurs fruits : le 11 septembre, Stanislas est élu roi de Pologne, pour la seconde fois de sa vie. Mais après peu de temps des **différends** éclatent, et la Russie impose une nouvelle élection. En 1736, Stanislas abdique. Il obtient en **dédommagement** la Lorraine. Il s'installe à Nancy, sans prendre la peine de repasser par Chambord. Il n'a pas été **marqué** par l'endroit et ne l'a **guère** marqué. Pourtant, il venait de battre un record de longévité : personne avant lui n'avait séjourné si longtemps au château. Le roi Stanislas parti, le château est **débarrassé** de son mobilier. Le parc retombe dans les mains **calleuses** des Saumery, qui reprennent le pouvoir avec leur **subtilité coutumière**. Le château a perdu son hôte occasionnel et **chagrin**, mais roi tout de même, qui lui avait donné vie pendant presque huit ans. Les habitants du village regardent avec mélancolie partir le régiment à cheval. Les enfants font au revoir aux beaux soldats. Les serviteurs sont rapatriés à Paris ou à Nancy. Saumery récupère ses petites affaires. Il se réinstalle un duplex dans l'aile ouest. Il s'inquiète du mur. Les sangliers reprennent du service sur les parterres. Les gardes de la capitainerie parlent plus haut d'un ton. Chambord retombe en sommeil, **enseveli** sous la pluie lente de Sologne.

Le maréchal de Saxe joue au roi Marshal Saxe plays at being king

colosse giant
gagnants de tout poil winners of every stripe (*literally:* of every coat)
bellâtre d'alcôves bedroom lover-boy (*literally:* handsome hunk of [bedroom] alcoves)

méprisait la province despised the countryside

trou dump (*literally:* hole)

château cul-terreux *meaning:* dirtbag of a castle

venu du froid *figuratively:* coming in from the cold
postulé au put (himself) forward, candidate (himself)
bouseux bumpkin
dupe duped, fooled
piqueux hunting assistant

inconnues unseen (*literally:* unknown)
Turenne Henri de la Tour d'Auvergne, Vicomte de Turenne (1611-1675) a general who won a great victory in 1657
remportait ses victoires claimed victories
culbuter topple, overcome, overwhelm
culbutait took (e.g. had sex with)

Le maréchal de Saxe[12] joue au roi

Chambord n'était pas un château pour Louis XV. Ce palais inconfortable conçu par un **colosse**, et goûté par des **gagnants de tout poil** amoureux des sports d'extérieur, ne pouvait convenir à un **bellâtre d'alcôves**. Le roi bien-aimé n'y mit jamais les pieds, ni par devoir, ni par curiosité, ni même par courtoisie pendant les années qu'y passa son beau-père. À partir de 1736, le château resta à l'abandon, et ce n'était surtout pas au roi de France qu'il fallait demander de l'argent pour remplacer les ardoises tombées. Louis le Bien-Aimé **méprisait la province**. Les chasses à courre, il ne les voulait qu'à Saint-Germain ou à Versailles. Alors Chambord, ce **trou** encombré d'étangs... Aussi, quand la question se posa de récompenser le maréchal de Saxe de ses services éminents rendus à la patrie, l'idée de lui attribuer Chambord plut immédiatement au souverain. « Saxe ? Donnez-lui Chambord. » Pour Louis XV, Chambord, **château cul-terreux**, château de son lourdaud de beau-père, devait convenir à un maréchal **venu du froid**, puisque lui aussi avait **postulé au** trône **bouseux** de Pologne. Et Saxe ne fut jamais **dupe**. « Le roi ? demanda-t-il. Il me parle à l'oreille, mais comme il parle à son premier **piqueux**. » Le maréchal de Saxe était pour la cour de France un signe de contradiction. Il n'arrêtait pas de sauver la France. Il avait du mal à se le faire pardonner. Après la victoire de Fontenoy, il était revenu à Paris sous des acclamations **inconnues** depuis **Turenne**. Il aimait bien les acclamations. Il se rendait détestable parce qu'il parlait mal, et plus encore parce qu'il avait du succès. Il **remportait ses victoires** sur trois fronts : le front des ennemis de la France, c'est-à-dire à peu près l'Europe entière qu'il ne cessait de **culbuter** sur les champs de bataille, le front des actrices, qu'il **culbutait** aussi en série, le front des

---

12 Maurice, comte de Saxe (1696-1750) was a very successful General, Marshal, and later Marshal General of France, although born one of many illegitimate sons of the King of Poland.

chantage auprès du blackmail against
m'embête bedevils/bothers me

encombrante cumbersome
on le touche everyone (reaches out to) touch him [as in Catholic faithfuls during saints' processions in which everyone touches the statue in mark of worship]
à titre viager as a lifetime entitlement
maréchal de France Marshal of France, highest French military decoration
demande à asks

s'offre une petite colère préventive allows himself a slight precautionary temper tantrum
l'intendant général superintendant
diligente *here*: diligently carries out

démembrement dismemberment
l'emprise the control
bondit pounces

désagréments annoyances, unpleasantness
s'échauffant becomes heated
peu de cas que l'on fait d'un général en France quand on n'en a pas besoin in France, they don't care much about a general when they don't need him

jaloux haut placés enfin, qu'il manœuvrait en usant du **chantage auprès du** roi : « Si on **m'embête**, je m'en vais. » Aussi Saxe détestait-il la paix. La France en paix, Saxe ne valait plus rien. La France en guerre, Saxe valait de l'or. En 1745, Maurice de Saxe rentre de la bataille de Fontenoy et arrive à Paris, précédé de son **encombrante** gloire. On l'acclame, **on le touche**. Il est trop visiblement heureux. Le roi lui offre **à titre viager** le château de Chambord, plus le parc, plus la capitainerie, plus quarante mille livres de rente, plus le titre de **maréchal de France**. La cour trouve la dose un peu forte. Mais le tumultueux maréchal ne trouve même pas le temps de prendre possession du château royal. Il **demande à** M. de Bachone de le faire à sa place, et repart conquérir Bruxelles : la guerre d'abord. Il s'est tout de même fait dire par le contrôleur des Bâtiments que Chambord avait besoin de réparations urgentes, et il **s'offre une petite colère préventive** auprès de **l'intendant général**, Le Normand, histoire de le motiver pour qu'il **diligente** des travaux. En janvier, par échange de notes, il obtient du roi huit mille huit cent seize livres pour aménager une faisanderie. En février, nouvelle colère du maréchal : on lui a expliqué le rôle de Saumery à Chambord et le **démembrement** de la capitainerie réalisé à son profit (Saumery, comme on l'a vu, avait exclu de **l'emprise** de la capitainerie ses propres terres). Saxe **bondit**. Il écrit au ministre Maurepas[13]. On va voir ce qu'on va voir : il exige que Saumery n'ait plus rien à faire dans la capitainerie. Au passage, il se livre à un exercice de lamentation classique chez lui, expliquant que « ce n'est point la chasse qui tient au cœur de M. de Saumery, mais bien le moyen de *[lui]* donner des **désagréments** », et **s'échauffant** à l'idée du « **peu de cas que l'on fait d'un général en France, quand on n'en a pas besoin** ». Il menace. S'il

---

13 Jean-Frédéric Phélypeaux, comte de Maurepas (1701-1781), Minister of the Royal Household at the age of seventeen, then Minister of the Royal Navy, and finally the Chief Minister to Louis XVI.

trancher come to a quick decision

confortable dédommagement sufficient compensation
s'en met plein les poches lines his pockets

Côté guerre On the war front

étendards battle flags, standards
orneront will adorn
lot batch [of spoils]
l'oriflamme the banner of war

prévenu anticipated, foreseen
glisser slide, drift

allées forestières forest trails
la rectification du plan d'eau the rectification of the waterways plan
tousse coughs, clears his throat [in disagreement]
saisir have recourse/refer this to (*literally:* seize)

faucher sur reaping
le tiers a third
moujiks mujiks [Russian peasants]
boucle ses malles packs his bags (*literally:* buckles his trunks)

n'obtient pas la peau de Saumery, il rendra Chambord à l'État. L'affaire remonte jusqu'au roi, qui doit **trancher** lui-même, ce dont il a horreur : il donne raison au maréchal de Saxe et offre à Saumery un **confortable dédommagement**. Une solution à la Louis XV. Saumery quitte Chambord et **s'en met plein les poches**. Saxe est content : il a débarrassé le terrain. Il nomme son collaborateur, Bachonne, « lieutenant général du château, parc et capitainerie de Chambord ». **Côté guerre**, les affaires marchent. Bruxelles tombe en février. Le maréchal y entre sous les acclamations, comme un véritable roi. Il fait envoyer à Paris cinquante-deux **étendards** pris à l'ennemi, qui **orneront** Notre-Dame pour le *Te Deum*. Dans le **lot**, il a récupéré **l'oriflamme** de François Ier qui avait été pris par Charles Quint à Pavie et ornait depuis deux siècles et demi une salle d'armes de Bruxelles. Saxe aime ce retour de l'Histoire, qui lui donne des idées. Il a vengé le père fondateur. Il décide cette fois d'aller à Chambord, visiter son nouveau château. Il y arrive au mois d'avril. Il s'est fait accompagner par Le Normand, qui a reçu ordre du roi de réaliser les travaux que souhaiterait le maréchal. Le maréchal avait **prévenu** : ses demandes seraient « modestes ». Mais une fois sur place, découvrant l'immensité du lieu, il se laisse **glisser** dans une douce mégalomanie : il commande la construction de cent quatorze **allées forestières**, de vingt routes, la restauration de six pavillons, **la rectification du plan d'eau**. Le Normand **tousse**. « Attention ! dit Maurice de Saxe, je peux **saisir** le roi. » Au même moment, les paysans relevant de la capitainerie de Chambord ont pris rendez-vous avec le nouveau maître. Ils viennent se plaindre des abus passés de Saumery. Saxe les reçoit au château. Ils sont debout, chapeau à la main. Lourdement assis dans son énorme fauteuil, le maréchal les écoute en souriant. Il leur donne l'autorisation de **faucher sur le tiers** de leurs terres. « Saumery, c'est fini ! » Le maréchal venu du froid est heureux : il a enfin ses **moujiks**. Mais le temps semble long en Sologne. Au bout d'une semaine à Chambord, Saxe **boucle ses malles**. Il

piéger entrap
adéquat appropriate
unités army units

rampe footlights
nous donnons relâche we won't be performing

posément calmly

récolte spoils (*literally:* harvest)
D'autant qu' All the more so since
Il traite tous les ministres de crétins He takes all the ministers for cretins
Il branle dans le manche He's unsteady [in a precarious situation] (*literally:* He wobbles in the handle *figuratively:* referring to a tool with a loose handle)
honteux shameful
***[Il]* lui *[fera]* suer de l'encre !** He will make him sweat ink!

traîner drag on (endlessly)
élaguer pruning

repart faire la guerre en Flandre. Il conquiert Namur. Les Anglais, les Autrichiens et les Hollandais font mouvement vers le sud. Saxe décide de les **piéger** à Raucoux. En attendant le jour **adéquat**, il consacre sa passion au théâtre. Il emmène sur le front la troupe de Favart[14] qui joue tous les soirs devant des **unités** choisies. Et il fait annoncer la bataille sur scène : une actrice qu'il aime bien, la Chantilly, s'approche de la **rampe** et chante un couplet écrit par Favart : « Demain, **nous donnons relâche**. Demain, bataille... » Et, à la fin de la représentation le maréchal explique **posément** à ses officiers ceci : demain la séance de théâtre sera annulée pour cause de victoire. Effectivement, le lendemain, à 5 heures du soir, on fête la victoire de Raucoux. Trois mille prisonniers, cinquante canons pris à l'ennemi, constituent la **récolte** du jour. À Paris, les mauvaises langues commencent à dire que le maréchal en fait trop. **D'autant qu**'il n'a pas le triomphe modeste. **Il traite tous les ministres de crétins**. D'Argenson, ministre de la Guerre ? « **Il branle dans le manche.** » Le ministre des Affaires étrangères ? « Il est si bête que le roi en est **honteux**. » Le généralissime prince de Conti ? « ***[Il]* lui *[fera]* suer de l'encre !** » En rentrant à Paris, Saxe demande audience au roi pour lui parler de stratégie. Enfin, il parle surtout de ses affaires à lui. Il obtient de garder six canons pris à Raucoux pour orner le parterre de Chambord. Et à propos de Chambord, il met sous le nez de Louis XV un nouveau devis : vingt mille cinq cent cinquante-deux livres pour divers travaux. « C'est d'accord ? – C'est comme vous voulez », fait le roi. Saxe s'en va à Chambord pour quelques semaines, le devis approuvé dans sa poche. À Chambord, le maréchal fait comme à la guerre : il ne veut pas **traîner**. Il fait réparer le château, curer le Cosson, construire des allées en forêt, **élaguer** des arbres. Rien ne va assez

---

14 Charles Simon Favart (1710-1792), a very successful dramatist and director of the Opéra-Comique, was hired by Saxe to entertain the troops with theatrical performances.

Lawfeld site of yet another of Saxe's victories

billet doux love letter/note

Figurez-vous que la veille de la bataille, j'ai soupé avec Saxe
Imagine that the day before the battle, I supped with Saxe

de rétorquer as a retort

fiable trustworthy

prise seige

compère accomplice
s'émeut becomes riled
exactions violent acts, abuses of power
meurtri wounded
lamentablement miserably
humainement humanly

entendent *here:* intend
ragots gossip

vite. Il menace, il exhorte. Puis il repart aux Pays-Bas. Début juillet, son armée croise celle du duc de Cumberland près du village de **Lawfeld**. La bataille commence à 10 heures du matin, la victoire est acquise à 3 heures de l'après-midi. Les Anglais et les Autrichiens ont laissé dix mille morts, vingt-neuf canons et seize drapeaux. *Te Deum* à Notre-Dame. La routine. Le maréchal reçoit un **billet doux** de la Pompadour[15]. Et la cour relate une anecdote que publient les gazettes : le duc de Brissac a dit à la marquise de Pompadour : « **Figurez-vous que la veille de la bataille, j'ai soupé avec Saxe.** » Mme de Pompadour lui a répondu : « Vous pourriez au moins dire : avec "Monsieur de Saxe". » Et Brissac **de rétorquer** : « Dit-on : "j'ai soupé avec Monsieur César", "j'ai soupé avec Monsieur Alexandre" ? » Comparé à une telle compagnie, c'est peu dire que le maréchal devient encombrant pour beaucoup. Le prince de Conti prend la tête d'un mouvement destiné à déstabiliser le trop brillant guerrier. Tous les arguments sont bons : Saxe n'est pas **fiable**, il n'est pas poli, il n'est pas catholique, il est malade, il fait des fautes d'orthographe... Après la **prise** de Bergen op Zoom, nouvelle victoire, un autre argument apparaît : Saxe fait du pillage, viole le droit des gens et se remplit les poches, et son **compère**, le général de Lowendal, en fait tout autant. L'opinion **s'émeut** : l'armée française aurait commis des **exactions** en Allemagne et aux Pays-Bas. Saxe proteste, mais il est **meurtri**. Lowendal se défend **lamentablement** : « Il ne m'a pas été **humainement** possible de préserver cette misérable ville. » Mais en même temps, il s'achète pour une fortune énorme – donc suspecte – une résidence proche de Chambord, le château de La Ferté-Saint-Aubin. Saxe et Lowendal **entendent** prolonger à la chasse, et pas trop près des **ragots** de Versailles, leur complicité

15 Jeanne-Antoinette Poisson, marquise de Pompadour (1721-1764), a beautiful, highly influential member of the court and Louis XV's official mistress from 1745-1750.

capoter overturn

fourreau scabbard

Il donne des ordres à tour de bras He churns out orders right, left and center

genêts broom [plants]

bruyères heather, briar

plie folds over/down

botte boot

en bas de soie in silk stockings

boutes *archaic*: holes made by the wildboar's snout (*boutoir*)

C'est un bon courre que Chambord Chambord makes a fine hunting ground

frapper strike, attack

cogne strikes, hits

bâclée hasty

guerrière. Saxe se fait nommer par le roi gouverneur des Pays-Bas. Il avait demandé le titre de « lieutenant général du roi pour les Pays-Bas », mais les jaloux ont réussi à faire **capoter** sa dénomination. À Noël, le maréchal est rentré à Paris. Mais il n'a pratiquement pas mis les pieds à la cour. Il s'est installé dans son appartement de la rue du Battoir, avec deux ou trois amis et un lot de jeunes prostituées. C'était sa manière de répondre aux attaques de la presse. (Une gazette a raconté qu'on avait vu ensemble le maréchal de Saxe et la marquise de Pompadour, et qu'un témoin avait lancé : « Tiens ! voici l'épée du roi. Et son **fourreau**. ») En janvier 1748, Saxe en a décidément assez des gazettes ; il repart chasser à Chambord. **Il donne des ordres à tour de bras** et traque le sanglier. Les cent quatorze allées forestières sont achevées. Il écrit, triomphant, à son frère Frédéric-Auguste III de Pologne : « Il n'y a que deux cents pas d'un carrefour à l'autre, ce qui permet de suivre les chiens de près, car les **genêts** et les **bruyères** poussent si haut qu'on n'y voit pas un homme à cheval. Cela **plie** partout sous la **botte** et on y pourrait courir **en bas de soie**, comme on dit, si ce n'étaient les trous de lapins et les **boutes** de sanglier. **C'est un bon courre que Chambord**. » Puis le printemps le conduit de nouveau à la guerre. Il dispose à présent d'une armée de cent soixante-dix mille hommes, la plus puissante de tout le xviiie siècle, et on l'appelle déjà en Europe la « Grande Armée ». Avec de tels moyens, la France peut **frapper** où elle veut. Saxe **cogne** partout. Il peut tout conquérir, à condition qu'on ne lui demande pas de prendre le bateau (aux regrets de Louis XV qui aimerait bien envahir l'Angleterre). À Paris, de bonnes âmes commencent à lui reprocher de retarder la paix par des conquêtes sans intérêt stratégique. Saxe veut encore donner Maastricht à la France. C'est chose faite en avril. Et là, Louis XV décide d'arrêter : il veut se conduire « non en marchand mais en roi ». Il négocie une paix **bâclée**, suggère à Maurice de Saxe de profiter de Chambord. Le 18 octobre, le traité est signé : la France rend de sa propre

contrepartie compensation

Prusse Prussia
fait florès starts flourishing, grows

affectation *here:* posting, assignment
Trinité Trinidad
qu'il n'en bougera plus he won't budge from there any more

retraite bougonne grumpy retirement

saumâtre bitter

Malgré tout ce que les médisants ont pu tenter Despite all what the slanderers pulled
voue dedicates, devotes
idolâtre idolizes

tonitruante thundering, resounding, bombastic
l'attelage the team of horses, carriage

le gratifie rewards him

fanion pennant
apparentée à resembling
garni decorated

initiative la Flandre, Namur, Bruxelles, et toutes les villes conquises. Elle n'exige aucune **contrepartie** de vaincus. L'opinion d'abord ravie est ensuite consternée. Des gazettes disent : « Nous nous sommes battus pour le roi de **Prusse**. » Une expression **fait florès** à Paris : « bête comme la paix ». Saxe est furieux, ou plutôt amer : il explique à son entourage que ses batailles n'ont servi à rien, il parle de quitter l'armée, écrit au roi pour demander une **affectation** à Madagascar, puis dans l'île de la **Trinité** et celle de Tobago. Enfin, il se retire à Chambord comme un roi en exil. Il annonce **qu'il n'en bougera plus**. Il a cinquante-deux ans, l'âge de François Ier et de Gaston d'Orléans au moment de leur mort ; un bon âge, au siècle de Louis XV, pour prendre une **retraite bougonne** dans ses terres. À Chambord, le spectacle peut commencer. Le maréchal est **saumâtre**, quinquagénaire, furieux, viveur, mégalomane, milliardaire, immensément populaire, il veut prendre du bon temps sans perdre de temps : tout est en place pour que le château vive des années inoubliables. Car Saxe a horreur de s'ennuyer. Il a obtenu du roi – qui décidément n'a rien à lui refuser – de faire venir au domaine son régiment, le Saxe-Volontaire. Il dispose de crédits illimités pour faire vivre le parc. **Malgré tout ce que les médisants ont pu tenter**, le roi **voue** à son maréchal une affection admirative et amusée, presque filiale. Et le maréchal **idolâtre** le roi. Cette forte relation fait les affaires de Chambord. Pour Saxe, Chambord sera un empire. Il y débarque pour s'y installer en souverain. Il réussit une entrée **tonitruante** : le maître de poste qui le conduit à Chambord, un certain Moreau, est tellement excité qu'il fait entrer **l'attelage** au galop dans le château. Le maréchal trouve la plaisanterie de bon goût et **le gratifie** d'un cadeau. Pour ceux qui n'auraient pas compris, au sommet de la grande lanterne, accroché au-dessus de la fleur de lis de François Ier, le maréchal a fait accrocher son **fanion**. À l'intérieur, il met en route une stratégie mobilière **apparentée à** la guerre totale : tout doit être **garni** sans délai. Le terrain doit être occupé dans tous ses compartiments. Le

puiser dans drawing on/from
lambris paneling, mouldings

Languedoc a region in southwest France, source of a very showy red marble with mostly white veining
en retrait de l'alcôve set back from the alcove
réduit walk-in [closet]
abritant containing
poêle heater, stove

fait intervenir brings into play

quasi-prétexte semi-excuse
À la recherche du temps perdu *Remembrance of Things Past*, the multi-volumed novel by Marcel Proust (1871-1922)
Saint-Loup Robert, marquis de Saint-Loup-en-Braye, is one of the aristocratic characters in the above-mentioned work by Proust
débauché lured away
faïence (glazed) earthenware

navires ships
felouques feluccas [boats]
mâts masts
avirons sculls [boats using oars]
l'embrasement the dazzling illumination
est demeuré général is still a general
dépaysé disoriented, a fish out of water

prise d'armes show of arms [ceremonial]
serré strict
étendard battle flag, stem

maréchal a obtenu le droit de **puiser dans** le mobilier royal. Il fait poser des **lambris** récupérés à Versailles pour décorer sa chambre, qui n'est autre que la chambre de Louis XIV. Il installe dans la pièce une nouvelle cheminée en marbre rouge du **Languedoc**. Il fait bâtir **en retrait de l'alcôve** un **réduit abritant** un **poêle**. Il met des meubles partout. Aussi la « chambre de Louis XIV » que l'on fait visiter aujourd'hui au château est-elle, en réalité, la chambre décorée par Maurice de Saxe. Le restant du château est occupé par une véritable cour royale, composée d'officiers et de jolies femmes, et encore de trente-cinq cuisiniers aux ordres du chef le plus fameux de l'époque, Rotisset, inventeur de la carpe à la Chambord, recette qui **fait intervenir** entre autres (et en plus de la carpe elle-même, réduite au statut de **quasi-prétexte**) du foie gras, du jambon, du lard, du vin et de la truffe. Dans ***À la recherche du temps perdu*, Saint-Loup** avoue ne pouvoir manger de la carpe que si elle est « à la Chambord ». Maurice de Saxe avait **débauché** Rotisset du restaurant le plus fameux de Paris à l'époque, rue Dauphine. La cuisine n'est pas tout. Le maréchal n'aime pas avoir froid. Il fait poser un monumental poêle en **faïence** dans la salle des gardes, devant son appartement, et un autre dans la première antichambre. Les douves comblées par Stanislas sont remises en eau. Le Cosson est transformé en grand canal. On y met trois **navires**, des **felouques** à trois **mâts** et à vingt-quatre **avirons**, modestement appelées *La Royale*, *La Maréchale* et *La Dauphine*. Là, à la tombée du jour, le maréchal fait installer ses invités, qui peuvent depuis la rivière assister à **l'embrasement** du château. Pour le reste, Maurice de Saxe **est demeuré général** : sans soldats, il est **dépaysé**. Il a installé des casernes pour ses régiments, des écuries pour ses deux cent cinquante chevaux. Tous les matins, devant un public enthousiaste, il y a une **prise d'armes**. Le reste du temps, ce sont des manœuvres et de l'ordre **serré**. On entend des ordres toute la journée. Cinquante hommes avec **étendard** gardent devant l'entrée les six canons aux armes d'Angleterre pris à Raucoux.

Une curiosité attire des badauds An unusual sight attracts crowds/ onlookers

Tartares Turkic Central Asian ethnic groups who, over the centuries, were a threat to civilized peoples in Asia and Europe

métissés of mixed race

affecté assigned, posted

désobligeant discourteous, offensive, disparaging

constaté dans *here:* that made up

il s'en est sorti par une pirouette he solved (the problem) by doing a bit of fancy footwork
mention annotation
Caisse militaire Military Fund

répartir distribute, pay out
grand couvert grand banquet (*meaning:* royal banquet or feast)

Une curiosité attire des badauds de toute la région : la Compagnie colonelle. Cette unité d'élite est composée de cavaliers noirs montés sur des chevaux blancs. Au vrai, le maréchal a fait venir à Chambord des unités composées de soldats d'origines les plus diverses : des Polonais, des Allemands, des **Tartares**, des Antillais, des Sénégalais, des Indiens de Pondichéry, des Turcs. À Chambord, on n'avait jamais vu ça. Les registres de la paroisse gardent la mémoire de mariages mixtes. Des enfants **métissés** naissent en pays solognot. Mgr de Cussol, évêque de Blois, accorde des dispenses de certificat de baptême, ce qui permet aux soldats antillais ou sénégalais de se marier à l'église. Pour les Allemands et les Turcs, les choses sont moins faciles, car ils sont présumés réformés ou mahométans, mais, là encore, le maréchal de Saxe obtient pour ses hommes des dispenses de formalités. On relève d'ailleurs la présence dans le corps des officiers supérieurs au service du roi de France, **affecté** au Saxe-Volontaire, du lieutenant-colonel Babash, musulman. (Une légende a cherché à faire croire qu'il avait fallu attendre les années 2000 pour qu'un Français d'origine musulmane soit nommé préfet en France, ce qui était **désobligeant** pour tous les préfets musulmans que la République avait nommés avant lui. Notons ici qu'un musulman a été promu lieutenant-colonel en 1749, et qu'il n'est alors nullement signalé comme étant le premier). Le melting-pot chambourdin **constaté dans** l'armée est confirmé dans les salons. Chaque jour, le maréchal organise des réceptions inspirées de l'étiquette de la cour de Louis XIV. Il a fait mettre devant ses appartements une garde permanente en armes, et comme ce privilège est réservé aux rois, **il s'en est sorti par une pirouette**, en faisant porter la **mention** « **Caisse militaire** » au-dessus de la porte de son antichambre. La garde de la caisse militaire mérite un tel soin, car l'État verse directement au maréchal le budget destiné au fonctionnement de son régiment, ce qui représente six cent mille livres par an, à charge pour le maréchal de les **répartir**. Pour les repas du maréchal, sont servis chaque jour un « **grand couvert** » de

lever rising from bed in the morning

plafonds ceilings

bruisse murmurs
tourangelle et solognote from around Touraine and Sologne

débauche dissoluteness

antiphrase irony

blâme blame

notoire notorious
bien proche de close to, intimate with

livré given over
appui support
méprisait despised
ne donnait pas dans la dentelle didn't bother with niceties
(*literally:* didn't offer up the lace)

quatre-vingts places et un autre de soixante. Le maréchal préside au grand couvert. Il chasse à courre trois fois par semaine (comme Louis XIV) ; il donne théâtre un soir sur deux (comme Louis XIV). Il organise des visites pour son **lever** (comme Louis XIV). Pour la comédie, il a fait aménager dans les salons en croix du second étage (ceux où le dîner de Charles Quint avait été servi) un théâtre conçu par Servandoni, qui a coûté plus cher que celui de Versailles, avec des balcons et des **plafonds** dorés dont des traces subsistent près du grand escalier. La région **bruisse** d'anecdotes sur ce qu'a fait le maréchal, sur ce qu'il a dit. Toute la société **tourangelle et solognote** intrigue pour être invitée à Chambord. Chambord, vu de Chambord, est le centre du monde.

L'affaire Favart

Maurice de Saxe avait la passion du théâtre, ou plus exactement la passion des comédiennes. En dehors de la guerre, c'est à la **débauche** qu'il consacra le plus de son énergie. Même la très libérée marquise de Pompadour se demanda parfois s'il n'y allait pas trop fort. Dans la lettre qu'elle lui adressa le lendemain de la victoire de Lawfeld, elle y fit allusion par une **antiphrase** subtile : « On dit, Monsieur le Maréchal, qu'au milieu des travaux et des fatigues de la guerre vous trouvez encore du temps pour faire l'amour. Je suis femme, je ne vous en **blâme** pas... » Les hommes, fallait-il comprendre, pourraient être d'un avis différent. Et en effet ils l'étaient. Le cardinal de Bernis par exemple, qui était lui-même un séducteur **notoire** et un ami **bien proche de** la Pompadour, ne fit que reprendre l'opinion unanime de la cour lorsqu'il écrivit : « Il est dommage qu'un aussi grand homme de guerre ait été **livré** à l'amour, à la débauche et à la mauvaise compagnie : on peut dire que les filles de théâtre ont privé la France d'un **appui** qui lui était nécessaire. » On ne reprochait pas à Saxe ses succès : on **méprisait** sa méthode. Car en fait de séduction, le maréchal **ne donnait pas dans la dentelle**. Il les

sans approche without introduction
cour courtship
mûrir ripen, develop

grossier coarse, crude
reculé drawn back
embrassades embraces
rance rancid
odorat sense of smell
nauséeux nauseating
de coutume accustomed
emmené taken along

vues politiques political views
vivier stock, pool (*literally:* fish pond)

brève aventure fling
ratage failure
textuellement recopié faithfully copied/reproduced, copied to the letter

lui fallait toutes, **sans approche**, sans discussion. Le maréchal ne prenait pas le temps de faire sa **cour**. Il ne prenait pas le temps de faire **mûrir** le désir. Il ne prenait pas même le temps de se laver. Nous en avons plusieurs témoignages. La comédienne Marie Rinteau par exemple, qui donna une fille au maréchal (Marie Aurore, qui n'est autre que la grand-mère de George Sand[16]), eut l'occasion d'en parler à sa fille. Marie Aurore avait des réminiscences de son glorieux grand-père : elle avait gardé l'image d'un **grossier** personnage. « Dans ses vagues souvenirs, relate George Sand, elle avait **reculé** devant les **embrassades** au milieu d'un dîner, parce qu'il exhalait une odeur de beurre **rance** qui répugnait à la précoce délicatesse de son **odorat**. Sa mère lui expliqua que le héros aimait de passion le beurre fort et que, pour le satisfaire, on n'en trouvait jamais d'assez **nauséeux**. » Comme il était **de coutume**, le maréchal avait **emmené** dans ses guerres un théâtre aux armées. Il avait même formulé une théorie à ce sujet : « Ne croyez pas que je regarde la comédie comme un simple objet d'amusement : elle entre dans mes **vues politiques**. » L'objectif était de constituer à proximité du front un **vivier** de jeunes comédiennes à la disposition du chef de l'armée. Une fois installé à Chambord, Saxe ne changea pas ses vues politiques : il fit venir son théâtre au château et y convoqua le vivier. Malheur à qui lui résistait. Ce fut le cas de la jeune Justine Favart. Jolie brune douée pour le théâtre et la danse, Justine avait vécu une **brève aventure** avec le maréchal pendant l'hiver 1746 – un **ratage**, semble-t-il –, ponctuée par quelques lettres convenues, dont un billet assez ridicule du maréchal, **textuellement recopié** d'un texte de Voltaire et déjà envoyé à une précédente maîtresse. Justine avait vite repris sa liberté et retrouvé les bras de son jeune époux, Charles Simon Favart, le chef de la troupe de théâtre.

16 The pseudonym of Amantine Aurore Lucille Dupin, later Baroness Dudevant (1804-1876), iconoclastic woman of letters and lover of many, including the composer, Frédéric Chopin.

accroire *archaic*: delude into believing

fins purpose(s)
obligeant pour moi kind to me
contraindre force (into submission)
viol rape
prendre le large leave, jump ship (*literally*: to go out to sea)
à loisir at (his) leisure
accula drove
faillite bankruptcy
émettre issue
lettre de cachet King's letter countersigned by a Secretary of State for detention or exile
dut s'enfuir had to flee

rien n'égalera *nothing will match*
fanée arrachée *wilted, torn*
tige *stem*
flétri *withered*

qui sonnaient vrai that seemed sincere

j'enverrai *I shall throw*

de grand cœur *with great pleasure, heartily*
l'aumône *alms*

Quand le maréchal vit que Justine lui préférait son mari, il explosa. Il écrivit à Justine une lettre méchante : « Je suis tout à fait flatté que vous ayez voulu faire **accroire** qu'il n'y avait rien eu entre nous et que je vous persécutais pour en venir à mes **fins** ; cela est tout à fait loyal de votre part et **obligeant pour moi**. » La vérité, c'est que le maréchal avait usé de son autorité pour **contraindre** Justine, mais qu'il était lui-même incapable de distinguer un **viol** d'un simple exercice de séduction. Et Justine avait été bien courageuse de **prendre le large**. Car après avoir persécuté **à loisir** Justine, Saxe s'en prit à son mari. Il **accula** Charles Simon Favart à la **faillite** et fit **émettre** contre lui une **lettre de cachet**. Le malheureux **dut s'enfuir** à Strasbourg sous une fausse identité. Justine se trouva sans ressources. Saxe pensa la reprendre en lui offrant une pension. Elle refusa. Elle partit pour Paris, afin de se protéger dans l'anonymat de la grande ville. De Strasbourg, Favart écrivait à sa femme des lettres amoureuses :

*Je te souhaite une bonne fête, ma chère Justine ; sois heureuse autant que je me trouve malheureux d'être séparé de toi, et **rien n'égalera** ma félicité. Reçois cette fleur **fanée arrachée** de sa **tige** ; c'est le symbole d'un cœur **flétri** par une absence rigoureuse. Adieu ! Que tous les jours te soient des jours de fête, mais au milieu des plaisirs songe que si tu es formée pour exciter l'amour, tu es née pour mériter l'estime.*

Justine était dans le même état d'esprit. Elle répondait à son mari des billets comme le maréchal de Saxe n'en recevrait jamais, des billets d'amour **qui sonnaient vrai** :

*Le maréchal est toujours furieux contre moi, mais cela m'est égal. Si tu veux, **j'enverrai** mon début à tous les diables et je partirai sur le champ pour t'aller retrouver. On me menace qu'on va me faire beaucoup de mal, mais je m'en moque ; j'irai **de grand cœur** demander **l'aumône** avec toi. Je suis pour jamais ta femme et ton amie.*

« Je suis pour jamais ta femme et ton amie » : voilà la phrase intolérable. Le maréchal avait mis sa police personnelle sur les

jusque-là n'avait été qu'inélégant, devint odieux up til then, (he) had been only uncouth, (but then) he became (also) obnoxious/ odious
échec failure

prétendu alleged
couvent convent
de cape et d'épée cloak-and-dagger *(literally:* cape-and-sword)
proie prey
traqué hunted down

agrément *pleasure*

infâme odious, despicable
recluse secluded
désemparée distraught
bourreau torturer, persecuter
jouait au chat et à la souris played cat-and-mouse
griffes claws
s'en tirer get away
Mais je ne vous ai jamais fait que patte de velours *idiomatic*: But I always turned on my charm to you, But I've never been less than smooth as velvet
acariâtre shrewish

traces de Justine. Il avait fait surveiller son courrier. Eut-il cette lettre sous les yeux ? J'en suis convaincu. Car après cela, lui qui **jusque-là n'avait été qu'inélégant**, **devint odieux**. La vision d'un jeune couple qui s'aime, qui renonce à la gloire au nom de l'amour, c'était l'image insupportable, le signe du grand **échec** de la vie de Maurice de Saxe. Lui qui avait connu des centaines de femmes, ne tolérait pas le spectacle d'un amour fidèle. Sa femme – car il avait été marié, en Pologne –, il l'avait quittée après quelques semaines. Sa maîtresse officielle, Adrienne Le Couvreur avait montré après quelques mois sa vraie motivation, qui était l'ambition. Saxe décida donc de frapper plus fort. Il fit arrêter Justine avec un **prétendu** ordre du roi et la fit expédier au **couvent**, comme dans un mauvais film **de cape et d'épée**. Il fit pression sur le père de sa jeune **proie**. Il tenta de faire annuler son mariage. Charles Simon Favart, **traqué** par la police, s'était réfugié dans la cave d'un curé de campagne. Et Saxe devenait sadique. Il écrivait à Justine des lettres odieuses :

*Je n'ai point entendu parler de Favart. Il doit être bien flatté de voir que vous lui sacrifiez fortune, **agrément**, gloire, enfin tout ce qui eût fait le bonheur de votre existence [...]. Vous n'avez point voulu faire mon bonheur et le vôtre : peut-être ferez-vous votre malheur et celui de Favart. Je ne le souhaite pas, mais je le crains.*

Lettre **infâme**, qui déshonore le grand homme de guerre. Justine, **recluse** au couvent d'Angers, était **désemparée**. Elle demanda grâce à son **bourreau**. Et lui **jouait au chat et à la souris**. « Vous me dites que vous souffrez, lui écrivit-il, et je vous crois. Vous dites que j'ai des **griffes** et qu'il n'est pas aisé de **s'en tirer**, et je le crois encore. **Mais je ne vous ai jamais fait que patte de velours**, et ces griffes ne vous feront jamais mal si vous ne vous en faites pas vous-même. » Justine fut transférée de force à Issoudun, puis à Piple, puis enfin à Chambord où elle fut contrainte de jouer la comédie, dans tous les sens du terme, sous la garde d'une concierge **acariâtre** appelée Mme Mouret. Elle y joua la comédie pour le vainqueur de Fontenoy et ses invités.

encore une fois once again
remporté won
prétend intends, presumes
mépris contempt
déconsidéré discredited, unworthy
péché sin

peu louangeuse of faint praise, not very flattering
Il poussait la bassesse jusqu'à la crapule He carried baseness to the point of becoming a thug/common villain

volage fickle
aurait traité Maurice de Saxe de mufle (he) would have called Maurice de Saxe a boor/lout

souffreteux sickly, unhealthy

Atteint d'hydropisie Afflicted by/Suffering from dropsy

landau d'osier attelé wicker carriage harnessed

épuisé exhausted, worn out
elle n'avait rien d'une retraite it was nothing like retirement
se vantant boasting, bragging

Il la convoqua dans sa chambre. Le maréchal, en apparence, avait **encore une fois remporté** la bataille. Mais en vérité il avait tout perdu. Comme dit le Cantique des cantiques, celui qui **prétend** acheter l'amour ne reçoit que **mépris**. Aux yeux de tous, le maréchal s'était **déconsidéré**. D'ailleurs, George Sand n'est pas à ce sujet fière de son ancêtre. « Mme Favart, écrit-elle, est un gros **péché** dans sa vie. Un péché que Dieu seul a pu lui pardonner. » Et la marquise de Pompadour, qui connaissait si bien l'humanité en général et le maréchal de Saxe en particulier, tira une conclusion **peu louangeuse** pour son ami : « **Il poussait la bassesse jusqu'à la crapule**. Il ne connaissait point l'amour délicat, et ne prenait d'autres plaisirs dans la société des femmes que celui de la débauche... » Nul doute que François Ier, grand séducteur sous le ciel de Sologne, amant exigeant et à la fois **volage**, mais tellement respectueux des femmes, **aurait traité Maurice de Saxe de mufle**. La mort du maréchal rendit à Justine Favart la liberté et le bonheur. Elle retrouva son mari, elle fit une carrière brillante à ses côtés, et lui-même finit comme directeur de l'Opéra-Comique en 1763.

Comment est mort le maréchal de Saxe

Maurice de Saxe était un viveur **souffreteux**. Dans la tradition de Chambord, dans la lignée de François Ier ou de Gaston d'Orléans, il vécut au domaine avec un appétit qui dépassait son estomac. Déjà à Fontenoy, son état de santé était un sujet d'alarme : on le disait moribond. **Atteint d'hydropisie**, il n'était pas capable de tenir en selle. Il avait suivi la bataille dans un **landau d'osier attelé** à un cheval. Et comme François Ier, il trompait sa maladie en donnant dans l'hyperactivité, au désespoir de ses médecins. Sa retraite à Chambord fut celle d'un lion **épuisé**. En fait, **elle n'avait rien d'une retraite**. Une fois la revue militaire du matin terminée, Saxe chassait toute la journée, sous le soleil et sous la pluie, **se vantant** de tuer trois cents sangliers

bravant defying
injonctions orders

anéanti shattered, exhausted

chute fall
Clavicule Collarbone

décolère calm down
rédige composes
curage dredging
perpétuent *here:* spread (*literally:* carry on)

clarté clarity

rétabli recovered

démis dislocated

affreusement dreadfully

au moyen d'une colère mémorable with a memorable fit of rage

en un an. Le soir, il faisait la fête. La nuit, il écrivait des notes sur la stratégie militaire, qu'il envoyait au roi. Et surtout, il ne cessait pas de partir en voyage, **bravant** les **injonctions** du docteur Sénac, son médecin. Pendant l'été 1749, on le voit à Dresde, puis à Berlin, puis à Potsdam, puis à nouveau à Dresde, puis à Paris : c'est beaucoup pour qui avait annoncé, quelques semaines plus tôt, qu'il se retirait du monde définitivement. Le maréchal regagne Chambord fin août, **anéanti** par le voyage, mais, au bout d'une semaine, il recommence à s'ennuyer. Il repart chasser le sanglier à Piple. Là, il fait une terrible **chute** de cheval. **Clavicule** cassée. Un mois d'immobilisation forcée. Dans son fauteuil de Chambord, le maréchal de Saxe ne **décolère** pas. Il fait activer les travaux au château. Il **rédige** des notes alarmistes : les retards dans le **curage** du Cosson **perpétuent** un air malsain, qui donne des fièvres à son personnel et à ses soldats. « Chambord est un hôpital », écrit-il. Il envoie une invitation à Louis XV pour qu'il vienne le visiter à Chambord au printemps suivant, et bien que la réponse du souverain ne soit pas d'une grande **clarté**, il annonce à tous que le roi va venir et que, par conséquent, tout se doit d'être parfait. Début décembre, à peine **rétabli**, Saxe reprend la route. Il veut d'urgence voir le roi. Il bat à cette occasion le record de vitesse du trajet Chambord-Versailles : il fait le voyage en douze heures, contre deux jours et demi de carrosse à un rythme normal. Il apporte à Louis XV des pièces de gibier : en fait, il vient le relancer pour son invitation. « Oui, dit le roi, je viendrai à Chambord au printemps, pas cette année sans doute, mais l'an prochain. » En janvier, nouvelle chute de cheval de Maurice de Saxe pendant une chasse. Bras **démis**. Immobilisation pour un mois. Le maréchal repart à Paris avant même d'être rétabli pour présenter au ministre de la Guerre un rapport (qui ne lui a pas été commandé) sur la réforme de l'infanterie. Il n'est pas reçu par le roi. Il en revient **affreusement** mortifié. Il arrive à Chambord au galop, où il reprend les choses en main **au moyen d'une colère mémorable**. Bref, Maurice de

bagatelle small matter, trifles (*euphemism for:* sexual performance)

colportée bandied/hawked about
comploteuses [female] conspirators
incommodité affligeante appalling discomfort
s'endort falls fast asleep
pudeur delicacy

propres efficacious

le seul qu'il tutoie the only one whom he addresses using the casual or intimate "*tu*" [instead of the formal "*vous*"]
chevet bedside

navrante upsetting
reclus cloistered
moines monks
charretiers charioteers
claquer le fouet the cracking of the whip
soubrettes maids
laquais lackeys
classés X X-rated
hisse hoist
jument mare
Grivoise Bawdy One
agrippé clinging
attirail drappings
chamarré richly colored/ornamented
carcasse body (*implication of* corpse-like/cadaverous)
ne suit plus no longer obeys (him)
pressent has a premonition

Saxe ne veut pas vieillir, c'est-à-dire ne veut pas mourir. Or, il sent la mort monter en lui. Car du côté de la **bagatelle**, comme on disait joliment à l'époque, il n'est plus opérationnel. La chose se raconte partout, **colportée** par de cruelles **comploteuses**. Il se murmure à Chambord que le glorieux maréchal souffre d'une **incommodité affligeante** : il **s'endort** pendant les moments cruciaux. Dans ses Mémoires, le duc de Luynes en fait mention avec **pudeur** : « Quoique M. de Saxe eût le corps extrêmement fort et robuste, il ne pouvait pas servir au libertinage de son esprit et il se servait de tous les moyens **propres** pour satisfaire ses passions. » Valfons, son ancien aide de camp, un de ses plus proches amis, **le seul qu'il tutoie**, vient passer quelques semaines à son **chevet**. Devant lui, le maréchal ne joue pas la comédie. « Tu vois, lui dit-il, nous autres soldats, nous n'intéressons plus personne quand on n'a plus besoin de nous... Toutes mes maîtresses me trompent. » Et Saxe impuissant donne dans le voyeurisme. Il organise de pitoyables orgies dans son appartement au premier étage du donjon. Il écrit à son frère, en automne 1750, une lettre **navrante**, pour se vanter de ses projets de rentrée en ce domaine : « Je compte que ces dames s'amuseront fort bien : j'ai un corps d'officiers très bien choisis, de jolie figure, jeunes et **reclus** comme des **moines** dans le château de Chambord... C'est le sort des vieux **charretiers** d'aimer encore à entendre **claquer le fouet**... » Il convoque dans sa chambre – qui fut celle de Louis XIV – des **soubrettes** et des **laquais** qui lui offrent en direct des spectacles **classés X**. Le jour, il a de plus en plus de mal à monter à cheval. On le **hisse** sur sa **jument** appelée « La **Grivoise** » (cela ne s'invente pas), et une fois **agrippé** à sa monture, couvert de ses décorations, avec tout son **attirail chamarré**, il joue au maréchal de France. Il suit les chasses au petit trot, comme François Ier sur sa mule l'année précédant sa mort. En octobre 1750, le maréchal a cinquante-quatre ans. Sa **carcasse ne suit plus**. Il **pressent** que le temps va lui manquer. Et le roi n'est toujours pas venu le voir. Il s'en inquiète, devient

encombrant troublesome
accueillies received
par des soupirs d'ennui with sighs of boredom

brusquement abruptly

sournois insidious
linge laundry
genre style
saignée bloodletting
exige demands
Le bruit The rumor
répand spreads

revêtu puts on
à pelisse fur-trimmed
dague spike [deer antler]
retentit rings out, resounds
laisser-courre chase [when dogs are unleashed during the hunt]

accablé d' overcome by
bronche moves a muscle

garde des Sceaux the title for Minister of Justice (*literally:* Keeper of the Seals)
Tiens donc! How about that, You don't say!

subies suffered
se confond en excuses apologizes profusely
arranger to sort out
différend dispute
en pure perte to no avail (*literally:* a sheer waste [of time])

encombrant. Ses notes urgentes sont **accueillies** à Versailles **par des soupirs d'ennui**. Le roi viendra, c'est promis, pour le printemps prochain, avril ou mai 1751. Saxe ne pense plus qu'à ce projet. Mais vers le milieu de l'automne, sa santé décline **brusquement**. La fièvre le prend dans la nuit du 12 au 13 novembre. Il fait très froid, non pas un froid glacial, mais pis, un froid mauvais, humide et venteux comme la Sologne en connaît, un de ces froids **sournois** qui s'infiltrent sous les portes et empêchent le **linge** de sécher. Le maréchal passe la journée du 13 au lit, ce qui n'est pas son **genre**. Il exige de recevoir une **saignée**, que pratique le chirurgien militaire de la garnison. Le maréchal **exige** la discrétion. Le chirurgien parle. **Le bruit** de la maladie du grand homme se **répand** dans Chambord. Pour couper court à la rumeur, Maurice de Saxe organise une chasse au sanglier dans le parc, le 21 novembre. On le met sur sa jument, il s'accroche comme il peut à la selle et donne ses ordres. Il a **revêtu** sa tunique bleue **à pelisse**. Il porte sa **dague** au côté. Il fait bonne figure. Un bon sanglier est lancé derrière le pont de la Canardière. Mais peu après l'attaque, un coup de feu **retentit** : un crétin vient de tuer le sanglier, privant le **laisser-courre** de tout son intérêt. Le maréchal décide d'arrêter la chasse et de rentrer au château, **accablé d'**une colère triste. Il veut savoir qui a tiré sur l'animal de chasse. Silence. Il insiste. Personne ne **bronche**. Il menace. Les veneurs regardent leurs bottes. Enfin, un invité, un certain Chauvelin, fils du **garde des Sceaux**, dénonce le coupable : « C'est, dit-il, M. de La Grange qui a tiré sur le sanglier, je l'ai vu. – **Tiens donc !** », fait Maurice de Saxe. Il adresse à peine un regard plein de mépris à La Grange et lui tourne le dos. Il ne lui fait même pas l'honneur d'une colère. Les humiliations **subies** à la chasse à courre sont quelque chose de terrible. M. de La Grange est déconsidéré. Dès que le maréchal a tourné le dos, il provoque Chauvelin en duel. Celui-ci **se confond en excuses**, invoque son jeune âge, implore. En vain. D'autres invités veulent **arranger** le **différend** : **en pure perte**.

rechute relapse
là se situe at that point comes

cacheté sealed
la pièce voisine the room next door

neveu nephew
fonça bolted [*simple past tense*]
entraînant dragging

brancard *stretcher*

il avait tout fait pour l'écarter du commandement de l'armée he had done everything he could to get him removed as commander of the army
file *here:* faction
thèse theory
corroborée supported, corroborated
Le bruit court dans le peuple The rumor makes the rounds

Le duel a lieu le 23 novembre, à Paris où les deux protagonistes se sont rendus. Dès le début du combat, La Grange plante son épée dans le corps de Chauvelin et le tue. Pendant ce temps, le maréchal a une **rechute**. Il se soigne en buvant du cidre. Il subit deux autres saignées. Et **là se situe** l'étrange récit des *Mémoires politiques et anecdotiques* du baron de Grimm, agent de la Russie, publiés en allemand au xviiie siècle, puis traduits en français en 1829. Grimm explique qu'il se trouvait à Chambord depuis quelques jours, fin novembre 1750, quand il vit entrer au château un homme « qui donna mystérieusement au maréchal un billet **cacheté** ». « Le maréchal, raconte Grimm, était dans son cabinet. L'émissaire attendait dans **la pièce voisine** ; le maréchal lui avait remis sa réponse et le mystérieux courrier était reparti sur-le-champ. » Puis le maréchal sortit, se rendit dans le parc sans vouloir être suivi. Le **neveu** du maréchal, M. de Frise, arriva alors, très agité. Il demanda : « Où est mon oncle ? », et il **fonça** vers le parc, **entraînant** Grimm avec lui. Grimm précise alors :

Nous apercevons un groupe de domestiques portant un ***brancard****. C'était le maréchal blessé, sans mouvement et d'une effrayante pâleur. Aux cris de son neveu, il ouvre les yeux, fait un effort pour lui tendre la main, et les seuls mots qu'il peut prononcer nous révèlent la cause de sa blessure :*

Le prince de Conti est-il encore ici ? Assurez-le que je ne lui en veux nullement... Je demande le plus grand secret sur cette affaire.

Pour Grimm, sans aucun doute possible, le maréchal a été tué en duel par le prince de Conti. Et il est vrai que les deux hommes se détestaient de longue date. Maurice de Saxe avait été amant de la mère de Conti, **il avait tout fait pour l'écarter du commandement de l'armée**, puis pour empêcher sa candidature au trône de Pologne. Conti, de son côté, avait été à la cour le chef de **file** des anti-Saxe. La **thèse** du duel semble **corroborée** par le *Journal* du marquis d'Argenson qui relate, à la date du 3 décembre 1750 : « **Le bruit court dans le peuple** que le maréchal de Saxe a été tué dans la forêt de Chambord et y a reçu des coups

fluxion de poitrine pneumonia
démentir deny, refute
rouvrit reopened [*simple past tense*]

une chaise de poste *postal horsedrawn carriage*
courrier *messenger*
sans couleurs *dressed without identifying uniform or banner*
la porte de Muides *the gate where the road starts that leads to the town of Muides-sur-Loire*
s'habilla à la hâte *dressed himself hastily*
fit prévenir *had informed*
dérobé *hidden*
fossés *moat*

frisson chill

a eu affaire à was dealing with
gênant embarrassing, annoying
prétendue alleged

d'épée. » De son côté, le gouvernement publia, début décembre, un communiqué indiquant que le maréchal avait succombé à une **fluxion de poitrine**, ce qui ne prouve rien, ou plutôt prouve qu'il y avait quelque chose à **démentir**. Presque un siècle plus tard, un journaliste, Jean Toussaint Merle, **rouvrit** le dossier. Il se rendit à Chambord et retrouva, dit-il, un ancien valet de chambre, témoin oculaire de la mort du maréchal de Saxe, un certain Mouret.

Dans les derniers jours du mois de novembre 1750, raconte Mouret, vers 8 heures du matin, ***une chaise de poste****, précédée d'un* ***courrier sans couleurs****, entra dans le parc du château de Chambord par* ***la porte de Muides*** *; elle s'arrêta au bout de l'avenue du parterre ; il en descendit deux personnes. Le courrier se rendit au château, chargé d'une lettre pour le maréchal qui était encore couché. Monseigneur, après avoir lu cette lettre,* ***s'habilla à la hâte****,* ***fit prévenir*** *son aide de camp et, suivi de son valet de chambre, il descendit par l'escalier* ***dérobé*** *de son appartement, sortit par les* ***fossés*** *du château et marcha à la rencontre des deux étrangers. Le père Desfin, vieux fermier du parc, les vit mettre l'épée à la main et, bientôt après, les deux inconnus remontèrent en voiture et le maréchal, soutenu par son aide de camp, revint au château et se mit au lit. Le bruit courut qu'il venait d'être blessé par le prince de Conti ; mais on ordonna le plus grand secret à tous les gens de service.*

Et le vieux Mouret de conclure : « Ils ont dit dans le temps que c'était un **frisson**, mais je suis sûr, moi, que le frisson dont est mort M. le Maréchal était au bout de l'épée du prince de Conti. » On aurait vraiment envie de croire Grimm et Mouret. Mais c'est impossible. D'abord, le Mouret dont parle Merle (et qui a été non pas valet mais concierge à Chambord ; c'est d'ailleurs le mari de la concierge qui s'occupa de Justine Favart en 1750) aurait eu au moment de son récit à Merle environ cent trente ans. Soit Merle **a eu affaire à** son petit-fils, soit il a inventé son récit. Le plus **gênant** est que Merle a publié sa **prétendue**

enquête investigation

prosaïque prosaic, banal

avertir notify, inform

Il ne faut pas qu'on me sache malade, cela mettrait beaucoup de personnes de Paris aux alarmes. No one must know that I'm ill, as that would alarm many people in Paris.

se manifestèrent reacted, *i.e.*, showed up, wrote, or commented
On cacha au maréchal cette rumeur They didn't tell the Marshal about the rumors
rétablissement recovery

enquête quelques mois après que la traduction française des *Mémoires* de Grimm soit publiée, en 1829. D'ailleurs, le Desfin dont parle Mouret est lui aussi, semble-t-il, un contemporain du journaliste : nous avons vu en explorant les latrines du château qu'un certain Desfeings laissa des graffitis dans les sous-sols du donjon en 1845... Plus grave, le récit de Grimm n'est pas cohérent non plus avec la chronologie que nous connaissons par ailleurs. Le 20 novembre 1750, Grimm était à Paris où il signa des lettres, tout comme le prince de Conti qui était au chevet de sa tante, Mlle de La Roche-sur-Yon. La mort du maréchal comte de Saxe fut en réalité plus **prosaïque**. Après la fameuse chasse au sanglier du 21 novembre 1750, le maréchal s'était remis au lit. Le chirurgien de Chambord, après une troisième saignée, jugea son état assez grave pour faire **avertir** le roi ainsi que le neveu du maréchal, le comte de Frise. Celui-ci arriva à son chevet le 23. Découvrant la gravité de la situation, il fit appeler le docteur Sénac qui arriva de Paris le surlendemain. Sénac raconte dans ses Mémoires qu'il trouva le maréchal très affaibli. En le voyant, Maurice de Saxe eut les larmes aux yeux et lui dit : « **Il ne faut pas qu'on me sache malade, cela mettrait beaucoup de personnes de Paris aux alarmes**. » Mais à cette date, tout le monde était déjà au courant. À Paris, les gens bien informés ne parlaient que de la maladie du maréchal. La Pompadour, Polignac, Saint-Simon, **se manifestèrent. On cacha au maréchal cette rumeur**. Il croyait à son **rétablissement**. Son ami Lowendal, averti lui aussi, vint le voir le 26 novembre. À partir de là, le maréchal déclina rapidement et Sénac ne quitta plus son chevet. Le malade reçut son ancien aide de camp Sourdis le 28. Dans sa dernière période lucide, il dit à Sénac, et devant plusieurs autres témoins : « Docteur, la vie n'est qu'un songe. Le mien a été beau, mais il est court. » Le 30 novembre, à 6 h 45 du matin, il mourut. Le roi n'était pas venu le voir. La revue du *Mercure de France* indiqua simplement : « Maurice de Saxe, maréchal général des camps et armées du roi, chevalier de l'Aigle blanc de Pologne, est mort

n'étant âgé que de cinquante-quatre ans at only fifty-four years (of age)

une vieille femme an old maid

bouleversa turned upside down
à l'échelle on the scale
tonnèrent *here:* fired (*literally:* thundered)
sourd dull
brouillard fog
s'incliner bow down
dépouille body, corpse
incidents disturbances
éclatèrent broke out
procureur prosecutor
huissiers bailiffs
apposer affix
scellés seals
s'échauffa became heated
fit caused
refoulés shoved back
service d'ordre security service
trop zélé overzealous
fauteurs de troubles troublemakers
faire capoter have overturned
acquisitions foncières land gains
garder son sang-froid stay calm, keep his cool (*literally*: stay cold-blooded)
trop démesuré outrageous
budgétivore high-spending, expensive (*literally:* budget-devouring)

le 30 novembre à Chambord après huit jours de maladie, **n'étant âgé que de cinquante-quatre ans.** » La marquise de Pompadour eut le mot de la fin, et il fut cruel : « Le pauvre Saxe est mort dans son lit, comme **une vieille femme**, ne croyant rien, n'espérant rien. » Quant à la légende du duel, il faut en chercher la source, je suppose, dans la confusion qui a pu naître avec le combat entre La Grange et Chauvelin.

Polignac se fait des soucis pour le mur d'enceinte

La mort du maréchal **bouleversa** Chambord. On chercha à faire quelque chose de spectaculaire, **à l'échelle** de l'événement. On pensa aux canons de Raucoux. Pendant les dix premiers jours de décembre, les six pièces d'artillerie **tonnèrent** chaque quart d'heure, jour et nuit. Ensuite, toutes les demi-heures, puis après le 20 décembre toutes les heures. De loin en loin, un bruit **sourd** déchirait le **brouillard** et faisait trembler le sol. L'atmosphère était irréelle, macabre et confuse. Des visiteurs illustres se présentaient, désireux de **s'incliner** devant la **dépouille** du maréchal. Ils ne le pouvaient pas. Rien n'avait été organisé. Des **incidents éclatèrent**. Lorsque le **procureur** du roi, accompagné de deux **huissiers**, arriva pour **apposer** des **scellés** sur les appartements de Maurice de Saxe, il eut la surprise de voir que des scellés étaient déjà installés, à l'initiative de la Chambre des comptes. On **s'échauffa** sur des questions juridiques. Le conseiller Petit, mandaté par la Chambre, **fit** un scandale. D'autres visiteurs furent **refoulés** par un **service d'ordre trop zélé**. Les magistrats de la Chambre des comptes auront été des **fauteurs de troubles** à Chambord : Violle, du temps de François Ier, avait manqué de **faire capoter** les **acquisitions foncières** ; Petit, sous Louis XV, n'arriva pas à **garder son sang-froid**. L'endroit était décidément **trop démesuré**, trop irrationnel, trop **budgétivore** pour l'esprit bien calibré d'un juge des Comptes. Mort le maréchal, on ne savait

désormais from then on

mécanique funéraire funerary apparatus
On fit tendre de tissu noir les entrées du château They had the castle entrances hung with black cloth
uhlans Polish lancers
pénombre half-light
bougie candle
défunt deceased
mèche lock of hair, *but also:* candle wick
l'embaumement the embalming

entrailles entrails, guts
vermeil gilded silver
chaux vive quicklime

accoururent streamed in

deuil mourning

attelage team
caparaçonnés caparisonned [put on a horse's finery]
cercueil casket
dragons dragoons

plus très bien qui décidait à Chambord, qui **désormais** était le chef. Pourtant des initiatives étaient prises, des ordres étaient transmis. Une sorte de **mécanique funéraire** se mettait en marche. **On fit tendre de tissu noir les entrées du château**. On organisa une garde mortuaire avec des **uhlans**. Le deuxième soir, dans la **pénombre** de la chambre mortuaire, une **bougie** mit le feu à la chevelure du **défunt**. Petite catastrophe et grand émoi. Le garde qui se précipita pour éteindre la **mèche** avait l'impression d'avoir accompli un exploit de guerre. Le troisième jour, le chirurgien, Roth, procéda à **l'embaumement** du corps. On avait installé la dépouille dans la seconde anti-chambre du premier étage, sur une grande table à gibier recouverte de marbre, qui se trouve toujours à cet endroit. (À droite, en entrant, vous apercevrez une longue table de style baroque : c'est elle.) Les portes étaient gardées. À la façon de l'époque, on mit les **entrailles** du mort dans une urne et son cœur dans un vase en **vermeil**. Par son testament, le maréchal avait réclamé qu'on brûlât son corps dans la **chaux vive**, mais on l'ignora : les morts ne décident pas pour les vivants, même et surtout quand la gloire en a fait des symboles. Mi-décembre, on exposa l'urne et le vase. Des visiteurs **accoururent** de toute l'Europe pour s'incliner à Chambord devant les restes de celui que Frédéric II de Prusse avait appelé « le héros de la France, Turenne du siècle de Louis XV, professeur de tous les généraux d'Europe ». Le matin du 8 janvier 1751, sous la neige, les restes du maréchal quittèrent le château, accompagnés du régiment en **deuil**. L'inhumation était prévue à la cathédrale de Strasbourg. Saxe était luthérien : la seule solution trouvée pour l'enterrer avec les honneurs avait été de le faire en Alsace, où la religion réformée avait un statut autorisé. Le cortège partit par la porte de Muides. Devant, un **attelage** de six chevaux **caparaçonnés** de noir tirait le **cercueil**. Derrière, cent **dragons** fermaient l'escorte. Chambord perdait son souverain et se vidait de toute vie : les soldats quittaient le parc comme une hémorragie. Bientôt, il ne resta plus que les habitants du village et les gardes

viager life annuity

garnison garrison

exactions acts of violence

pendait hung
avait été reconvertie en écurie had been turned into a stable
dépotoir dump
vidanges drainage, run-off
tripaux guts, insides

insubmersible unsinkable
quatrième du nom the fourth
Saumery eut beau se démener Despite Saumery's best efforts

coulé à flots flowed

affectés apportioned, assigned

censé supposed

son voisin de palier neighbor on the same floor
rattaché posted

de la capitainerie. Dans son testament, le maréchal avait demandé au roi d'accorder à titre **viager** à son neveu Frise le château, le mobilier et la capitainerie de Chambord. Le roi ne s'y opposa pas, et le comte de Frise prit possession du domaine. Mais le neveu était déjà âgé ; il ne s'y intéressa guère. Il concéda la gestion du parc à des fermiers. Ils y développèrent le peu glorieux élevage du mouton. La **garnison**, ou ce qu'il en restait, ne tarda pas à se laisser aller. En janvier 1751, peu après le départ du convoi funèbre, des **exactions** commises par les troupes à l'intérieur du château requirent l'intervention des gendarmes d'Orléans. L'après-Saxe commençait mal. Le contrôleur des Bâtiments s'indigna bientôt de la dégradation des lieux : du linge **pendait** aux fenêtres du donjon, la grande salle sous la chapelle **avait été reconvertie en écurie**, les douves servaient de **dépotoir**. (« Ce sont les fossés du château qui servent à ces messieurs de **vidanges** pour les **tripaux** et où même ils jettent des moutons tout entiers. Je viens d'apprendre que les pêcheurs en avaient pris un dans leur filet au lieu de poissons... ») Puis Frise mourut, le château retourna à la couronne et l'on vit revenir l'**insubmersible** Saumery, **quatrième du nom**, qui reprit en main la capitainerie, ou du moins essaya. **Saumery eut beau se démener**, le château retombait dans la torpeur qu'il avait si souvent connue. L'argent, qui avait **coulé à flots** depuis une demi-douzaine d'années, se fit rare : à partir de 1752, les crédits destinés à l'entretien du domaine ne dépassèrent pas deux mille livres par an, cent fois moins qu'à l'époque du maréchal de Saxe. Les appartements du château furent **affectés** à des fonctionnaires en semi-disgrâce, comme Collet, contrôleur des Bâtiments, Camark, garde suisse, Godet, vitrier, ou encore Blanchard, couvreur... Saumery s'était réinstallé dans l'aile ouest ; il était **censé** être le patron de l'ensemble, mais il n'était plus le maître redouté d'autrefois. Il détestait cordialement **son voisin de palier**, le contrôleur Collet, **rattaché** à la direction des Bâtiments. Les deux hommes s'envoyaient des amabilités par écrit. Un jour de juillet 1762,

Les haines de voisinage Quarreling of neighbours
passe-temps pastime, hobby

sombrait lapsed

tableau tally, score [of animals killed]

se faisaient attendre kept people waiting

pacages grazing
si prisés du so prized by

réclama asked for

crédits funds

grands fusils big guns, *meaning:* VIPs, famous hunters
imprégné imbued

convint que cela ne faisait que raccorder le droit aux faits agreed that it only put the law in line with the reality
affublé du saddled with
accablant excruciating, oppressive

Collet, croisant sa voisine dans la galerie occidentale, près de l'aile de la chapelle, cassa une chaise sur le dos du chien de Mme de Saumery. On s'insulta. L'histoire remonta jusqu'au directeur des Bâtiments à Versailles. **Les haines de voisinage** tenaient lieu de **passe-temps** au château. Du chasseur Saumery et du bâtisseur Collet, on aurait eu du mal à savoir lequel méprisait le plus l'autre. L'administration du domaine **sombrait** dans la paralysie. Pour la chasse, ce n'était pas non plus le paradis. En dehors d'un très beau **tableau** obtenu pour la visite du duc d'Orléans la deuxième semaine de novembre 1757 (quarante-sept pièces de gros gibier, cerfs et sangliers), les grandes battues avaient disparu et les visiteurs illustres **se faisaient attendre**. Saumery avait de fortes ambitions pour la forêt, mais il était bien incapable de les mettre en œuvre. Cette fois, la capitainerie vivait ses dernières heures. Le gouverneur de Chambord s'employait à reprendre en main les gardes, à recommencer les chasses comme autrefois, cherchant à réduire les **pacages** à moutons et à éradiquer les sangliers **si prisés du** maréchal de Saxe, pour permettre le développement de la population de cerfs. Il remit en vigueur les « permissions de chasse », se réinstalla dans ses habitudes. Un officier des Eaux et Forêts, Duquesnoy de Moussy, **réclama** en vain du gibier, arguant que ses prédécesseurs en recevaient. Mais le gibier n'arrivait plus, car les **crédits** ne suivaient plus. Les habitants n'obéissaient plus. Les gardes n'en imposaient plus. L'atmosphère n'était plus la même. Les **grands fusils** du royaume préféraient chasser près de Paris. Le roi Louis XVI, **imprégné** des valeurs des Lumières[17] et franchement peu passionné par la chasse, finit par supprimer purement et simplement la capitainerie en 1777. Le marquis de Saumery **convint que cela ne faisait que raccorder le droit aux faits**. Il se retrouva **affublé du** titre **accablant** de « gouverneur, jardinier et concierge de Chambord

---

17 The Age of Enlightenment an 18th c. philosophy and cultural current, in which reason was recommended as the primary source for authority.

s'acheva ended

haras stud farm
charnellement carnally

billetterie ticket office
librairie bookshop
parvint à succeeded in
palefreniers grooms, wranglers
magasins à fourrage storehouses for fodder

tenture hanging
poser des papiers peints hangs wallpaper
veille eve
surbaissés lowered

». La période des grandes chasses ouverte par Villegomblain sous François Ier **s'acheva** ainsi assez pitoyablement. Quand un des gardes à cheval mourait, il n'était plus remplacé. En 1785, on ne trouve plus trace à Chambord que de sept gardes. En 1788, le dernier faisandier de Chambord décéda ; on ne lui nomma pas de successeur. Un nouveau responsable avait été nommé à Chambord en 1781, pas vraiment un chasseur mais un homme de cheval, ancien directeur des Haras de Paris : François de Polignac. Fort logiquement, Polignac arriva à son poste avec une idée lumineuse : créer un **haras**. Cet homme était fou des chevaux. Il les aimait **charnellement**, passait son temps aux écuries, montait cinq heures par jour. Il obtint des autorisations pour transformer en écuries toute la partie sud de l'enceinte basse du château (où se trouvent actuellement la **billetterie** et la **librairie**) et une partie des deux ailes en retour, et même une partie du rez-de-chaussée du donjon. En tout, il **parvint à** loger au château cent soixante chevaux de selle, les **palefreniers** et les **magasins à fourrage**. Pour le reste, c'est-à-dire les travaux urgents d'entretien des terrasses et des toitures, il manifesta moins de zèle. Mais il s'occupa de remettre des meubles, ceux du maréchal de Saxe ayant été déménagés à la mort du comte de Frise. François de Polignac prit argument d'un projet de visite du roi Louis XVI (visite finalement annulée) pour faire venir de l'ameublement et des tapisseries des réserves royales (de très belles pièces, dont la **tenture** de *Pastor et Fido*, aujourd'hui visible dans la salle des Chasses), et **poser des papiers peints** dans certaines chambres. À la **veille** de la Révolution, quelques appartements de Chambord, avec leurs plafonds **surbaissés** et des papiers à fleurs, se mirent ainsi à ressembler à des salons bourgeois du xixe siècle. En 1783, le duc de Polignac, grand frère de François, fut nommé gouverneur de Chambord. Il avait en théorie les pleins pouvoirs. Mais vu l'état de l'administration et le montant des crédits disponibles, ces pleins pouvoirs n'étaient pas grand-chose. Le duc aimait les

passoire sieve

réfection repairing
muraille fortifications

misère *here:* pittance

demeurait lived, resided

affectation allocation, *i.e.*, function
manufacture factory
On se borna à They settled for

lutter fight, struggle

ressource means of support/sustenance

prirent leurs aises took it easy [*simple past tense*]

bois. Son intérêt se porta sur le parc. En bon chasseur, il se préoccupa d'abord du mur d'enceinte, qui était devenu une vraie **passoire**. Il fit démolir ce qui restait du château de Montfraud, qui avait abrité des soirées animées au temps de la « petite bande » de François Ier, pour utiliser les pierres à la **réfection** de la **muraille**. Il s'occupa aussi de remettre en état les ponts sur le Cosson. Mais il ne donna pas suite aux rapports d'architectes qui réclamaient d'urgence des travaux d'étanchéité au niveau des terrasses du château. Il ne disposait que de quatre mille livres du budget annuel d'entretien, une **misère**. Au bout de quelques mois, le gouverneur repartit habiter à Paris, et ne vint plus que par intervalles au château où son frère **demeurait**. On commença, ou plutôt on recommença, à se demander à quelle fonction on pourrait affecter ce palais trop grand, si onéreux à entretenir, si loin de tout. Pour justifier des dépenses de maintien en état, il fallait trouver à l'édifice sinon une fonction générant des recettes, du moins une **affectation** utile à l'État. On imagina un régiment, puis une **manufacture**. Rien ne se fit parce que tout était trop cher. **On se borna à** faire fonctionner le haras. Pendant que son frère gouverneur résidait à Paris, François de Polignac, l'homme de cheval, se plaisait de plus en plus à Chambord où il jouait au paysan de la famille. Il n'était pas fier, pas intellectuel, pas compliqué. Tout le monde l'aimait bien, car il avait horreur des ennuis et disait oui à tout. Il refusait de **lutter** contre le braconnage, expliquant à propos des paysans : « C'est par besoin qu'ils braconnent, fermez les yeux et laissez-leur cette **ressource**. Si ce sont les fermiers qui tuent les lapins, laissez-les les manger en buvant à la santé du roi. Le roi en aura toujours assez s'il lui prend la fantaisie de venir chasser à Chambord. » Le roi ne vint jamais. Les chevaux **prirent leurs aises**. À la veille de la Révolution, des juments occupaient des stalles dans les salles en croix du donjon, au pied du grand escalier, sous le regard attendri de François de Polignac. Pour un peu, il les aurait installées dans sa chambre à coucher.

venait de surmonter par des miracles successifs deux siècles et demi d'outrage du temps had just survived through a succession of miracles; two and a half centuries of the ravages of time
s'apprêtait à was about to/readying to
défis challenges
abordait arrived at, came to
virage turn [of events]
en mauvaise posture with cards stacked against it (*literally:* in a bad position)
en voie de on the way to, in danger of
clochardisation becoming completely down-&-out
fumier manure
stocké *here:* piled
herbes folles wild grass
envahi invaded
failles rifts
retournent le sol dig/plow/break up the soil
layons pathways
dressée standing out/tall

prise capture
suites consequences

Saint-Barthélemy des petits lapins a slaughter of little rabbits

détenaient held

détention possession
censément ostensibly, supposedly

La Révolution : démolir ou pas

Chambord **venait de surmonter par des miracles successifs deux siècles et demi d'outrage du temps** ; en 1789, le château **s'apprêtait à** connaître des **défis** d'une autre nature et, comme d'habitude, il **abordait** un **virage** historique **en mauvaise posture**. Imaginons Chambord le 14 juillet 1789 : le château est dans un état peu brillant. En dehors de quelques appartements de fonction, dont celui, très confortable, de Polignac dans l'aile occidentale (autrefois appartement de Saumery), il est **en voie de clochardisation**. Des chevaux entrent et sortent dans le rez-de-chaussée du donjon. Du **fumier** est **stocké** dans la cour. Les toitures, comme si souvent dans le passé, attendent en vain des travaux urgents. Les douves sont à moitié comblées de détritus. Des beaux parterres du maréchal de Saxe, côté nord, il ne reste à peu près rien. Côté sud, un espace d'**herbes folles** a **envahi** la place d'armes. Le parc est mal surveillé, mal entretenu ; des loups entrent et sortent la nuit par les **failles** du mur. Des sangliers **retournent le sol** des beaux **layons** tracés autrefois pour le maréchal. La grande lanterne de François Ier, toujours **dressée** dans le ciel de Sologne, semble avoir quelque chose d'anachronique et d'incongru. Dans l'air flotte un parfum de fin d'époque. La **prise** de la Bastille et ses **suites** eurent à Chambord une conséquence immédiate : l'explosion du braconnage. (Ce fut d'ailleurs le cas partout en France, avec la fameuse « **Saint-Barthélemy**[18] **des petits lapins** », au lendemain de la nuit du 4 août de l'été 1789, qui révéla aux États généraux que les paysans français **détenaient** chez eux une quantité impressionnante de fusils de chasse et de munitions, armes dont la **détention** était **censément** interdite.) Dès l'annonce de l'abolition des privilèges, les riverains, en particulier ceux des

---

18 On St. Bartholomew's feast day, August 23rd 1572, the massacre of Protestants (Huguenots) started in Paris, raging on for several weeks until spreading outside Paris and leaving many thousands dead.

proprement éboulé completely tumbled down

fut décimée was decimated
Royal-Cravattes royal cavalry originally composed of Croatians (Kravata), from whose uniforms comes the neckwear [cravat]
dépêché par deux fois sur place dispatched twice to the spot
exactions violent acts

pillards looters

truffé chock full, riddled
réclamèrent called for
pressentaient confusément had a vague premonition of
l'orage a thunderstorm

foule mob
casseurs rioting demonstrators
malmené abused
était parti had left/departed
émigrés de la première heure first emigrants [that left Chambord]
petits larcins petty thefts
au jour le jour on a daily basis

ôter *removed*
se brisent *break, shatter*
dénués *deprived*
poutres *beams*
solives *joists*

limites est, vers Thoury, ouvrirent des brèches dans le mur du parc. Plus que des brèches : de véritables portes, sans se cacher nullement. Ils s'imaginaient que ce mur dissimulait le paradis. L'abolition des privilèges, c'était le paradis du voisin offert à chaque citoyen. En quelques semaines, le mur fut **proprement éboulé** en plusieurs endroits ; on y entra gaiement. La population de cerfs **fut décimée** ; beaucoup d'arbres furent coupés. Un détachement du **Royal-Cravattes** dut être **dépêché par deux fois sur place** pour faire cesser les **exactions**. La cinquantaine de soldats n'eut aucun mal à faire arrêter les excès. Mais le climat devenait étrange. Autour du domaine, la population vivait de rumeurs. C'était l'époque de la « grand-peur ». On imaginait que des **pillards** venus de Paris étaient sur le point d'arriver aux portes du Val de Loire. On racontait que le château de Chambord était **truffé** de munitions de guerre et de canons. Des habitants **réclamèrent** une inspection. Ils **pressentaient confusément** une énorme explosion, comme les animaux avant **l'orage** ou les vieux peuples aux approches des drames historiques. Au vrai, la petite population de Chambord était plus intéressée par le parc, son bois et son gibier que par le château lui-même, qu'aucune **foule** en colère, aucune troupe de **casseurs** n'eut l'idée d'envahir. Le glorieux édifice n'avait d'ailleurs pas besoin de cela pour être **malmené**. Polignac **était parti** avec les **émigrés de la première heure**. L'entretien du donjon, déjà réduit à presque rien du temps qu'il était sur place, s'arrêta complètement. Des **petits larcins** étaient commis **au jour le jour**. Dans son rapport de juillet 1790, René Honoré Marie, contrôleur des Bâtiments, fit la description suivante :

La partie du château qui n'est point meublée est absolument abandonnée. M. de Polignac en avait fait ***ôter*** *toutes les fenêtres. Aux unes, il reste les volets qui ne sont point arrêtés et qui* ***se brisent*** *journellement par les coups de vent ; d'autres, qui sont absolument* ***dénués*** *de tout, laissent la liberté de l'eau de pluie pourrir les* ***poutres****, les* ***solives*** *et même les carreaux dont* [sic] *les habitants du*

mauvaises planches *rotten/old boards*
défendre *forbid*

braderie clearance sale
s'échelonna de took place from (the)

répertoriés inventoried, listed

racheter repurchasing
vantent boast
à vil prix at a bargain

des indélicats undesirables, unscrupulous
arracher tear out
lambris mouldings
parquets parquet flooring
ossature skeleton

lit pliant folding bed, cot
franchir getting through

poursuivirent carried on, persevered

se voulait was intended to be
préconisait heartily recommended

lieu viennent chercher quand ils veulent. J'ai pris sur moi d'ordonner que toutes les fenêtres soient fermées avec de ***mauvaises planches*** *et de* ***défendre*** *l'exportation et enlèvement de carreaux.*

Un mois plus tard, une fois le haras fermé et les chevaux vendus, des commissaires des Domaines vinrent à Chambord faire l'inventaire du mobilier pour organiser sa dispersion. La vente – « la **braderie** », faudrait-il dire – **s'échelonna de** fin octobre à début novembre, dans une grande confusion. Les meubles de Polignac et les meubles du mobilier royal ne furent pas séparés ni **répertoriés**, de telle sorte qu'à la différence de Versailles, Chambord est à peu près incapable aujourd'hui de **racheter** son ancien ameublement. Plusieurs maisons des environs, dans le Loir-et-Cher, se **vantent** de posséder telle table ou tel fauteuil achetés **à vil prix** à Chambord lors de la vente de 1790. La chose est le plus souvent impossible à prouver, s'agissant des meubles de Polignac, qui n'étaient pas marqués. De surcroît, la mise en vente des meubles de Chambord s'accompagna de pillages. On vit **des indélicats** revenir la nuit pour **arracher** des **lambris** et des **parquets**, emporter des fenêtres, sortir les plus belles portes, et même retirer du plomb des toitures. À partir de 1791, le château de Chambord n'était plus qu'une grande **ossature** démeublée. En dehors des lambris inviolés de la chambre du maréchal de Saxe et de quelques portes, à peu près toutes les décorations intérieures avaient été retirées. Il ne restait alors en tout et pour tout que deux meubles dans l'ensemble des quatre cent quarante pièces : la table à gibier, qui avait servi lors de l'embaumement du maréchal de Saxe, sans doute parce qu'elle était trop lourde à emporter, et un **lit pliant** de valet de chambre, sans intérêt et trop large pour **franchir** la porte. Ces deux meubles sont d'ailleurs toujours à leur place aujourd'hui. En novembre 1790, des élus du Loir-et-Cher **poursuivirent** la logique de dévastation : ils adressèrent à la Convention un projet de démolition du château. Le texte de la motion **se voulait** militant : il **préconisait** la destruction totale du bâtiment afin de

repaire de vautours vulture's lair
anéanti razed

écurie stables
grenier *here:* granary
un crédit terms of credit
appesantis weighed down
joug yoke
affreux dreadful
appellerait would be the object of

refouler suppress, *i.e.*, deny, rewrite
haïr hate
sous couvert de bons sentiments disguised as good humor
sournois insidious
haine hatred

n'eut pas de suite did not occur
des élus imaginatifs some imaginative people

naguère former

enrageait was furious

doigté tact, skill, dexterity
l'enjeu the stakes/issue
mensonge lie
écarta ruled out, removed
rasons-le let's level/raze it

« transformer ce **repaire de vautours** en habitations de bons patriotes ». Avec les pierres du château **anéanti**, seraient édifiées « cinquante habitations composées de deux chambres, une **écurie** et un **grenier** ». La colonie ainsi créée, portant le nom de Dumouriez, serait vendue par lots avec **un crédit** de vingt ans, ce qui permettrait l'accès à la propriété des « malheureux habitants depuis longtemps **appesantis** sous le **joug** du despotisme le plus **affreux** ». Ce texte **appellerait** de nombreux commentaires. Comparer le maréchal de Saxe, Louis XIV, François Ier à des « vautours », et assimiler le château à un « repaire », voilà un signe de cette maladie périodique de la politique qui consiste à se mettre à **refouler** sa propre histoire, à la **haïr**, à se repentir de tout, et pour finir à détester la vie, **sous couvert de bons sentiments**. Parler de « despotisme » à propos du piteux Polignac est un signe plus **sournois** de la **haine** vouée aux faibles par les esprits conquérants, en temps de révolution. La fin de la République romaine avait connu cela. Cependant, le projet de démolition **n'eut pas de suite**. Chambord, que **des élus imaginatifs** avaient rebaptisé « Borchamp », resta debout. Un homme discret, en effet, mettait toute son énergie à sauver le château : René Honoré Marie. Contrôleur des Bâtiments du roi sous Louis XVI, ami **naguère** de Polignac, Marie avait été chargé de la conservation de Chambord et était tombé amoureux du site et de sa longue histoire. À l'époque de Polignac, déjà, il **enrageait** que l'État n'envoie pas davantage de crédits d'entretien. Une fois la Révolution engagée, il défendit son château avec **doigté** et persévérance. Sa première tactique consista à minimiser **l'enjeu**. « L'édifice, écrit-il en 1790, n'exige qu'un très léger entretien de conservation. » Par ce pieux **mensonge**, il **écarta** une première option qui consistait à dire : puisque ce bâtiment coûte cher, **rasons-le**. Mais les partisans de la destruction ne désarmaient pas. Alors Marie expliqua que la démolition du château coûterait des sommes colossales. Un peu de temps passa. En août 1793, le château étant toujours là, Marie fut chargé par

emblèmes de la royauté royal insignia

inouï amazing

le fouiller de fond en comble scour it from top to bottom

à marteler (that were to go under the) hammer
dizaines de couronnes dozens of royal crowns
aiguilles hands
cadran dial, clock face
ladite aforementioned
l'entrepreneur the contractor

préconiser advocate

effrayée alarmed
ne donna pas suite did not follow through

s'écoula slipped by/away

industriel industrialist

éconduits rejected

défendirent advocated, made a case for

la municipalité de réaliser un inventaire des **emblèmes de la royauté** existant dans l'édifice afin de les détruire. Marie conduisit son travail avec un zèle **inouï**. Il aimait le château. Avec son collègue Jacques Guillon, architecte à Blois, il saisit l'occasion pour **le fouiller de fond en comble**. L'affaire prit plusieurs mois. Les deux experts dressèrent enfin une liste exhaustive et interminable des centaines de fleurs de lis **à marteler**, et des **dizaines de couronnes** à effacer sur les murs, les cheminées ou les plafonds. Rien ne fut oublié. Par exemple, à propos des **aiguilles** de l'horloge, Marie écrit : « Supprimer à l'aiguille du **cadran** la fleur de lys et le L qui sont aux deux extrémités de **ladite** aiguille, cet article estimé à la somme de six livres, attendu que **l'entrepreneur** sera obligé de faire la pointe d'une flèche du côté des heures... » Bref, Marie réussit à **préconiser** un travail gigantesque, pour un devis qui ne l'était pas moins : plus de cinq milles livres en tout, un an de crédits de fonctionnement. L'administration, **effrayée** par la lourdeur des travaux à réaliser, **ne donna pas suite**. Grâce à Marie, Chambord est ainsi un des rares châteaux royaux à avoir conservé ses emblèmes. (Pour ce qui est de la fameuse horloge, elle a été descendue de la façade au XIXe siècle, mais elle est visible dans l'exposition permanente de la tour François-Ier. Ses fleurs de lis sont toujours à leur place.) Puis le temps **s'écoula** et l'idée de démolir le château passa de mode. Sauvé, le château ne l'était pas pour autant, car on ne savait qu'en faire. Des particuliers se manifestèrent pour le racheter comme bien national. Un **industriel** d'Orléans, Gilles de Mainville, fit des démarches en ce sens, puis un commerçant de Bracieux, Gilles Limozin, qui proposa de le prendre en location. Ils furent **éconduits**. D'autres songèrent à des projets d'intérêt public : l'abbé Rozier présenta un plan d'école d'agriculture. La Société des amis et la Société des quakers, présidées respectivement par un médecin français, Jean Marcillac, et un quaker irlandais, Robert Grubb, **défendirent** avec l'appui de l'abbé Grégoire un projet d'école d'enseignement

poudrerie gunpowder factory
aménagea des ateliers set up shop
ouvriers workers
autrichiens Austrian
usine factory

maison d'arrêt correctional facility
perdait contenance lost confidence
était ouvert à tous les vents was left exposed to the elements (*literally*: was open to all winds)
régie government control, administration
relouées leased again
des particuliers certain individuals
ignorons don't know
gestion cynégétique hunting management
alla bon train was going well
anciens elders

ne se laissa pas convaincre did not let himself be convinced/persuaded

dépérissait was rotting away/falling into ruin
chef-lieu administrative center
cohorte cohort (*i.e.,* division, group)
service administrative department

gratuit. Aucune de ces propositions n'eut de suite, et, pendant ce temps, le château se dégradait, malgré la vigilance de Marie. On finit par trouver une idée : on installa dans le château des magasins à fourrage, en juillet 1793. Puis, l'année suivante, le district de Blois autorisa l'installation dans le donjon d'une **poudrerie**. On cassa des plafonds pour faire de la place. On **aménagea des ateliers**. On modifia deux cheminées. On fit venir cent quarante-huit **ouvriers**, essentiellement des prisonniers de guerre **autrichiens**. Tout ce monde allait et venait dans les salles en croix du donjon, transformées en **usine**. Mais l'atelier ne fonctionnait pas comme on voulait. On le remplaça très vite par une **maison d'arrêt** qui, elle aussi, ne dura pas. La République, devant ce palais, **perdait contenance**. Pendant ce temps, le parc **était ouvert à tous les vents**. Les sangliers revenaient. Le matériel agricole avait été vendu et les fermes exploitées en **régie**, **relouées** à **des particuliers**. Un militaire, le général de Romée, reçut pour mission de « détruire le gibier ». (On n'osait plus parler de chasse.) Nous **ignorons** le résultat de sa campagne, ni d'ailleurs ce qu'il en fut de la **gestion cynégétique** du parc au cours des quinze années suivantes. Nul doute que le braconnage **alla bon train**. Après le traité de Campoformio, en 1797, le conseil des **anciens** proposa d'offrir Chambord à Bonaparte en remerciement de ses victoires, comme Louis XV l'avait fait avec le maréchal de Saxe. Mais le Directoire[19] **ne se laissa pas convaincre**. (Et d'ailleurs Bonaparte n'était pas intéressé.) Une fois nommé Premier consul, Bonaparte repensa au château. On lui indiqua qu'il **dépérissait**. Il eut alors une idée : y installer le **chef-lieu** de la quinzième **cohorte** de la Légion d'honneur. Les cohortes de la Légion d'honneur, nouvellement créées, avaient pour vocation d'assurer un **service** pour les membres de l'ordre, et surtout de

---

19 Le Directoire or Dictorate consisted of a board of five Directors that held executive power in France from 2 November 1795 until 10 November 1799, that constitutes the second to last stage of the French Revolution.

fédérer forming a federation of
l'égide the aegis
préfet prefect
Rien à voir avec Nothing to do with, Nothing like
découpage apportionment, divvying up
aboutit was carried out

cafouilla got in a muddle, stumbled

reconnut scouted out
revint came back
effondré distraught, crestfallen

réaménagé refurbished
dotation endowment
l'enjeu the issue/problem/dilemma
de quoi the means
mener à bien to complete successfully
végétèrent vegetated
seuil (the) threshold
désaffecté disused

fédérer les départements sous **l'égide** d'une espèce de **préfet** de Région, le chef de cohorte. La quinzième cohorte regroupait les départements du Loir-et-Cher, de l'Indre, de l'Indre-et-Loire, du Loiret, de la Sarthe et de la Creuse. (**Rien à voir avec** le **découpage** improbable qui **aboutit** deux siècles plus tard à la création de la Région Centre.) Le chef-lieu de la quinzième cohorte fut désigné par un décret du 13 messidor an X[20] (2 juillet 1802), signé par Napoléon Bonaparte. Chambord, sous le soleil de messidor, se mettait à rêver de gloire et de prospérité. Le château devenait chef-lieu de quelque chose ; il allait abriter de prestigieux bureaux ; l'argent allait revenir. C'était la théorie. En pratique, l'institution des cohortes, dès le départ, **cafouilla**. Les préfets n'aimaient pas cette nouveauté, ni les financiers, ni les élus. On ne lui donna pas sa chance. Le général Augereau, nommé chef de la quinzième cohorte, attendit août 1804 pour aller visiter Chambord. Il **reconnut** les lieux en compagnie de l'architecte des Bâtiments, Marie. Il en **revint effondré** : les travaux à faire étaient énormes. Il fallait reconstruire le mur du parc sur des centaines de mètres ; le château devait être entièrement **réaménagé**. La **dotation** financière de la cohorte n'était pas à la hauteur de **l'enjeu**. Grâce à son poids personnel, Augereau obtint **de quoi** réparer le mur du parc (quarante et un mille francs de l'époque) et de quoi **mener à bien** les travaux de réparation d'urgence des terrasses. Mais il ne s'y installa pas. Et d'ailleurs les cohortes, jugées inutiles, **végétèrent** avant d'être purement et simplement supprimées. Au **seuil** de l'Empire, le château était hors d'eau, entouré de murs réparés, mais **désaffecté** et pratiquement vide. Marie, logé sur place, veillait aux travaux

20 During the Revolutionary period (1793-1805), France abandoned the Julian calendar in favor of their own decimal system for newly reckoning years and months with the years starting at Roman numeral I and the twelve months receiving brand-new names. Messidor was the tenth month in the French Republican Calendar. Like all FRC months it lasted 30 days and was divided into three 10-day weeks called *décades* (decades).

futaies stands [of old/tall trees]
bois d'œuvre timber

emprises expropriations
l'élevage raising
affecta assigned
curage dredging

tâche task
volontiers readily, gladly
attribuée assigned
château de Schönbrunn Viennese palace and a former imperial summer residence

prélevée sur taken from, levied on

d'entretien courant. Les fermes avaient été réduites au nombre de vingt-huit, et la forêt, où subsistaient quelques **futaies** de **bois d'œuvre**, fournissait une maigre ressource. Le trésorier de la Légion d'honneur, Fontenay, avait aidé à faire disparaître les traces des ateliers dans le château et à restructurer les **emprises** agricoles. Il avait développé **l'élevage** des moutons mérinos et entrepris de replanter la forêt. On **affecta** des prisonniers de guerre (des Russes, essentiellement) au **curage** du Cosson, comme l'avait fait naguère le maréchal de Saxe : le curage des rivières est une **tâche volontiers attribuée** aux prisonniers de guerre. Chambord était peu à peu remis en état, mais attendait un emploi, et plus encore attendait d'être aimé. Napoléon songea à une école. Du **château de Schönbrunn** où il était en campagne, il signa, le 15 décembre 1805, un décret créant à Chambord une maison d'éducation de jeunes filles des membres de la Légion d'honneur. Fontenay, le trésorier, était chargé de réaliser les aménagements nécessaires, dans la limite d'un budget de quatre-vingt mille francs. Mais l'école ne vit jamais le jour. Les collèges furent finalement fondés à Saint-Denis et à Écouen. Au lendemain de Wagram[21], l'Empereur trouva la solution : il donna Chambord au maréchal Berthier, et afin que le cadeau ne soit pas empoisonné, il lui attribua pour l'entretenir une rente de six cent mille francs, **prélevée sur** la compagnie de navigation du Rhin. Chambord avait traversé la tourmente révolutionnaire sans trop de dégâts.

Chambord, principauté de Wagram

Louis Alexandre Berthier, c'est le contraire du maréchal de Saxe. L'homme est discret. Il n'est pas le bâtard d'un roi exotique, mais le fils légitime d'un fonctionnaire méticuleux. Il parle bien

21 The Battle of Wagram (July 5–6 1809) was the most important military engagement of the War of the Fifth Coalition that saw Emperor Napoleon I defeat an army of the Austrian Empire.

se méfie de is wary of
l'apparat pomp, being on ceremony
devancier forerunner

perd les pédales loses his head
surdoué exceptionally gifted
typographe typographer
roturier a commoner

coup de pouce imprévu unexpected boost
chef d'état-major head of general staff

grand veneur officer in charge of the emperor's hunting expeditions

connétable commander of the French armies
ordonné arranged

OPA **Offre Publique d'Achat** (*figuratively:* takeover bid)

tenait pour considered, held to be
fiables reliable
ses proches those of his inner circle

parti faire campagne sans perspectives gone to fight a campaign without prospects
on a beau avoir du succès even if one is successful
on ne se renie pas one doesn't change one's character

et peu. Il ne fait pas de fautes d'orthographe. Il **se méfie de l'apparat**. Mais il a au moins deux points communs avec son illustre **devancier** : il aime la chasse et il sait comment on gagne les guerres. Troisième point commun : quand viennent l'âge, l'argent et la gloire, il **perd les pédales** avec les femmes. Berthier connaît la vie. Jeune **surdoué**, ingénieur **typographe** à quatorze ans, il a participé aux côtés de La Fayette à la guerre de l'Indépendance américaine, à un rang modeste. Il était **roturier** et sans fortune ; son rêve était de devenir officier supérieur : il fut ministre, maréchal et prince. Comme à d'autres militaires talentueux de sa génération, la Révolution avait donné à sa carrière un **coup de pouce imprévu**, un coup de pouce proprement révolutionnaire. Général, **chef d'état-major** de Napoléon, puis ministre de la Guerre, Berthier est fait, le 19 mai 1804, maréchal de France. Il est alors dans la cinquantaine, l'âge de la dernière chance. Il devient pressé. Il prend goût aux honneurs. L'ascension s'accélère. Berthier est nommé **grand veneur**. Puis duc. Puis prince souverain de Neuchâtel, en Suisse. Puis vice-**connétable** de l'Empire. Puis gendre du frère du roi de Bavière (Napoléon a **ordonné** son mariage avec Élisabeth de Bavière). Puis prince de Wagram. Le tout en quatre ans. À cette époque, une génération de soldats français qui avaient eu quinze ans sous Louis XVI, lançait une **OPA** sur l'Europe. Berthier en était. Au lendemain de sa victoire décisive contre l'Autriche, Napoléon voulut récompenser celui qu'il **tenait pour** l'un des plus **fiables** de **ses proches**. Il fit à sa manière habituelle : il signa un décret. Le décret en question, daté du 15 août 1809, de Schönbrunn, érige le domaine de Chambord en « principauté de Wagram ». Et il désigne un prince : Louis Berthier. Pour le passionné de chasse, pour le fervent disciple du maréchal de Saxe, pour l'ancien soldat **parti faire campagne sans perspectives**, c'est plus qu'un rêve qui s'accomplit : c'est le paradis. Mais **on a beau avoir du succès, on ne se renie pas**. Le prince Berthier, pour commencer, agit en petit-bourgeois.

toutes affaires cessantes complete compliance, (it) takes precedence over all other activities
régisseur manager
sable *heraldic term:* black enamel

dextre *heraldic term:* on the right
gueule *heraldic term:* red
brocher stitch
empiétant *heraldic term:* clutching
foudre *heraldic term:* lightning bolt
lésiner skimp
Commilitoni (*Italian*) *Comrades-at-arms*

en outre in addition, moreover

milliardaire billionaire
se borna à limited himself to
badigeonne whitewash
chaux lime

à la Monte-Cristo as in the famous adventure novel *The Count of Monte Cristo* by Alexandre Dumas, *père* (1802-1870)
s'affichait swanned around, showed off

D'urgence, il fait mettre des « W » sur son linge. Et il demande **toutes affaires cessantes** au **régisseur** de Chambord de faire sculpter ses armoiries sur les cheminées du château. Il précise : d'azur au « W » d'or accosté d'un bras armé d'une épée de **sable**. On a les logos qu'on peut. Comme la chose est un peu trop simple, son conseil en communication, c'est-à-dire son héraldiste, lui suggère d'y adjoindre, à **dextre**, les armes de Neuchâtel (de **gueule** à trois chevrons de sable) et de **brocher** sur le tout les armes de Napoléon : d'azur à l'aigle d'or **empiétant** un **foudre** du même. Et, pour ne pas **lésiner**, de mettre dessous une devise latine, suggérant son compagnonnage avec l'Empereur triomphant : ***Commilitoni*** *victor Cæsar*. Par chance, Berthier n'eut pas le temps de venir surveiller les travaux de décoration. Sur les presque trois cents cheminées du château, trois ou quatre seulement ont eu droit à la nouvelle sculpture. Chercher les « W » sur les corniches et les cheminées est un exercice amusant pour le visiteur de Chambord. Vous en trouverez quelques-uns, plutôt au premier étage. Berthier avait reçu pour l'entretien du château une rente généreuse. Il disposait **en outre** de dividendes énormes sur des affaires en Westphalie et à Hanovre. Bref, l'homme était **milliardaire.** Mais il ne voulait pas dépenser tout son argent à Chambord. En dehors des blasons sur les cheminées, il **se borna à** demander qu'on **badigeonne** à la **chaux** les murs intérieurs (il reste un peu partout des traces de ces badigeons), et qu'on surveille les toitures. Il désirait que Chambord fût capable de s'autofinancer. Cependant, les milliers d'hectares de la forêt, même surexploités, et le produit des vingt-huit fermes solognotes ne permettaient pas de folies. Sa fortune, Berthier la réservait à ses appartements parisiens et à son château de Gros-Bois où il organisait des chasses somptueuses et des réceptions **à la Monte-Cristo**. Il **s'affichait** là-bas avec une maîtresse peu discrète, Guiseppa Visconti. Sa femme Élisabeth faisait celle qui ne remarquait rien. En 1810, Berthier se décide enfin à venir passer quelques jours à « Wagram » (c'est-à-dire à Chambord) avec un

plastronne swaggers
pinaille quibbles

peupliers poplars

nains de jardin garden gnomes

veillait oversaw

naviguer à vue play it by ear, keep a watchful eye on events (*literally:* navigate by sight)
déboires setbacks, difficulties
surfa surfed
fit volte-face flip-flopped (*literally:* pulled an about-face)
à l'abri in a secure place
déchéance deposition
se rallia à joined, rallied to
inspiré des auteurs latins *i.e.*, inspired to follow the example of stories by ancient Roman authors of noble political suicides
prévisible predictable

évanouies gone, vanished

groupe d'amis. Il chasse, il monte à cheval, il **plastronne**, il inspecte, il **pinaille**, il donne des ordres : il joue au maréchal de Saxe. Il commande des coupes de futaies (pour gagner de l'argent) et des plantations de **peupliers** le long de l'avenue de Muides (pour en économiser). Le maréchal vient d'être père d'une fille, Lina. Il donne le nom de Lina à l'une des fermes du domaine. (Le bâtiment à gauche de la place d'armes, quand on regarde vers le château.) Pour un peu, il aurait appelé le château « domicile adoré » et installé des **nains de jardin** dans le parc. Par chance, après trois jours, il quitta les rives du Cosson et n'y remit plus les pieds. L'insubmersible architecte Marie **veillait** sur la principauté, assisté puis remplacé par un certain Jardieu. Les temps étaient compliqués ; Berthier était un homme. Lui, le fidèle des fidèles, le plus proche des fils spirituels de Napoléon commença à **naviguer à vue** au moment des **déboires** de son maître. Il écrivit à sa femme qu'il en avait assez des guerres de Napoléon ; il rêva d'une retraite bourgeoise. Il **surfa** sur l'Histoire : il **fit volte-face** en 1814, mit son argent **à l'abri**, signa de sa main l'acte de **déchéance** de l'Empereur et **se rallia à** Louis XVIII. Le retour de l'île d'Elbe lui occasionna quelques scrupules, et même quelques ennuis. Alors, il fit ce que tout homme **inspiré des auteurs latins** à sa place aurait fait : il tomba accidentellement de sa fenêtre, le 1er juin 1815. Il était au troisième étage ; il mourut sur le coup. La princesse de Wagram connut un **prévisible** revers de fortune : veuve à trente et un ans, Élisabeth n'avait plus que des dettes. Chambord, mis sous séquestre pendant les Cent-Jours[22], lui fut restitué en juillet 1815. Mais les rentes de Hanovre s'étaient **évanouies**. Après Waterloo, les revenus de la Compagnie de navigation du Rhin disparurent à leur tour. L'intégration de la jeune femme dans la société de la Restauration, où les émigrés rentrés en France

---

22 The Hundred Days -- The politically unsettled period of 111 days between Napoleon's return from exile on Elba to the second restoration of King Louis XVIII.

tenaient le haut du pavé held the highest rank in society (*literally:* had the highest part of the pavement – away from street refuse)
n'était pas une partie de plaisir *idiomatic*: was no picnic
s'efforce tries hard
rang rank, status
se tait keeps quiet
met en location offers for rent
tir shooting
cibles targets
Dieudonné God-given [the name of one of the castle's towers]

douilles [spent] cartridges
crottin dung
coupes claires selected cutting

subvenir à l'entretien meet/provide for the maintenance

en majorat de grand dignitaire according to inheritence by primogeniture of a property attached to a peerage
foncier property

abroge repeals

tour turn

pire worse
la Bande noire The Black Gang [a group of speculators]

tenaient le haut du pavé, n'était pas une partie de plaisir. D'abord, la princesse **s'efforce** de tenir son **rang**. Elle réduit les dépenses, elle **se tait**. Cet effort ne suffisait pas. L'année suivante, Élisabeth Berthier **met en location**, discrètement, le château de Chambord. Elle trouve un preneur au prix de quatre mille francs par an en la personne de Mr Thorton, un colonel anglais. Le personnage, d'une grande vulgarité, vient habiter sur place pendant dix-huit mois. Il est passionné de **tir**. Il installe des **cibles** sur le mur extérieur de la tour **Dieudonné**, dans le donjon. (On trouve des traces d'impact sur la base du mur. Elles ne sont pas dues à des balles prussiennes de 1870, comme on l'entend dire, mais aux exercices de ce locataire.) L'indélicat pensionnaire vide les lieux en 1818, laissant derrière lui des **douilles** et du **crottin**. Cette fois, la veuve Berthier est bel et bien sans ressources. Malgré les **coupes claires** qu'elle doit consentir à nouveau dans la forêt (en particulier l'exploitation de toute la parcelle proche de la Thibaudière, nommée depuis lors « parcelles des Ventes malheureuses », où les arbres ont été abattus trop jeunes et mal vendus), elle ne peut plus **subvenir à l'entretien** du domaine. Elle veut le mettre en vente. Mais elle n'en a pas le droit : la principauté de Wagram ayant été constituée **en majorat de grand dignitaire** par le décret du 15 août 1808, le **foncier** qui la constitue est inaliénable. La veuve écrit au roi. Elle essaye de le voir. Elle le supplie de l'autoriser à vendre Chambord. Finalement, Louis XVIII accepte. Par une ordonnance du 19 septembre 1819, il **abroge** le décret de 1808. Chambord devient une propriété comme les autres. Le domaine est désormais aliénable ; il ne manque pour la vente qu'une approbation du Parlement. Aussitôt l'affaire prend un **tour** politique. La presse s'inquiète. Des politiques, des gens de lettres se scandalisent. Tous craignent que le domaine ne soit vendu par lots ou, **pire,** qu'il soit acquis par **la Bande noire**, un groupement de spéculateurs fonciers, qui s'est spécialisé dans l'acquisition de châteaux et d'abbayes pour les démolir et revendre les matériaux de construction.

sauvetage rescue
réclame calls for
affectation occupancy, utilization

en passe de on the point of, a step away from
rejoindre joining
Cîteaux et Cluny two historic, architecturally important abbeys that were dismantled

s'enticha du became infatuated with

opiniâtreté obstinacy

dépecer dismember

Début 1820, le bruit court que Mme Berthier a été approchée par la Bande noire. Victor Hugo écrit un article alarmiste : « Guerre aux démolisseurs ! » Les élus de Loir-et-Cher, qui trente ans plus tôt appelaient à la démolition du « repaire de vautours », adressent cette fois une pétition à la Chambre des députés pour exiger le **sauvetage** de l'édifice. Un débat est organisé. Le député de Loir-et-Cher Salaberry **réclame** le retrait de l'ordonnance. Le député Girardin propose de trouver une **affectation** pour le château. Il suggère que l'État le rachète à Mme Berthier et l'affecte aux Haras nationaux. Mais la veuve a ses partisans. Le 18 avril 1820, au terme de débats vifs, la Chambre vote à la majorité la vente de Chambord. Le château, qui avait traversé sans encombre la Révolution, est **en passe de rejoindre Cîteaux et Cluny** dans le cimetière des merveilles de l'architecture française.

L'enfant du miracle

Chambord avait traversé trois siècles grâce à une série de miracles : il y avait eu l'enthousiasme imprévu de Gaston d'Orléans, qui **s'enticha du** château menacé et le sauva de la ruine ; il y avait eu le mariage imprévu de Louis XV et l'arrivée salutaire de Stanislas pour refaire les terrasses, puis le séjour tonitruant du maréchal de Saxe, et ensuite la discrète **opiniâtreté** de l'architecte Marie pour tenir à distance les démolisseurs. Il fallait donc s'y attendre : au moment où la Bande noire s'apprêtait à **dépecer** Chambord, un nouveau miracle allait sûrement arriver. Il arriva. Le miracle, cette fois, fut incarné par un enfant. C'est un peu compliqué. En 1820, le roi Louis XVIII était âgé de soixante-cinq ans et n'avait pas de descendance. Il avait donc théoriquement pour héritiers les enfants de son frère le comte d'Artois, le futur Charles X. Mais l'aîné des enfants de Charles ne pouvait pas avoir d'enfant non plus et son cadet, Charles Ferdinand, duc de Berry, n'avait qu'une fille. L'héritier légitime attendu serait donc le fils, s'il se décidait à naître, de Charles Ferdinand de Berry. Je continue. Le 13 février 1820, alors qu'il

durcissement hardening, toughening [of stance/position]

ulcéré revolted, disgusted

aïeul ancestor

maires mayors
préfets prefects
rassembler to round up/gather
au nez et à la barbe in defiance of
dans sa manière as was his usual style
prit grand soin took great care
parrainage patronage, sponsorship
souscription underwriting
élan fervor

tombait à pic couldn't have come at a better time, came just at the right moment

sort de l'Opéra avec son épouse Marie-Caroline, le duc de Berry est assassiné. Mais Marie-Caroline est enceinte de deux mois. Et le 29 septembre 1820, sept mois après la mort de son père, naît l'héritier du trône de France, Henri, qui reçoit le titre de « duc de Bordeaux ». On l'appela aussitôt : « l'enfant du miracle ». L'assassinat du duc de Berry, la naissance posthume de son fils, avaient nourri, pendant tout ce temps, les conversations et les articles de la presse, et provoqué un **durcissement** du régime, disputant la place dans le débat public à l'affaire de la vente de Chambord qui continuait à agiter les esprits. Ici survient un personnage providentiel, le comte de Calonne. Adrien de Calonne était un militant passionné au service de la cause de Chambord. Le vote de la Chambre mettant Chambord en vente l'avait **ulcéré**. La naissance du duc de Bordeaux lui donna une idée lumineuse : lancer une souscription nationale pour offrir Chambord à l'enfant qui venait de naître. Quand il deviendrait roi, expliqua Calonne, l'héritier de François Ier ferait revenir à la couronne de France le domaine de son **aïeul**, ce qui serait la manière la plus sûre de garder le château en état et de le restituer à la nation. Calonne écrivit à tous les **maires**, à tous les **préfets**. Il voulait **rassembler** assez d'argent pour acheter Chambord **au nez et à la barbe** de la Bande noire et le sauver de la démolition. Le roi Louis XVIII – c'était **dans sa manière** – **prit grand soin** d'ignorer l'affaire. Il ne voulut donner ni **parrainage**, ni contribution. Cependant, la **souscription** de Calonne suscita un enthousiasme immédiat que Louis XVIII ne put ignorer : les Français avaient besoin d'un **élan** de solidarité, besoin d'un symbole capable à la fois de les relier aux temps anciens, aux temps d'avant la Révolution, et de les projeter dans l'avenir. Ils avaient aussi à cette époque un immense désir de réconciliation nationale et de cohésion. L'idée de la souscription offerte à tous **tombait à pic**. Des offres de contribution affluèrent de partout, de toutes les régions, de toutes les classes, de tous les partis. Pour une fois, Victor Hugo disait la même chose que Chateaubriand.

pirouetté spun ('spin' in the modern sense, *i.e.,* propaganda)

moindre mal lesser evil

s'en porteraient mieux would be better off for it

blés wheat
valetaille flunkeys, menials
fainéante lazy
emporté aggressive
sourcilleuse pernickety, prickly
récolta received
souscripteurs investors, underwriters

atteinte reached

tirée d'affaire helped out of her tight spot

se montrèrent proved to be
intégralement in full
fonds funds
par étapes in stages, step by step
désintéressé paid off

On connut pendant quelques mois une sorte de Téléthon culturel. Bien sûr, tout le monde n'était pas d'accord avec le projet. L'écrivain libéral Paul-Louis Courier mit en circulation un texte polémique – et bien **pirouetté** – qui tournait en dérision la souscription et concluait qu'à tout prendre la Bande noire serait un **moindre mal** que la « Bande blanche », c'est-à-dire la maison des Bourbons. Mieux vaut encore, démontrait-il, que Chambord soit détruit. Les voisins **s'en porteraient mieux**. En détruisant l'aristocratie, affirmait Courier, on détruirait une bonne fois pour toutes les parasites qui gravitaient autour d'eux : « Plus de gibier qui détruise nos **blés**, plus de gardes qui nous tourmentent, plus de **valetaille** près de nous, **fainéante**, corrompue, corruptrice, insolente. » Comme le texte était **emporté** et l'époque **sourcilleuse**, Courier **récolta** deux mois de prison. Mais Calonne organisait bien les choses. Il avait mis sur pied une commission des **souscripteurs**, présidée par le cardinal-archevêque de Paris, composée de cinquante membres éminents, pas vraiment de gauche. Très vite, la somme d'un million de francs de promesses de don fut **atteinte**. Le 5 mars 1821, Chambord, son château, son parc, son village, furent adjugés à la commission pour la somme d'un million cinq cent quarante-deux mille francs, plus les frais. Les Français, qui avaient déjà financé le château par l'impôt sous les Valois, s'apprêtaient à le payer une seconde fois, pour les Bourbons. La veuve Berthier était **tirée d'affaire**. Les villageois de Chambord allumèrent un feu de joie. Ceci étant, au moment de payer, le compte n'y était pas. Les souscripteurs **se montrèrent** moins diligents que prévu. Il fallut attendre plusieurs années pour réunir **intégralement** les **fonds**. La transaction fut réalisée **par étapes**. En 1824, bien que la commission n'ait pas encore **désintéressé** intégralement Mme Berthier, le nouveau roi, Charles X, autorisa la commission à se rendre à Chambord pour en prendre symboliquement possession, et surtout engager des travaux urgents de restauration. Le 18 juin 1828 était organisée une cérémonie sur place en présence de

régisseur steward

cléricale *here:* marked by the church's influence (*literally:* clerical)
peu auparavant shortly before
réprimant stamping out, suppressing
sacrilèges sacrilege [all acts against the Church]

demandé requested

vivotaient struggled along

éboulé crumbled down
abattus felled
orme elm
uhlan Eastern European cavalryman
convaincu de viol sur la personne d'une bergère convicted of raping a young shepherdess
platane plane tree [a type of sycamore]
l'axe the axis
subissait la pression de had to deal with, was under pressure from

attelé à la double tâche got down/committed to the double task
cheptel cynégétique quarry

Calonne (qui, au passage, s'était fait nommer gouverneur de Chambord), de Bourcier, le **régisseur** du parc, et de Marie-Caroline, sous la présidence de l'évêque de Blois, Mgr de Sauzin. La période était **cléricale** ; on avait voté **peu auparavant** la loi pénale **réprimant** les **sacrilèges**, et fort logiquement on consacra les premiers travaux à la restauration de la chapelle. On posa une plaque (toujours visible à gauche, à l'extrémité de la galerie). Et aussitôt on engagea des travaux au château pour un devis de cent soixante dix-neuf mille francs. On remeubla aussi l'église du village, qui avait été vidée lors de la Révolution. Dans l'intervalle, la commission des souscripteurs avait **demandé** à Bourcier de remettre de l'ordre dans le parc. Ce n'était pas du luxe : depuis une trentaine d'années, la forêt avait été laissée à elle-même, c'est-à-dire aux braconniers et aux voleurs de bois. La veuve Berthier avait surexploité les dernières futaies de chênes centenaires, les fermes **vivotaient** (elles avaient rapporté en tout et pour tout quatorze mille cinq cents francs en 1822), les riverains braconnaient les cerfs et les chevreuils, le mur réparé par Augereau était à nouveau **éboulé**. En 1820, les derniers chênes qui avaient vu François Ier avaient tous été **abattus**, et de ceux qui avaient connu Louis XIV, il ne restait que des spécimens isolés. On avait même coupé le grand **orme** de la place d'armes où le maréchal de Saxe avait fait pendre un **uhlan convaincu de viol sur la personne d'une bergère** en 1750. (À l'emplacement de cet orme disparu, vous trouverez un grand **platane**, dans **l'axe** sud du château, côté ouest.) Pour compliquer le tout, la commission **subissait la pression de** grandes familles de la région, souvent des souscripteurs, qui voulaient obtenir des droits de chasse dans le parc. La commission accorda des permis au comte de Beaumont, puis à MM. de Boisrenard, Salvat et Cornilhe. Bourcier, **attelé à la double tâche** de reconstituer le **cheptel cynégétique** et d'aménager la forêt par de nouvelles plantations d'arbres, naviguait comme il pouvait entre des exigences contradictoires. En 1827, il obtint de la commission la

droits de chasse dérogatoires dispensatory hunting rights

réclamait called for
battues culling

intervint took place

gage de testimony, tribute to

apurer clear (the debts), balance the accounts
devis estimates
dans la foulée while they were at it
tiercé trifecta [a form of betting in which the first three places in a race must be predicted in the correct order]
tiré d'affaire out of danger
régisseur manager

conforme à in accordance to

songeaient déjà were already dreaming

suppression des **droits de chasse dérogatoires**, le temps de reconstituer la population de cerfs et de chevreuils. Un an plus tard, il **réclamait** des **battues** pour limiter les dégâts faits aux arbres par les animaux. Et l'on vit revenir un certain Saumery, le cinquième du nom, arrière-petit-neveu de l'ennemi intime du maréchal de Saxe, qui reçut, « à titre personnel », le droit de tuer quelques cerfs et quelques sangliers causant des dommages aux jeunes plants. Après quelques années, le savoir-faire de Bourcier commença à payer ; le parc recommençait à ressembler à un parc. Le transfert juridique de propriété **intervint** finalement le 7 février 1830. Le domaine fut alors remis solennellement à Charles X pour son petit-fils. Le roi fit cette phrase : « J'accepte avec reconnaissance, au nom de mon petit-fils, l'offre que vous venez faire, certain que c'est pour la France entière un **gage de** l'amour qui ne cessera jamais d'unir le roi aux Français et les Français au roi. » À cette date, la commission avait rassemblé assez d'argent pour tout **apurer**, et aussi pour engager de nouveaux travaux de restauration. Les nouveaux **devis** furent approuvés **dans la foulée**. On donna dans le **tiercé** classique : étanchéité, toitures, fenêtres. Chambord, au printemps 1830, semblait définitivement **tiré d'affaire**. Son sort juridique, resté si longtemps incertain, était enfin scellé ; des crédits étaient voués à sa restauration et à son entretien sous l'autorité d'un **régisseur** compétent ; la campagne de Calonne en avait fait un monument emblématique approprié par des milliers de Français, une fierté nationale. L'édifice était en quelques années devenu un symbole intouchable, un trésor reconnu du patrimoine français, un monument historique, et il avait enfin retrouvé une vocation, une vocation **conforme à** ses origines, une vocation de résidence royale. Les habitants du village et les élus de Loir-et-Cher, qui étaient les plus concernés, s'en réjouissaient dans tous leurs discours. Certains **songeaient déjà** à organiser des visites pour les tout premiers touristes.

prend la mouche flies off the handle

Patatras ! Crash!

Peine perdue Fruitless effort

bon gros good guy, fat cat
faux débonnaire fake good-natured (guy)
pitoyablement pathetically
soulever stir up
la Vendée a region in the Loire area known for royalist tendencies
clin d'œil wink

déposer removed

Ces préalables acquis (Once) taken these measures
s'attaqua tackled

visait en tout premier lieu concerned first and foremost

statut d'apanage privileged status
l'accessoire d'une fonction (as serving) an official function, (as holding) an official standing
On posa des scellés And he placed (his) official seal (on it)
s'étripèrent laid into each other, tore each other apart

Louis-Philippe prend la mouche, Mieusement prend des photos et Mérimée prend des mesures.

Patatras ! L'été 1830 ne passa pas que Chambord était retourné à une situation précaire. Cette fois, ce fut pour cause de révolution. Six mois après avoir reçu Chambord de la commission des souscripteurs, le roi Charles X, désormais propriétaire du château, dut quitter la France en catastrophe, chassé par les « journées de Juillet »[23]. Il abdiqua en faveur de son petit-fils Henri, le duc de Bordeaux, âgé de dix ans, que les légitimistes proclamèrent roi sous le nom d'Henri V. **Peine perdue**. Les Orléans s'installèrent au pouvoir. Une majorité de Français en sembla satisfaite et Louis-Philippe, sous ses airs de **bon gros**, tourna vite au **faux débonnaire**. Il fit mettre en prison Marie-Caroline de Berry, qui avait assez **pitoyablement** essayé de **soulever la Vendée** en faveur de son fils. Il donna l'ordre de faire disparaître des ornements du château de Chambord les « H » d'Henri II, de peur qu'on y vit un **clin d'œil** à Henri V. (La directive ne fut que partiellement exécutée : il reste dans la chapelle un grand nombre de « H ».) Il fit **déposer** la fleur de lis installée sur la grande lanterne par François Ier, qui avait sans encombre traversé la Révolution. **Ces préalables acquis**, il **s'attaqua** au titre de propriété. D'abord, il fit adopter une loi obligeant les descendants de Charles X à vendre tous leurs biens situés en France, ce qui **visait en tout premier lieu** le domaine de Chambord. Puis, le 5 décembre 1832, le roi fit mettre le domaine sous séquestre, comme Napoléon l'avait fait pendant les Cent-Jours au détriment de Berthier et avec le même argument : Chambord a un **statut d'apanage**, il n'est pas la propriété d'une personne physique, mais **l'accessoire d'une fonction**. **On posa des scellés**. Des juristes **s'étripèrent**. Chambord, en 1832, se

---

23 'The Days of July' refers to the July Revolution that deposed Charles X (1737-1836), who ruled as the last of the senior Bourbon monarchs from 1824 to 1830 and was then exiled, eventually to Austria, where he died of cholera in the town of Gorizia (now Italian, on the border of Slovenia).

déchu dethroned
se tarirent dried up

Le bras de fer s'engagea An arm-wrestling match began

histoire de montrer just to show/prove

cassation Supreme Court

titre de propriété title deed
désarma give up the fight
tentèrent attempted

se vengèrent retaliated
jouir de to enjoy the use of

saveur flavor

agacé annoyed, aggravated
se passionna had a passion
comptes rendus justification, (full) accounting

retrouvait dans une situation juridique inextricable, propriété contestée d'un souverain **déchu** ou d'un enfant exilé. Sur place, les gardiens se désespéraient. Les crédits d'entretien **se tarirent** d'un coup. Le grand projet de restauration préparé par l'architecte Pinault resta dans les cartons. Cette fois, l'affaire alla au tribunal. Les juges de Blois donnèrent tort au roi et confirmèrent, par un jugement de 1834, le droit de propriété du jeune Henri sur le domaine de Chambord. L'affaire fit quelque bruit. **Le bras de fer s'engagea** entre le roi et les représentants du duc de Bordeaux (qui avait décidé, **histoire de montrer** sa motivation, de prendre le titre de « comte de Chambord »). Le roi porta l'affaire en **cassation**. Le dossier prit du temps et du volume. Finalement, en 1841, la Cour confirma le jugement du tribunal de Blois. Henri, duc de Bordeaux, comte de Chambord, était garanti dans son **titre de propriété** du château et du parc de Chambord. Mais le roi des Français ne **désarma** pas. Tous ses gouvernements successifs **tentèrent**, sur ses instructions, de faire annuler le titre de propriété. On vota même des lois. Sans succès. Cependant, les gouvernements de la monarchie de Juillet **se vengèrent** d'une autre manière : ils empêchèrent Henri de venir **jouir de** son domaine, lui interdisant le séjour en France. Pour Henri en exil, Chambord, où il n'était jamais allé de sa vie, prenait la **saveur** d'une utopie. Devenu chef de la maison de Bourbon à la mort de son oncle Charles X, le prétendant notifia aux cours européennes son intention de conserver, durant son exil, le titre de « comte de Chambord. » Il expliqua que Chambord lui avait été offert par les Français et représentait pour lui la France dont il rêvait. Les temps étaient au romantisme. Dans des maisons légitimistes, on versa quelques larmes. Louis-Philippe était très **agacé**. Depuis l'Autriche où il s'était installé, Henri **se passionna** pour son domaine. Il l'étudia sur gravures et sur dossiers ; il s'intéressa à sa longue histoire, demanda des **comptes rendus** à son régisseur sur la gestion qu'il en faisait, prit des renseignements sur la vie du personnel et des habitants du village, et mit en place,

phalanstère community for social reform and class justice
survolait scanned/quickly surveyed
assortis adding
gérait oversaw

fussent be (*subjunctive*)

ne lésina pas sur was liberal/didn't skimp with
emplois forestiers forestry jobs

découpler unleash the dogs

bat-l'eau horn blows [indicating the prey got into water]

sonna sounded [the signal]
curées a heap of game killed in the hunt

riverains resident (*literally*: lake/riverside dweller)

y trouvèrent substance *here*: found inspiration from
strophes verses
au demeurant for all that
anachroniques anachronistic

de loin, une espèce de **phalanstère** d'inspiration paternaliste et socialiste. Il **survolait** les budgets, envoyait des fonds **assortis** de recommandations pour des restaurations indispensables. Il **gérait** les autorisations de chasser, donnant des droits de chasse aux familles de la région qui lui étaient fidèles. Comme il désirait que les chasses **fussent** raisonnables et compatibles avec les plans de reforestation, il imposa que tout chasseur à tir fût accompagné d'un garde. Autrement dit, il **ne lésina pas sur** la création d'**emplois forestiers**, à la grande satisfaction de Bourcier, le régisseur. Il réintroduisit la chasse à courre, cette tradition chère à François Ier, qui avait été interrompue à Chambord depuis plus de soixante ans. Il autorisa quelques laisser-courre, puis, à partir de 1853, il accorda à l'équipage de Cheverny le droit de **découpler** régulièrement dans le parc, dans la voie du cerf. On entendit à nouveau des **bat-l'eau** résonner autour de la Canardière dans la brume du soir, comme à l'époque reculée du maréchal de Saxe ou du jeune Roi-Soleil. On **sonna** de nouveau des **curées** près du porche royal, devant des villageois aux joues rosies de froid. Un Ancien Régime mythique et heureux, fait d'habits colorés et de meutes impeccables, était réinventé pour la joie des **riverains**. Chambord découvrait une des grandes valeurs du xixe siècle français : la nostalgie. Le grand château vide, qui attendait en vain le retour du descendant de Louis XIV, prenait pour les visiteurs de passage une allure de symbole. Flaubert, Vigny, Hugo[24] **y trouvèrent substance** à de bien mélancoliques **strophes**. Henri, **au demeurant**, était rempli de bonnes intentions **anachroniques**. Il autorisait la chasse aux grandes

24 French Romantic writers of the 19th century known for works of great compassion: Gustave Flaubert (1821-1880), whose masterpiece is the novel, *Madame Bovary*; Alfred de Vigny (1797-1863), poet, playwright and novelist best known for certain poems, including a famous one romanticizing the hunt, and for his Romantic historical novel on warfare *Cinq-Mars*; Victor Hugo (1773-1885), a true 'Renaissance man' whose most famous works are *Les Miserables* and *The Hunchback of Notre Dame*, but who was also a gifted poet, painter, statesman and much more.

imprégné imbued

doté de endowed with

allocation allowance
soit les deux tiers du dernier traitement d'activité equal to two-thirds of the last salary received
poule au pot *here:* manna (*literally:* casseroled chicken with vegetables)
espèces cash

assidus regular attendees

postulait applied for

se bornait limited himself

monceaux piles
gravats rubble
auprès du *here:* with recourse to

se le dissimuler hide it from oneself, just pretend otherwise

rareté paucity
le défaut de the lack of

familles amies, mais, **imprégné** de l'exemple de son ancêtre Henri IV, il n'oubliait pas non plus le peuple. Il fit ouvrir dans le château un atelier de charité **doté de** quarante mille francs, créa au profit des Chambourdins un fonds de pension, bâtit une résidence pour les veuves de ses employés, restaura l'église, remit en état les maisons du village. À la mort de leur mari, les épouses des très nombreux gardes du parc recevaient une **allocation** égale à la retraite du conjoint défunt, **soit les deux tiers du dernier traitement d'activité**. À cette « **poule au pot** » en **espèces**, le prince ajoutait pour les bénéficiaires la mise à disposition d'un appartement dans un long bâtiment encore appelé « la maison des Veuves », situé sur la route de la Vieille-Chaussée. Le prince fit aussi bâtir une école de garçons et une école de filles. La seule chose qu'il demandait à ses obligés était qu'ils fussent **assidus** à la messe dominicale. C'est peu dire que ce propriétaire invisible était populaire au village. Tout le monde, dans le canton de Bracieux, **postulait** plus ou moins à un emploi dans le domaine du prince Henri. La population du village doubla, passant de cent à deux cents habitants. Cependant le château, faute d'être occupé, restait bien triste. L'architecte Pinault avait du réduire ses ambitions : il **se bornait** à maintenir l'édifice hors d'eau. À l'intérieur, c'était l'abandon et la désolation. La cour d'honneur restait encombrée de **monceaux** de **gravats**. Des touristes venaient, qui négociaient leur entrée **auprès du** concierge. Mais la visite des terrasses était devenue, un exercice dangereux, déconseillé pour des raisons de sécurité. L'édition de 1856 du guide intitulé *Excursions en Val de Loire, en chemin de fer* indique : « Il ne faut **se le dissimuler**, Chambord est une ruine. Seulement, c'est une ruine à peu près complète et couverte. » L'architecte nantais Faucheur, de passage en 1854, avait déjà noté « l'état d'abandon et de délabrement dans lequel *[s'était offert à ses]* regards cet édifice si imposant qui *[menaçait]* ruine dans plusieurs de ses parties les plus intéressantes, la **rareté** des réparations qui y étaient faites, **le défaut de** goût et de solidité

pulvérulentes pulverized

croqué sketched

herbeuse grassy
calèche carriage, buggy
brancards en l'air axles upside down/overturned (*literally:* in the air)
buissons bushes
vigne vierge Virginia creeper
esquisse sketch
troupeaux flocks, herds

hérissée spiked with

échafaudage de bois wooden scaffolding

égarée mislaid
un élan de folie qui attend son écho a burst of madness awaiting for his echo [to come]
[Prosper] Mérimée (1803-1870) French dramatist, master of short story, historian, with an office as state archeologist

rafistolages makeshift repairs, patch-ups

qu'elles présentaient ». Des gravures contemporaines, dessinées par Eugène Viollet-le-Duc ou par Nicolas Chapuy, montrent des pierres **pulvérulentes** et, au pied des tours, une cour encombrée de débris. De cette époque date une des toutes premières photographies de Chambord. Elle a été prise par Médéric Mieusement, vers 1850. La vue est simple et descriptive. Le château est **croqué** depuis le parterre sud, à une centaine de mètres de distance. Une première chose frappe : l'avenue qui conduit au porche royal est **herbeuse** et imprécise comme un chemin de ferme. Sous le porche, une **calèche** est arrêtée, **brancards en l'air**. Et à droite, une autre voiture paraît abandonnée. Des **buissons** courent le long des enceintes basses, un peu de **vigne vierge** aussi. Des herbes folles et des carottes sauvages ont envahi la place d'armes. Une **esquisse** de sentier étroit, du genre de ceux que font les **troupeaux** en coupant au plus court, partage le parterre en diagonale. Les mansardes installées sous Louis XIV (aujourd'hui disparues) occupent le premier plan. Et juste derrière, l'énorme masse familière du donjon **hérissée** de ses statues et de ses cheminées, où la fameuse horloge sauvée par Marie est encore à sa place, semble intacte. L'aile de la chapelle est habillée d'un **échafaudage de bois**. Cette première photographie du château, la plus émouvante de toutes, ne pourrait mieux refléter ce qu'a été, au cours des siècles, la situation habituelle de Chambord : un état de semi-abandon, une rêverie **égarée** au fond de la campagne de Sologne, **un élan de folie qui attend son écho**. En 1840, le domaine avait été visité par **Mérimée** et très logiquement classé dans la toute première liste des Monuments historiques. Mais la commission, qui avait d'autres soucis en tête, mentionna dans le dossier que le château était « en très bon état ». Ce n'était vrai que des toitures. Pour le reste, et comme d'habitude, le château était au contraire en mauvais état. On se mit à réfléchir à des plans de restauration d'ensemble. Mais on ne fit que des **rafistolages**.

bécasses woodcocks
cailles quails
initiés insiders
cheptel livestock [game]
réinstaura reinstated
panneautage the hanging of nets for catching game

dépeuplées depopulated

banalisation trivialization
daims fallow deer

bourriches hampers

étrennes gift boxes

Personne ne s'en offusquait No one was offended by it
hobereaux petty nobility
ne cessaient de nourrir des fantasmes sur never ceased to nurture/harbor fantasies about
intervenait chimed in
tuteur guardian
craque retorts, bursts out

plus grondeurs et mécontents *grumpier and unhappier*

Chambord, hôpital de campagne

Les années se suivaient et se ressemblaient : le château vide était maintenu en état minimum, la chasse prospérait. Pendant que le château patientait, cerfs, sangliers, chevreuils, lièvres, lapins, faisans, perdreaux, **bécasses**, **cailles** et canards étaient tués en grand nombre dans le parc, par divers **initiés**. Le **cheptel** s'était reconstitué sous l'impulsion de Bourcier. On **réinstaura** des battues. On remit au goût du jour une très ancienne technique, pratiquée du temps de François Ier et plus tard expérimentée pour le sanglier par le maréchal de Saxe : le **panneautage**. Elle consistait à reprendre vivants dans des filets des cerfs ou des chevreuils pour les acclimater dans des forêts **dépeuplées**. C'est ainsi que Chambord, à partir de 1850, commença à contribuer au repeuplement des forêts françaises en cerfs et en chevreuils, décimés un peu partout par la déforestation, la révolution industrielle et la **banalisation** du droit de chasse. Seuls les **daims**, qu'on trouvait encore dans les tableaux de chasse de Saumery au xviiie siècle, n'avaient pas survécu aux périodes de braconnage des années 1790-1805. Le gibier était devenu pour le régisseur Bourcier un outil de relations publiques : il envoyait des **bourriches** à des personnalités de la région et aux différents conseils du comte de Chambord résidant en France ; il offrait des **étrennes** composées de lièvres et de faisans aux gendarmes de Bracieux, aux marchands de bois, aux fermiers et au personnel du château. **Personne ne s'en offusquait**, bien au contraire. Quand Bourcier oubliait ses envois, on le lui rappelait. Les **hobereaux** de la région **ne cessaient de nourrir des fantasmes sur** le parc et son gibier. Beaucoup de monde **intervenait** pour obtenir la permission d'y venir chasser. En 1849, le **tuteur** du comte de Chambord, Pastoret, **craque** :

Je vous assure, écrit-il, *que la patience échappe à voir et à lire les exigences des habitants du Blaisois, qui entendent que le prince leur livre à leur discrétion et convenance ses forêts pour y courir, ses gardes pour les accompagner, son gibier pour le tirer et ne s'en montrent que* ***plus grondeurs et mécontents****...*

blessés wounded
attendrissantes touching, moving

prodiges *feats*

le plus saint *the holiest*
devoirs *duties*
asile *refuge, sanctuary, retirement home*

néanmoins nevertheless
grabats cots
pour le geste to (at least) make the gesture
abrité *here:* hosted
poudrerie gunpowder factory
garnies filled
lits beds
en repli in retreat
se retrancha took up position

s'emparèrent du seized hold of the

éteint un début d'incendie déclaré put out the onset of a fire (that) broke out
entraient entered
ultérieurs subsequent, additional
avait levé had been revoked
exil frappant shocking/harsh exile

La chose était ancienne et elle n'a guère changé : Chambord rend les chasseurs fous d'envie. La guerre avec la Prusse se fit sentir au domaine. En août 1870, au plus fort du conflit, le comte de Chambord décida de le transformer en hôpital pour les **blessés** de l'armée française. Il adressa au président de la Croix-Rouge, Flavigny, une de ces lettres **attendrissantes** dont il avait le secret :

*Condamné par l'exil à la douleur de ne pouvoir combattre pour ma patrie, j'admire plus que personne les **prodiges** de valeur de notre héroïque armée, et je veux du moins venir en aide autant qu'il est en mon pouvoir à nos soldats blessés, en accomplissant **le plus saint** des **devoirs**. Je leur offre pour **asile** le château de Chambord que la France m'a donné en des temps plus heureux et dont j'aime à porter le nom en souvenir de mon pays.*

L'intention était admirable, mais peu pratique. Le château se trouvait mal situé et mal équipé pour recevoir un hôpital militaire. On y mit **néanmoins** quelques **grabats**, **pour le geste**. Les grandes salles en croix au bas du donjon, qui avaient **abrité** les fêtes de François Ier, les réceptions de Louis XIV, les écuries de Polignac, une **poudrerie** révolutionnaire, un magasin à fourrage, une maison d'arrêt, furent **garnies** de **lits** métalliques. La situation devint préoccupante à l'approche de l'hiver. Les armées de la Loire étaient partout **en repli**. Le domaine se retrouva sur la ligne de front. Le général Morandy, chargé de défendre Chambord, **se retrancha** sur Blois, laissant au domaine un modeste contingent. Un engagement eut lieu avec des unités prussiennes qui **s'emparèrent du** château. Les ennemis y restèrent quelques jours et firent savoir qu'ils avaient **éteint un début d'incendie déclaré** au moment où ils y **entraient**. (Ils ont dû être particulièrement diligents, car on ne trouve aucune trace de réparation d'un incendie dans les travaux **ultérieurs**.) La chute de l'Empire permit à Henri V de découvrir enfin sa propriété. La nouvelle Chambre des députés, en majorité royaliste, **avait levé**, début 1871, l'**exil frappant**

Des relais se préparaient dans l'opinion à travers toute la province
The idea passed by word of mouth throughout the provinces
retrouvait returned to
tractations negotiations

envoyés tossed, thrown
alignés lined up
prétendant pretender

l'effarement bemusement
bâtisse structure
drapeau blanc white flag of Henry IV [but ironically also of surrender]

tira sa révérence bowed out
retraité retiree

bien léchée finely drawn, studied (*literally:* well licked)

les familles ayant régné sur la France. Le but était d'ailleurs parfaitement clair : il s'agissait de préparer l'entrée à Paris du comte de Chambord, qui devait être investi du pouvoir royal. Les carrosses étaient déjà prêts. (Ils attendent toujours, garés dans les communs d'Orléans, dans l'aile orientale.) **Des relais se préparaient dans l'opinion à travers toute la province**. Henri **retrouvait** la France, un tapis rouge sous ses pieds. Mais quand il fut arrivé à Paris, les **tractations** se révélèrent compliquées entre les légitimistes et les partisans de la maison d'Orléans. Et Henri détestait les tractations. Il se retira à Chambord, qu'il vit alors pour la première fois, le 3 juillet et y demeura jusqu'au 7. Le village lui fit un accueil royal, avec des pétales de roses **envoyés** par les enfants sous sa voiture et des gardes bien **alignés**. Est-ce la vision de la nature et de ses mystères qui donna au **prétendant** une image déprimante des conflits humains ? Est-ce le souvenir de François Ier qui avait dû tant batailler pour garder un pouvoir plein de vanité ? Est-ce **l'effarement** devant cette immense **bâtisse** délabrée ? Est-ce l'erreur de penser que le **drapeau blanc** signifiait encore quelque chose, alors même que tous les royalistes s'étaient ralliés au drapeau tricolore ? Le fait est que le comte de Chambord, découvrant son château à l'âge précis où Gaston d'Orléans, revenu de tout, déposait les armes politiques et se retirait à Chambord, **tira sa révérence**. Un roi était arrivé à Chambord le 3 juillet ; un **retraité** en repartit le 7. Comme il en avait pris l'habitude dans son exil, Henri y trouva prétexte à diffuser un texte à la morale **bien léchée**, qu'il fit écrire par le député Carayon-Latour, car lui-même n'avait pas la plume très sûre :

Français,

Je suis au milieu de vous.

Vous m'avez ouvert les portes de la France et je n'ai pu me refuser au bonheur de revoir ma patrie. Mais je ne veux pas donner par ma présence prolongée de nouveaux prétextes à l'agitation des esprits, si troublés en ce moment.

coup de l'Ascension the magic trick of the Ascension [of Jesus Christ and the Virgin Mary]

Il restait à exposer un motif All that was left was to reveal (his) motive

Entre vous et moi il ne doit subsister ni malentendu ni arrière-pensée *Between you and me there should remain neither misunderstanding nor ulterior motive*

dîme *tithing*

démission abdication

de fait de facto

en selle in charge/control (*literally:* in the saddle)

pour de bon for good

Je quitte donc ce Chambord que vous m'avez donné et dont j'ai la fierté de porter le nom depuis quarante ans sur les chemins de l'exil. En m'éloignant, je ne m'éloigne pas de vous...

Bref, le comte de Chambord, à peine arrivé en France, ressentait une forte envie de repartir. Il faisait le « **coup de l'Ascension** » : je pars, mais je reste avec vous. **Il restait à exposer un motif**. C'est ce à quoi il s'employa dans la suite de son manifeste :

Je suis prêt à tout pour aider mon pays à se relever de ses ruines et à reprendre son rang dans le monde, le seul sacrifice que je ne puisse faire, c'est celui de mon honneur. Je suis et veux être de mon temps, je rends un sincère hommage à toutes ses grandeurs, et quelles que fût la couleur du drapeau sous lequel marchaient nos soldats, j'ai admiré leur héroïsme et rendu grâce à Dieu de tout ce que leur bravoure ajoutait aux trésors des gloires de la France.

***Entre vous et moi il ne doit subsister ni malentendu ni arrière-pensée**. Non, je ne laisserai pas, parce que l'ignorance ou la crédulité auront parlé de privilèges d'absolutisme ou d'intolérance, que sais-je encore ? de* **dîme**, *de droits féodaux, fantômes que la plus audacieuse mauvaise foi essaie de ressusciter à vos yeux, je ne laisserai pas arracher de mes mains l'étendard d'Henri IV, de François Ier, de Jeanne d'Arc. C'est avec lui que la France s'est faite nationale, c'est avec lui que vos pères conduits par les miens ont conquis cette Alsace* [...].

Conclusion : « Henri V ne peut abandonner le drapeau blanc d'Henri IV. » C'est peu dire que le manifeste de Chambord jeta un froid chez les légitimistes. Personne n'avait songé à l'argument du drapeau. La classe politique y vit une **démission**. Et, **de fait**, Henri de Chambord, une fois Adolphe Thiers nommé président de la République, se retira immédiatement en exil volontaire en Autriche. On ne le vit plus à Paris. Il assista incognito, dit-on, depuis la tribune de la Chambre, au vote de l'amendement Wallon[25], qui mit la République **en selle pour de bon** quelques

25 The Wallon amendment - definitive law of 1875, passed by a one-vote majority, forming a Republic instead of a monarchy.

septennat seven-year term of office

jurassien from the Jura Mountains, located north of the Alps
réfection redoing

remise en état restoration

lucarnes dormer windows
souches bases, foundations

l'apprirent heard about it

années plus tard. Mais les légitimistes avaient déjà compris que leur champion ne changerait plus d'avis. Il ne leur laissait plus d'autre espoir que de se décider à mourir pour céder la place à un prétendant doué de davantage de réalisme. Les députés royalistes votèrent dans ce but un mandat très long, un mandat de sept ans, au profit du président de la République. D'ici à sept ans, espéraient-ils à haute voix, Henri aurait rejoint ses ancêtres. Mais les années passèrent et Henri allait bien. Par son intransigeance un peu déplacée, il avait mis en place le régime républicain. Par sa bonne santé, il avait créé le **septennat**. De Frohsdorf où il s'était retiré, le comte de Chambord décida tout de même de donner un coup d'accélérateur à la restauration du château. Sa visite de juillet 1871 l'avait, semble-t-il, quelque peu traumatisé. Un architecte **jurassien**, Jean-Jacques Mestral, s'attaqua au plat de résistance : la **réfection** de l'étanchéité des terrasses. Quelques années plus tard, un nouvel homme de l'art, Louis-Victor Desbois, entreprit une **remise en état** globale, la plus importante campagne de travaux depuis celle de Jules Hardouin-Mansart, sous Louis XIV. Desbois commença à dégager les énormes gravats qui avaient fait remonter le niveau de la cour de près de deux mètres ; il consolida les planchers, reprit les **lucarnes** et les **souches** de cheminées. Lorsque le comte de Chambord mourut, le 24 août 1883, son château était sous les échafaudages. Il n'y avait en tout séjourné que trois jours et demi, exactement comme le maréchal Berthier, ce qui porte la durée totale d'occupation du château par ses propriétaires légitimes à une semaine pour tout le xixe siècle.

Chambord à la barre du tribunal

La nouvelle de la mort du comte de Chambord provoqua une grande émotion au village. Dès qu'ils **l'apprirent**, les habitants prirent le deuil. On se regroupa au château, on parla spontanément du maître absent qui ne viendrait plus jamais. Des gardes demandèrent ce que leur contrat deviendrait.

tentures hangings
chiffre monogram

soulèvement uprising

orphelin de père fatherless

léguant bequeathing

l'usufruit usufruct/life use [of a property]

consacrèrent dedicated, assigned

consolida strengthened

menaçait risking
s'écrouler collapse

vinrent came [*simple past tense*]

L'évêque de Blois vint dire une messe dans la chapelle du château où l'on avait posé des **tentures** noires au **chiffre** d'Henri V. Les dames du département de Loir-et-Cher avaient offert un trône symboliquement vide. On exposa derrière l'hôtel le drapeau blanc revenu de Vendée où il avait servi en 1832, lors du **soulèvement** de la duchesse de Berry. L'opinion tenait enfin une explication à la fixation du comte de Chambord sur cet emblème et à son refus obstiné du drapeau tricolore : ce fils **orphelin de père** avant même sa naissance, passionnément amoureux de sa mère et séparé tragiquement d'elle à l'âge de onze ans, voyait dans le drapeau blanc un signe très intime. Ce n'était pas le « drapeau d'Henri IV » qu'Henri V voulait garder à tout prix, mais le drapeau de Marie-Caroline. Le comte de Chambord ne laissait pas d'enfant. Il avait rédigé un testament **léguant** son domaine aux deux fils de sa sœur, Robert de Bourbon-Parme et Henri de Bardi, eux aussi résidant en Autriche, qui payèrent trois cent soixante-quinze mille huit cent vingt-deux francs de droits de succession, tandis que **l'usufruit** restait à son épouse la comtesse de Chambord. Pendant quelques mois, Chambord vécu comme suspendu. On arrêta les chasses, on ferma le château. Puis la comtesse mourut à son tour, sans être revenue en France, et les deux neveux héritiers firent une première visite à Chambord. Ils en revinrent avec la ferme volonté d'accélérer les restaurations. À partir de cette année-là, ils **consacrèrent** deux cent mille francs par an à l'entretien. Desbois, l'architecte, put enfin se lancer dans les grandes restaurations dont son prédécesseur, Pinault, avait rêvé. Il **consolida** les plafonds des appartements. Il refit les couvertures. Sur les terrasses, la grande lanterne qui n'avait pratiquement pas été touchée depuis les travaux de Gaston d'Orléans, **menaçait** de **s'écrouler**. Desbois suggéra de la démonter entièrement et de la reconstruire à l'identique avec de nouvelles pierres. L'opération commença en 1890. Elle dura deux ans. Pendant cette énorme opération de sauvetage, les deux frères **vinrent** une nouvelle fois au château, accompagnés cette

digne d'intérêt worth taking an interest in

tableaux records of animals killed

légitimiste legitimist *i.e.*, specifically one who supports as legitimate the royal aspirations of the senior House of Bourbon

barque small boat
servir to kill

ralliement rallying

fois de leurs épouses. Ce que femme veut, Dieu le veut : les deux épouses trouvèrent Chambord **digne d'intérêt**. Dès lors, les Bourbon-Parme se firent assidus au domaine, surtout pendant la saison de la chasse. Le plus régulier en forêt était le duc de Parme, qui prit l'habitude de venir chaque année à l'automne. Excellent fusil, il chassait surtout le petit gibier, faisan et lapin. Les livres de chasse montrent qu'il ne cessa de s'améliorer. Dans la seule journée du 19 décembre 1892, par exemple, il tua 78 faisans, 52 lapins, 3 lièvres et 1 bécasse. Il faisait les meilleurs **tableaux**, suivi du marquis de Vibraye, de M. de Chauvelin et de Maurice Bégé. Côté chasse à courre, l'équipage de Cheverny prenait ses habitudes dans le parc. Il prenait une vingtaine de cerfs par saison, au terme de laisser-courre qui souvent finissaient dans les étangs ou dans le plan d'eau de la Canardière. Un autre invité, à titre permanent celui-là, était de longue date le général de la Rochejacquelin. Ce général **légitimiste** vivait à l'ancienne. Il avait obtenu un appartement dans le château pour se reposer après les battues. Il nourrissait une passion simple : la chasse à courre au loup. Mais il avait le plus grand mal à les prendre. Alors il courait le cerf avec ses grands chiens blancs et noirs ; il s'était fait aménager une voiture de chasse spéciale, comprenant une **barque** détachable, pour aller **servir** l'animal dans l'eau. Les soirs de chasse, le général recevait ses compagnons, pour des soupers mémorables, au restaurant de l'hôtel Bibart (aujourd'hui hôtel Saint-Michel). On y chantait en cœur la *Ballade des cavaliers*, chanson de **ralliement** des légitimistes :

Pas un verre qui reste vide
Et pas un cœur qui reste froid
Cavaliers, buveurs intrépides
Debout ! à la santé du roi.

À Chambord comme dans toutes les provinces, la France des fermes, des équipages et des châteaux faisait semblant de vivre avant la Révolution. Les gardes continuaient aussi les panneautages, et la vente des animaux vivants apportaient au

renouer le fil relive

rentabiliser make profitable
gouffre abyss, sinkhole

gestionnaire administrator
mena grand train lived very grandly
agacement irritation
zouave pontifical papal guard
améliorât la tenue des comptes clarified/rectified the accounts ledger
sombra sank

se mettre à dos making enemies of
se fâcha had a falling out

dénoncer rescinding
sans préavis without warning
l'obsédait haunted him

éloigné remote
correctionnelle penal court
anodin neutral, unassuming, insignificant
inouïe unprecedented
ère marchande commercial era

domaine un petit revenu. En 1885, le rallye de Vendée, héritier de l'ancien équipage de la Morelle démonté lors de la Révolution, repeupla ainsi la forêt de Vouvant avec des chevreuils achetés à Chambord. Encore un cas où, à travers la vénerie, la prospérité de la IIIe République offrait à ses notables ruraux l'occasion de **renouer le fil** avec le siècle mythique, le siècle de Maurice de Saxe et du marquis de Dampierre. Cependant, le duc de Parme cherchait des moyens plus sérieux de **rentabiliser** Chambord, car le domaine était un **gouffre** financier. Au régisseur Bourcier avait succédé un excellent forestier, Arnoult. Mais à la mort de celui-ci, le nouveau **gestionnaire**, le comte de Nattes, **mena grand train**, au grand **agacement** de son patron. Lui succéda un ancien **zouave pontifical**[26], le comte de Traversay. On attendait qu'il **améliorât la tenue des comptes**. On ne le vit guère qu'à la chasse. Alors le duc de Parme recruta le comte de Rézé, un curieux personnage qui avait suivi Henri V à Frohsdorf et qui une fois à Chambord, sous prétexte d'y mettre de l'ordre, **sombra** dans la mégalomanie. Rézé n'avait pas la psychologie d'un dirigeant. En quelques mois, il réussit à **se mettre à dos** les gardes, le régisseur du château et la population. Plus grave, il **se fâcha** avec le maire et le conseil municipal. On lui avait dit qu'il était le patron de Chambord : il se crut tout permis. Il se mit à insulter les agents forestiers, intriguer avec le personnel, **dénoncer** des contrats **sans préavis**. L'aura de ses prédécesseurs **l'obsédait**. Il finit par en devenir comme fou. Il fit exhumer les restes de Calonne et de Bourcier pour les transporter dans un cimetière **éloigné** de Chambord, et se retrouva en **correctionnelle**. On décida, en 1911, de faire payer la visite du château. Le prix du billet fut fixé à un franc. Ce changement **anodin** manifestait une mutation **inouïe** : Chambord entrait dans l'**ère marchande**. Le château était certes plus ou moins ouvert à la visite depuis les

26 Zouave was the title given to infantry regiments in the French army, here they guarded the Papal States.

contre pourboire in exchange for a tip
fausse-braie first rampart [surrounding the castle]

tableaux pictures, paintings

flèches arrows

légué left, bequeathed
ne laissa guère left scarcely any
Tout au plus At the most

jouissait enjoyed

dragon autrichien Austrian military uniform [dragoon]
Les circonstances politiques s'y prêtaient mal The political climate was unsuitable for this
accoutrement *here:* (choice of) outfit

années 1830, et même un peu avant ; à vrai dire, il avait de tout temps, pendant ses longues périodes de sommeil, attiré des curieux qui le visitaient clandestinement : quand vous arriviez, il suffisait de convaincre le concierge, **contre pourboire**, d'ouvrir le porche, ou d'attendre le soir et de tenter d'entrer par les **fausse-braie** côté nord. Mais cette fois, on affichait un prix et des horaires d'ouverture. Chambord recevait des « clients ». Le château avait été largement remeublé par le comte de Chambord. Le grand poêle en faïence installé par le maréchal de Saxe et vendu en 1790 avait retrouvé sa place. De nombreux **tableaux** étaient réinstallés dans les appartements du donjon. Des meubles commandés pour Henri V, divers objets, dont une collection d'armes miniatures offertes par le commandant Ambroise pour l'éducation militaire du jeune prétendant, furent exposés comme dans un musée. On imagina pour la première fois un circuit de visite guidée avec une entrée des **flèches** à suivre. Dans le même souci de trouver des ressources, on envisagea de faire payer la chasse à tir dans le parc. Après la mort du duc de Parme (qui avait été précédée par celle de son frère), le domaine fut **légué** à son fils Élie, qui devint chef de la famille. Élie **ne laissa guère** de souvenirs de ses passages au château avant 1914. **Tout au plus** peut-on noter qu'en 1905 il avait voulu essayer les canons miniatures de son grand-oncle et qu'il avait envoyé des projectiles durant tout un après-midi contre le mur des anciennes écuries du maréchal de Saxe. En fait, Élie résidait toute l'année en Autriche, au château de Schwartzau. Il y **jouissait** là-bas d'un prestige considérable : considéré par la cour de l'empereur François-Joseph comme un souverain étranger, il bénéficiait des privilèges diplomatiques ; en outre, il était beau-frère de l'héritier du trône d'Autriche-Hongrie. Et il servait comme officier dans l'armée autrichienne. Au printemps 1914, il était venu une dernière fois à Chambord pour suivre une chasse à courre du marquis de Vibraye en tenue de **dragon autrichien**. **Les circonstances politiques s'y prêtaient mal** ; cet **accoutrement**

mise sous séquestre sequestering

partait depuis peu à vau-l'eau soon got out of hand
déboires troubles
aberrantes absurd, aberrant

chevrillards fawns
lâcher release
vautrait pack of hounds specialized in hunting wild boar
laie female boar
marcassins young boar
à l'envers in reverse

collets nooses, snares
histoire d'améliorer l'ordinaire just to improve (the) everyday life [of the poor]

farouches wild, uncouth

fonctionnaire des impôts tax collector

fit le plus mauvais effet. En août 1914, quand la guerre finit par éclater, Élie partit au front dans l'armée autrichienne combattre les Russes, alliés de la France. Le village en fut scandalisé. Dès lors, le propriétaire de Chambord fut considéré par les autorités françaises comme un ennemi. Le 22 avril 1915, le tribunal de grande instance de Blois prononça la **mise sous séquestre** du domaine. C'était la troisième fois en cent ans que Chambord recevait des scellés. Le parc, déjà mal en point, **partait depuis peu à vau-l'eau**. Le gouverneur Rézé, toujours là malgré ses **déboires**, avait multiplié les décisions **aberrantes.** Il était cette fois parti en guerre contre son régisseur, un certain M. Piot. Comme les chasses étaient interrompues, le gibier proliférait, mais pas n'importe lequel : c'étaient les chevreuils, plus difficiles à braconner, qui prirent la première place et endommagèrent les arbres. On pensa limiter leurs effectifs en réintroduisant des sangliers (il est vrai que, parfois, un grand sanglier dévore des **chevrillards**). Le baron de L'Épée fut autorisé par Rézé à **lâcher** des bêtes noires dans le parc. En 1915, le veneur Edgard Bégé, qui avait monté un **vautrait** en Sologne, fut surpris par un garde en train d'introduire une **laie** avec ses **marcassins** dans le parc, à travers une brèche du mur. Pourquoi ? Nul ne le sait. Ce braconnage **à l'envers** s'accompagnait évidemment d'un braconnage à l'endroit : une bonne partie des gardes étant partis sur le front, les voisins de Chambord venaient se servir dans le parc en posant des **collets** pour prendre des cerfs, **histoire d'améliorer l'ordinaire**. Le tribunal, en prononçant le séquestre, avait désigné un administrateur séquestre, M. Auroux, inspecteur principal des droits d'enregistrement, qui se trouva face à une situation qu'il n'aurait jamais pu envisager : prendre la responsabilité d'un château gigantesque et du plus grand parc de France, en composant sur place avec des paysans **farouches**, des gardes monarchistes et un personnel méfiant. Auroux prit d'abord la chose avec philosophie, comme sait faire un **fonctionnaire des impôts**. Il commença timidement. Il réfléchit.

sylvicole silvicultural [the growing and cultivation of forest trees]
incitèrent prompted
se désintéresser lose interest (in)
glisser go adrift
périlleux perilous
concéda conceded
baux leases

contre compared to

pour protéger les cultures de la dent des animaux to protect the crops (from destruction) by animals' teeth
clôtures enclosures, fences
chasses mondaines society hunting

louveterie hunting of wolves and other vicious animals

aux côtés de on the side of

Il prit l'avis de l'administration des Eaux et Forêts, qui avait une vision **sylvicole** des choses et se serait bien passée du gibier. Les Eaux et Forêt **incitèrent** donc Auroux à organiser le maximum de chasses et à **se désintéresser** des arbres. Auroux suivit le conseil. Il oublia l'exploitation forestière et se laissa **glisser** vers le sujet **périlleux** de la chasse au gros gibier. Au début, Auroux **concéda** de manière très administrative des **baux** de chasse à des particuliers mis en concurrence. Mais bientôt, notre Auroux goûta au plaisir d'avoir ses propres obligés : il invita, à titre personnel, des personnalités du pays. Il en invita même tellement qu'il devint une personnalité de premier plan pour tous les châtelains de Loir-et-Cher. Il y avait ceux qu'Auroux invitait et ceux qu'il n'invitait pas. On vit Auroux dans les dîners royalistes, et, en bon châtelain, il parlait avec ses voisins du souci qu'il avait de ses fermiers. (« M'sieur Auroux, les temps sont-ils durs ! ») « Comment faire pour aider mes paysans ? », se demandait Auroux. Surtout que beaucoup étaient partis à la guerre. Bien qu'il ne restât plus dans le domaine que cinq fermes en exploitation (**contre** plus de trente à l'époque de Gaston d'Orléans et vingt-huit au temps de Louis Berthier), l'inspecteur principal Auroux était pressé par ses gens de dépenser de l'argent **pour protéger les cultures de la dent des animaux**. La solution qu'il trouva consista à entourer les cultures de **clôtures** grillagées. Pendant ce temps, et malgré les **chasses mondaines** d'Auroux, les sangliers proliféraient. La réintroduction était victime de son succès. Edgard Bégé (et c'était peut-être son objectif, quand il avait fait entrer une laie) fut invité à chasser le sanglier dans le parc. Son énergie n'y suffit pas : Auroux convia aussi le lieutenant de **louveterie** de Bracieux. Élie de Bourbon Parme, sous son uniforme autrichien, n'était pas d'accord avec la République française. Il contesta devant la justice le séquestre du château. Tant que la guerre dura, il n'eut aucune réponse. Mais en 1918, il dut faire face à un autre souci : son demi-frère, Sixte de Bourbon, qui lui avait combattu **aux côtés de** la France (dans

en l'espèce in this particular instance/case
tendant striving

La Haye The Hague

inscrite à l'ordre du jour written into the daily record
de court by surprise
mettre en œuvre une preemption put forward/submit a preemptive (offer)

paniers d'osier wicker baskets

épanoui totally fulfilled
administrateur séquestre sequestor
courtisé courted, sought after
équipages staff
baisemains hand-kissing
mit un terme à son privilège put a stop to his privileges

lesdits *the aforementioned*

l'armée belge **en l'espèce**), attaqua son titre de propriété. Sixte engagea un long procès **tendant** à faire reconnaître ses propres droits sur Chambord. L'affaire alla en appel, puis en cassation. Mais, par deux fois, les juges confirmèrent les droits du prince Élie sur Chambord. Et il fallait sortir du régime de séquestre. Le traité de **La Haye**, signé après la victoire de 1918, prévoyait que les biens non liquidés des sujets ex-ennemis devaient être restitués à leurs anciens propriétaires. En 1930, la ratification du traité était **inscrite à l'ordre du jour** de la Chambre. L'État, pour ne pas être pris **de court**, chercha une transaction avec Élie. Il fit estimer le domaine pour **mettre en œuvre une préemption**. L'Administration évalua Chambord à onze millions de francs, ce qui n'était pas rien. Sur cette base, le liquidateur procéda à la transaction avec Élie. Les Français payaient Chambord pour la troisième fois. Cette fois, c'était pour l'offrir à la République.

Encore un incendie

La République avait tout prévu, sauf de se retrouver en charge d'un domaine royal peuplé de compagnies de sangliers et de fermiers qui vous parlaient comme sous l'Ancien Régime, vous apportaient leurs œufs dans des **paniers d'osier** et vous priaient de venir chasser le renard chez eux. Auroux s'était accoutumé puis **épanoui** dans son emploi d'**administrateur séquestre**, qui avait fait de lui le châtelain le plus **courtisé** de Sologne, mais cette fois il passait la main à un autre fonctionnaire moins sensible aux charmes des **équipages** et des **baisemains**. Le procès-verbal de prise de possession **mit un terme à son privilège** en termes brutaux :

Le 11 avril 1930, M. Auroux, liquidateur, déclare faire remise à M. Despoix, directeur des Domaines à Blois, de l'ensemble du domaine de Chambord qui comprend :

1° Le domaine de Chambord proprement dit, formant à lui seul la commune de ce nom, composé : a) Du château avec dépendances ; b) Du village qui y est contigu ; c) Du parc qui entoure ***lesdits***

prés *pastures*

cours d'eau *watercourses, waterways*

contenance *here: area, bearings*

un ares soixante trois centiares an area of about sixty-three square meters [a *centiare* is an archaic measurement of area equal to about 1 square meter]

était prié de parler dans l'Hygiaphone had to deal with the bureaucrats of the Republic (*literally:* were asked to speak through the perforated apertures at glass-fronted teller windows)

perdait contenance lost its composure/way

abritait en son sein kept under their wing

réseaux canal systems

étiquette label

bousculait shake up

primait prevailed

plaidait pled

tutelle trusteeship, tutelage

conservateurs preservationists

cornélien Cornelian [involving an irreconcilable conflict between sentiment and duty, as in the tragedies of the great playwright Pierre Corneille (1606–1684)]

éprouvée distressing

temporisa used delaying tactics

mollement limply, half-heartedly

d'affecter assigning

vœu desire

réclamant demanding, calling for

tranchée *here:* decided quickly and decisively (*literally:* sliced)

ne démembrerait pas would not dismantle

locataires renters

loyer rental payment

château et village, consistant en terres labourables, ***prés****, jardins, étangs et* ***cours d'eau****, routes, chemins et bois, le tout entièrement clos d'un mur d'une* ***contenance*** *totale de cinq mille quatre cent sept hectares quarante et* ***un ares soixante trois centiares****.*

2° L'étang de Monpercher.

Le domaine de François Ier **était prié de parler dans l'Hygiaphone**. Mais lequel ? Face à un tel monstre, la République **perdait contenance**. Un château, elle savait s'en occuper. Elle en possédait de considérables et avait créé pour les entretenir la Caisse nationale des monuments historiques. Un grand parc, pas de problème : l'Administration **abritait en son sein** le service des Eaux et Forêts qui, depuis six siècles, savait prendre soin d'une forêt domaniale. Les routes, les **réseaux**, l'État savait faire aussi. Mais réunir tout cela dans une seule main, sous une **étiquette** de domaine royal, voilà qui **bousculait** ses habitudes. L'État se trouva face à une décision impossible : soit considérer que le château **primait**, et donc mettre l'ensemble sous la coupe de la Caisse des monuments historiques, à la colère des forestiers, soit considérer que la présence du parc, et donc de la forêt, **plaidait** pour une **tutelle** du service des Eaux et Forêts, à la fureur des **conservateurs**. L'Administration répondit à ce choix **cornélien** par une tactique **éprouvée** : elle **temporisa**. Elle considéra, assez **mollement**, que Chambord, d'origine royale, se trouvait *de facto* sous la prééminence du président de la République. Et elle décida, à titre transitoire, de confier la gestion du tout, parc, forêt, château et village au ministère neutre, celui des Finances, en attendant **d'affecter** chaque partie au ministère compétant. La question fut posée de savoir si les maisons du village devaient être vendues. Malgré un **vœu** du conseil municipal **réclamant** l'alignement sur le droit commun, elle fut vite **tranchée** : l'État **ne démembrerait pas** le domaine ; les habitants de Chambord, autrefois fermiers des Valois, puis **locataires** de Gaston d'Orléans, de Maurice de Saxe ou du prince de Wagram, resteraient des locataires. Ils paieraient

attelage arrangement
de fortune makeshift
querelles disputes
ponctuèrent punctuated

arrêté decree
fixa established
siège head office

adjugées auctioned off
mieux-disant (the) highest bidder

à barbiche with goatees

rédigeaient issued

à savoir that is to say
plates flat
avaient mauvaise presse were ill-considered
verrues warts
tardives later (additions)

malencontreusement unfortunately

démonta dismantled

désormais leur **loyer** à la direction des Domaines du Loir-et-Cher. Un régisseur, Joseph Nain, fut chargé de faire fonctionner cet **attelage** juridique **de fortune**. Des **querelles** de services **ponctuèrent** l'entre-deux-guerres. En 1934, par exemple, alors que l'affectation du domaine aux administrations concernées n'était toujours pas décidée, le ministre de l'Agriculture tenta un petit coup de force : il créa, par **arrêté**, une commission de chasse et pêche dont il **fixa** le **siège** à Chambord. Un inspecteur principal des Eaux et Forêts, M. Rivet, sauta sur l'occasion pour se loger dans le château, comme jadis Saumery l'avait fait. Les hommes ne changent pas. Les chasses à courre interrompues depuis 1914 furent à nouveau autorisées, **adjugées** au rallye Vouzeron-Sologne, **mieux-disant**. Cependant, on n'institua pas de chasses présidentielles. Le domaine était trop loin de Paris, moins pratique que Marly ou Rambouillet. Et c'est pourquoi on ne trouve nulle part de photographies de ministres chasseurs **à barbiche** de style IIIe République posant devant le château de Chambord. Le château tout de même, parce qu'il était classé monument historique et intégré au patrimoine de l'État, était régulièrement visité par des architectes en chef, qui **rédigeaient** des rapports et parfois lançaient des travaux. Grand classique, l'étanchéité des terrasses occupa les années trente. Les mansardes bâties sur les enceintes basses par Louis XIV pour abriter des communs tombaient en ruine. Lotte, architecte en chef des Monuments historiques, ouvrit un débat doctrinal : fallait-il restaurer les mansardes ou plutôt les raser pour revenir à l'état initial, **à savoir** des terrasses **plates** ? Ces mansardes **avaient mauvaise presse**. Elles apparaissaient comme des **verrues** qui cachaient la vue du donjon. Et puis elles étaient **tardives**, bâties à la fin du xviie siècle. Un guide touristique de 1900 indique par exemple ceci : « Ce premier corps de bâtiment formait les magnifiques terrasses du château, **malencontreusement** recouvertes par Mansart pour loger la très nombreuse suite de Louis XIV... » L'affaire fut vite entendue ; on **démonta** les

d'hébétude of stupor
s'effondrait collapsed, was falling apart
train-train humdrum routine, daily grind
bordereaux paperwork
défaillance failures, lapses, mistakes

abritée housed
répertoriée inventoried

ultérieurement subsequently
oraux oral
proche a person close to
un ancien maire a former mayor
s'enfonçait dans l'épreuve was drowning under trials and tribulation
s'espaçaient were delayed
houlette leadership
garde-manger source/storehouse of food
réfractaires those resistant
STO **Service du travaille obligatoire** Compulsory Work Service System insituted by the Vichy government (1940-1944) of forcing Frenchmen to work in Germany

ravitaillement supplies, provisions

Maquis French Resistance movement
accrochage skirmish

s'enfuir escape

déroute disarray

mansardes. Le château prit son aspect d'aujourd'hui. La Seconde Guerre mondiale ne produisit aucun effet immédiat sur la gestion de Chambord. La débâcle avait plongé le pays dans une forme **d'hébétude** surréaliste : le pays **s'effondrait**, mais les administrations, surtout les plus insignifiantes, suivaient leur **train-train**. Aucun retard en juin ou en juillet 1940 dans les **bordereaux** des services des Domaines. Aucune **défaillance** dans les plans d'aménagement forestier. Depuis quelques mois, une partie importante des collections du Louvre avait été évacuée de Paris et **abritée** dans le château. Elle y resta jusqu'en 1944, soigneusement **répertoriée**. D'autres collections publiques transitèrent aussi par Chambord, avant d'être transférées **ultérieurement** vers la zone libre. Des témoignages **oraux** affirment qu'il y eut alors des vols. Des gens du village auraient commis des indélicatesses, selon les dires d'un **proche** d'**un ancien maire**. Curieusement, ce sujet est peu documenté. Cependant, plus la France **s'enfonçait dans l'épreuve**, plus les travaux d'entretien du château **s'espaçaient**. L'argent se faisait rare. La forêt, sous la **houlette** d'un inspecteur des Eaux et Forêts, Jacques Thoreau, devint un lieu de résistance et un **garde-manger**. Des combattants des réseaux clandestins, des **réfractaires** au **STO**, et des personnages moins identifiables (selon Thoreau lui-même, qui les juge sévèrement), trouvèrent refuge dans le parc. Quelques pavillons forestiers servirent de base à des opérations contre l'armée allemande ; d'autres, de lieux de **ravitaillement**. Le parc était immense, difficile à inspecter. Mais les incursions des soldats allemands étaient nombreuses : ils y cherchaient des résistants ou du gibier, les deux, en réalité. L'un des chefs du **Maquis**, l'officier de marine Albert Le Meur, fut blessé dans un **accrochage**, puis déporté à Mauthausen. Quelques mois plus tard, Thoreau fut arrêté par la Gestapo, mais il réussit à **s'enfuir**. Sa connaissance du parc lui permit de sauver sa vie. Enfin, quand la guerre fut presque finie et l'armée ennemie en **déroute**, à l'été 1944, de tout jeunes

embuscade ambush
malencontreuse ill-timed, unfortunate

des représailles impitoyables a merciless reprisal
investit besieged
fouilla searched

s'annonçait loomed
chanoine canon
couramment fluent

otages hostages

sommé ordered

fauchés struck down
mitrailleuse machine-gun

RAF Royal Air Force of Great Britain
touché hit
s'écrasa crashed

résistants venus de Blois – ils avaient entre seize et dix-huit ans – lancèrent une **embuscade** mal préparée et **malencontreuse** contre une unité allemande en retraite, à deux cents mètres du château, le long de la route de Huisseau-sur-Cosson, au lieu-dit du « Pont des Italiens ». L'ennemi, qui avait eu deux morts, se prépara à **des représailles impitoyables**. Il **investit** le village, brûla l'hôtel de Montmorency, partie noble de la ferme de Lina, **fouilla** des maisons à la recherche des résistants, mit le feu à plusieurs édifices. Personne ne parla. Pour finir, l'ennemi exaspéré regroupa toute la population, ramassée un peu au hasard, et l'enferma dans le château. On parla d'y mettre le feu. Un drame comparable à celui d'Oradour **s'annonçait**[27]. Intervint alors le **chanoine** Marie-Joseph Gild, curé de Chambord, qui parlait **couramment** allemand et parvint à négocier avec le capitaine. Il demanda que la population soit libérée et que le château, promis à l'incendie, soit évacué. Il finit par obtenir satisfaction, mais les Allemands exigèrent de garder des **otages**. Le chanoine obtint la libération de quelques-uns d'entre eux. Il les voulait tous. Le moment était terrible, car Gild fut alors **sommé** de choisir ceux de ses paroissiens qui pouvaient être rendus à leur famille. La situation devint confuse. Des otages tentèrent de s'échapper. Ils furent **fauchés** à la **mitrailleuse** sur la place d'armes. Un peu plus tard, d'autres furent fusillés contre le mur des écuries du maréchal de Saxe. Neuf patriotes étaient ainsi assassinés sous les yeux de leurs familles. On peut lire leurs noms sur une plaque fixée à la muraille. À peu près à la même époque, un avion de la **RAF**, **touché** par des projectiles allemands, **s'écrasa** près de la Canardière. Son pilote fut recueilli vivant par les fermiers de l'Ormetrou. C'était en 1945 ; la victoire était là. Chambord avait traversé la terrible épreuve de la guerre et de l'Occupation sans déshonneur. À la Libération, la commune de Chambord était

---

27 The entire village of Oradour-sur-Glane was destroyed and 642 of its inhabitants murdered outright by the Germans in 1944.

Croix de guerre Military Cross [medallion]

saccagés plundered

quelques dizaines several dozen (*literally:* some tens)
Pis Worse

lucarnes à meneaux mullioned skylights
charpente roof structure
glissaient slid off
bascula toppled over
s'affaissa sagged, subsided
effondrée in a state of shock

propagea spread

avait la gueule de bois had a hangover
Les dégâts The damage

s'écartait was detaching
lézardés cracked
menuiseries woodworks

glorieuse : elle avait reçu la **Croix de guerre**, son curé était chevalier de la Légion d'honneur, le château n'avait pas été brûlé ; mais, comme on l'imagine, le domaine était en piteux état. Plusieurs familles portaient le deuil. Le parc était une misère. Tout le monde avait braconné pendant la guerre : les riverains, les résistants, et plus encore les Allemands, qui avaient organisé une battue en 1941 et, en outre, prélevé plus de deux cents cerfs pour nourrir des unités stationnées dans la région. (Un vieux fermier du domaine, qui a connu cette époque affirme que pendant l'Occupation, la seule viande qu'il mangeait était du cerf, au point, disait-il, qu'il en « avait le dégoût ».) Des bois avaient été **saccagés**. Les grands cervidés qui faisaient l'orgueil du domaine, étaient devenus très rares. Selon Thoreau, il n'en subsistait que **quelques dizaines. Pis**, le 7 juillet 1945, comme si les épreuves de la guerre n'avaient pas suffi, un incendie se déclara dans le canton sud du donjon. Le feu prit dans les combles et dévora les toitures. Des flammes sortaient par les **lucarnes à meneaux** du côté sud. Le bois en chêne de la **charpente**, posée plus de quatre siècles plus tôt, brûlait à toute vitesse. Des ardoises **glissaient**. Des poutres tombaient. L'une d'entre elles s'abattit contre une cheminée qui **bascula** dans la cour d'honneur, trente mètres plus bas. Un plancher **s'affaissa** avec un bruit sinistre. La population, **effondrée**, assistait depuis la place d'armes à la mort du grand monstre sacré. Par chance, l'incendie ne se **propagea** pas. Les charpentes des cantons du donjon ne communiquaient pas entre elles. Le feu, grâce à l'aide de quelques sauveteurs, s'arrêta au comble de la tour. Cependant, Chambord **avait la gueule de bois**. **Les dégâts** étaient considérables. Un nouvel architecte, Michel Ranjard, prit alors la responsabilité du château. Son diagnostic était sombre. En plus de la tour incendiée, il nota que la voûte de la chapelle **s'écartait** et menaçait ruine. Des planchers étaient pourris. Des murs étaient **lézardés**. Des carrelages avaient disparu. Les **menuiseries** étaient dévastées. Ranjard écrivit :

hétéroclites *here: a hodge-podge*

close enclosed, self-contained

parce qu'il concurrence sa nourriture because they compete with each other for food
l'anarchie triomphe de la chasse ordonnée anarchy triumphs over orderly hunt
détrône dethrones
récits tales

surabondant overabundant

abat kills
abolie abolished

Une admirable collection de portes intérieures du XVIe siècle demeurées en place depuis la construction constitue un ensemble incomparable. D'autres du XVIIIe siècle sont aussi fort belles, mais toutes dans un état lamentable. À l'extérieur, les menuiseries sont ***hétéroclites****. Quelques-unes du XVIe siècle subsistent sous les galeries, mais dans quel état !*

La République en guerre contre les sangliers

Dans une grande forêt **close** comme celle de Chambord, la démographie des animaux sauvages obéit à des lois : le cerf et le sanglier peuvent cohabiter sans dommage jusqu'à une certaine densité ; cependant, ni l'un ni l'autre ne partage volontiers son territoire avec le chevreuil, le premier **parce qu'il concurrence sa nourriture**, le second parce qu'il en est un prédateur. Et quand **l'anarchie triomphe de la chasse ordonnée**, les cerfs sont les premières victimes du braconnage, puis le grand gibier **détrône** le petit, et à la fin le sanglier s'impose au détriment de tout le reste. Telle est la conclusion qu'on peut tirer des **récits** ou des tableaux de chasse durant cinq siècles de vie à Chambord. À l'époque de François Ier et de son fidèle Villegomblain, le gibier royal, emblématique et **surabondant**, le gibier le plus chassé est sans conteste le cerf. On le chasse davantage que le lièvre, autant que les oiseaux. Sous Louis XIV, deux siècles plus tard, les cerfs sont toujours là en abondance, les oiseaux aussi : la capitainerie a joué son rôle. Mais ensuite, en quelques décennies, tout change : le braconnage se développe, et lorsque le maréchal de Saxe arrive, il a bien du mal à apercevoir un cerf ou à tirer un faisan, au point qu'une de ses premières initiatives est de demander au roi des fonds pour installer une faisanderie. Mais en un an, il **abat** trois cents sangliers. Polignac, une fois la capitainerie **abolie**, doit se contenter de lapins et de sangliers. Après la Révolution et vingt ans de braconnage, les sangliers sont toujours là et les faisans ont disparu. On n'aperçoit guère de cerfs ou de chevreuils. Les

déboisements timber cutting
opérés brought about
emprise influence

perdreau young partridge
change trick of an animal that diverts his pursuers in the footsteps of another animal

reboiser reforestation

faune fauna

résineux conifers

vivier reserves, stock source
dépourvues depleted
aménagea outfitted
élevages breeding grounds
enclos sheepfold, enclosed plot of land
mouflons a type of wild mountain sheep

déboisements opérés par la veuve Berthier laissent une forêt au minimum de son **emprise** historique : elle occupe alors moins de la moitié du parc ; elle a abandonné la place un peu partout à des landes. Arrivent ensuite les scrupuleux régisseurs du comte de Chambord, les plans de chasse, le reboisement progressif et le recrutement de nombreux gardes : les cerfs reviennent comme par enchantement et le petit gibier se développe. Les sangliers se font rares. Au milieu du xixe siècle, on vient à Chambord pour chasser le **perdreau** ou la biche. On peut aussi chasser confortablement le cerf à courre, car le risque de **change** est faible. Un siècle plus tard, les pillages de l'Occupation produisent des effets prévisibles, et à la Libération, Chambord est à nouveau le paradis des sangliers. À la fin des années 1940, il faut se lever tôt pour apercevoir un cerf, il n'y a presque plus de chevreuils, ni de petit gibier. L'État se pose alors une grave question : en ce temps de reconstruction, sur quels principes doit être fondée la reconstitution du parc de Chambord ? Faut-il favoriser le cerf ? Faut-il s'occuper d'abord de **reboiser** ? Le débat n'est ni anodin, ni théorique. Depuis des temps immémoriaux, les services des Eaux et Forêts détestent les cerfs parce qu'ils mangent les arbres. Et les chasseurs détestent de tout temps les services des Eaux et Forêts. La première réponse, en 1945, fut ambiguë : on donna la priorité au reboisement, qui avait une administration pour la défendre, mais on n'oublia pas la **faune**. Les années d'après-guerre furent marquées par la replantation de mille hectares du parc, en **résineux** malheureusement, car on était pressé. Côté gibier, on songea à créer une réserve. Pendant la guerre, le grand gibier avait été décimé dans toute la France. On institua à Chambord une réserve nationale destinée à fournir un **vivier** pour le repeuplement en cerfs des forêts **dépourvues**. On **aménagea** des **élevages**. On introduisit même, dans un **enclos** à proximité du château, quelques **mouflons**, race qu'on croyait menacée d'extinction dans son habitat naturel, la Corse. On remit en service une faisanderie. On introduisit aussi des cerfs

repris au filet netted
Rhéno-Palatin The German state of Rheinland-Pfalz (Rheno-Palatinate) bordering France
relâchés released

autochtones native

bouton de l'équipage *hunter that had the right to wear the colors of the crew*
de bout en bout *from end to end*
brume *mist*
daguet *young stag*
perches *antlers, perches*

piqueux *hunter's assistant*

l'hallali *the kill*
n'en déplaise aux âmes sensibles *even if sensitive souls don't like it*
en m'acquittant *while performing*

auparavant prior

affectataire administrator

étrangers : en 1948, onze grands cerfs **repris au filet** dans l'état **Rhéno-Palatin** furent **relâchés** dans le parc, pour régénérer le sang des cerfs chambourdins. En 1950, on fit de même avec six cerfs sikas, petits cervidés d'origine asiatique. (Ce fut un échec, fort heureusement : les sikas en quelques mois disparurent sans descendance visible, tués par les cerfs **autochtones**). Afin de rendre l'objectif de réserve de faune compatible avec le reboisement, on repensa radicalement la chasse : on décida de cesser définitivement de chasser le cerf. Les battues furent interdites. La dernière chasse à courre eut lieu le 1er mars 1947. M. Maurice Druon, qui y participait, en a fait un récit dans une lettre adressée au directeur de la réserve en 1998.

Vous signalez, écrit-il alors, *que la dernière chasse à courre à Chambord eut lieu le 1er mars 1947. J'y étais. J'étais même pratiquement le seul* ***bouton de l'équipage*** *Vouzeron-Sologne présent ce jour-là qui put suivre la chasse* ***de bout en bout****.*

Il faisait un temps de ***brume****. Le château apparaissait, comme un songe d'Orient, au bout des allées que sautait l'animal, un grand* ***daguet*** *dont les* ***perches*** *étaient déjà fort honorables, en belle forme de lyre.*

Nous le prîmes, ou plutôt, pour être honnête, Laverdure le prit, Laverdure, le célèbre premier ***piqueux*** *de Vouzeron, qui a laissé un nom dans l'histoire de la vénerie.*

À ***l'hallali****, Laverdure me dit,* ***n'en déplaise aux âmes sensibles*** *: « C'est à monsieur de le servir. »*

Je ne savais pas ***en m'acquittant*** *de cette prérogative, moi jeune et modeste veneur, que j'accomplissai pour la dernière fois, à Chambord, l'acte rituel d'une tradition qui avait duré quatre siècles.*

Cette dernière journée tourna en effet une page d'histoire. Quelques semaines **auparavant**, le 1er janvier 1947, l'administration de Chambord avait été répartie entre différents ministères. La direction de l'Architecture fut désignée **affectataire** du château, des écuries du maréchal de Saxe et des parterres, soit vingt hectares. Le ministère des Finances (administration des

reçurent were assigned, received

charge responsibility
voies paths, lanes, roads (*literally:* lines)
circulation traffic flow

davantage encore even moreso

panneautait netted

tirs sélectifs culling (*literally*: selective shootings)
pour garantir la cohérence de la pyramide des âges to ensure consistency of the [stags'] population hierarchy

tirer la sonnette d'alarme sound the alarm

charpente mixte combined framework
béton armé reinforced concrete
fermes trusses
solives joists

s'écarter dangereusement splitting dangerously

Domaines) reçut le village, l'église et une des fermes, l'Ormetrou, soit un peu moins de deux cents hectares. Les Eaux et Forêts **reçurent** la forêt, les fermes incluses et le mur d'enceinte, c'est-à-dire plus de cinq mille hectares. Et les Ponts et Chaussées eurent la **charge** d'entretenir les **voies** principales de **circulation** (vingt-sept hectares). En juillet 1947, la réserve nationale de chasse de Chambord était en place. Son objectif n'était pas d'organiser des chasses, mais de faire vivre un conservatoire de grands animaux sauvages. Et bien évidemment, les premiers bénéficiaires de cette nouvelle doctrine furent les sangliers. Dès les années suivantes, la place qu'ils avaient prise imposa une gestion rigoureuse : on dut abattre deux cents sangliers par an au début des années cinquante, trois cents par an dans les années soixante, cinq cents par an dans les années soixante-dix, **davantage encore** après 1980. Comme il était logique de joindre l'utile à l'agréable, on réinventa tout naturellement les chasses mondaines, mais au sanglier. Les cerfs se multiplièrent. On ne les chassait plus à courre ni en battue. On les « **panneautait** » pour repeupler les forêts françaises. Mais comme il y en avait trop, on institua des **tirs sélectifs pour garantir la cohérence de la pyramide des âges** ; on invita des personnalités à y participer : on venait de réintroduire sans y songer la chasse au cerf. Que devenait le château pendant ces années-là ? Beaucoup était à reconstruire. Ranjard, l'architecte en chef, avait saisi l'occasion de l'incendie de 1947 pour **tirer la sonnette d'alarme** : il obtint de réaliser pour le château une révision générale. En 1950, les combles de la tour sud ravagés par l'incendie furent restaurés. Faute de trouver des poutres de chêne à la dimension nécessaire, Ranjard réalisa une **charpente mixte**, en **béton armé** pour les **fermes** et en bois pour les **solives**. Il répara, la même année, la corniche de la tour des Princes, qui, pour la troisième fois en quatre siècle venait de s'effondrer. Puis il s'intéressa à la chapelle. Les murs de l'édifice achevé sous Louis XIV étaient en train de **s'écarter dangereusement**. La charpente poussait sur les murs. Ranjard

chevrons rafters

quatre-chevaux an old Renault model that had a 4-horsepower engine
RN 20 the main route north-south before 1996
goût dix-huitiémiste sans compromis strict eighteenth-century taste
faisait la queue waiting in line
acquittaient purchased (i.e. were entitled to)
pour jouir du plaisir de s'y sentir chez eux to enjoy the pleasure of feeling at home [in the castle]

l'instar following the example

élus communaux elected city officials

y remédia en installant horizontalement des poutres en béton armé pour retenir les **chevrons**. Ensuite, il s'intéressa à la restauration du logis de François Ier, puis à celle des offices. Au milieu des années soixante, le château avait retrouvé fière allure. Il n'avait jamais été en aussi bon état. Le tourisme, pendant ce temps, devenait une affaire de masse. En 1952, le président Vincent Auriol, premier chef d'État à venir à Chambord depuis Louis XIV, inaugura un spectacle son et lumière. Le concept était nouveau ; il triompha. En quelques années, plus de deux cent mille spectateurs vinrent assister au spectacle à chaque saison. On faisait l'aller-retour de Paris pour le voir. François Ier mettait deux jours pour venir de Paris, Louis XIV pas moins ; le maréchal de Saxe avait fait le trajet en douze heures ; désormais, on le faisait en trois heures de **quatre-chevaux**, par la **RN 20** jusqu'à Orléans, puis par la RN 142. Un conservateur, Jean Feray, décora les appartements du maréchal de Saxe dans un **goût dix-huitiémiste sans compromis** ; on remeubla quelques appartements. Désormais, on **faisait la queue** pour entrer dans le château. Les Français, qui avaient payé trois fois le château, **acquittaient** un billet **pour jouir du plaisir de s'y sentir chez eux**.

Pompidou, Giscard, Mitterrand, trois manières d'aller à la chasse

La IVe République était une république de chasseurs. Les présidents du Conseil chassaient. Les ministres chassaient. Les secrétaires d'État chassaient. Les parlementaires chassaient. Les électeurs (ce qui explique tout le reste) chassaient. Dès la fin des années quarante, la question de chasser à Chambord se posa donc avec régularité. Chambord appartenant à la République, certains élus voulaient en faire un lieu de chasse pour les notables républicains, à **l'instar** de Marly et Rambouillet. Des riverains y auraient bien vu un territoire réservé à la fédération des chasseurs de Loir-et-Cher. Des **élus communaux** en auraient fait volontiers

en catimini on the sly

franche direct
nette clearcut

Or And yet

défonçaient demolished
grillages wire fencing
censés meant
semis seedbeds
prélèvement culling (*literally:* withdrawal)
garant guarantor

Le tour était joué The deed was done

La puissance invitante The accredited body

vinrent came [*simple past tense*]

un lieu réservé à la chasse des résidents, comme il l'avait été au temps lointain des comtes de Blois, avant le roi François Ier. Certains intervenaient **en catimini** ; quelques autres mettaient le débat sur la place publique. Mais pour tous, il y avait un problème juridique : le domaine avait été institué en réserve nationale de chasse, et donc en théorie interdit aux chasseurs. Une seule fois, la République s'accorda une **franche** et **nette** dérogation. En avril 1950, sur ordre de la présidence de la République (et rien n'est plus confortable pour une administration qu'un ordre de la présidence de la République), une chasse au faisan fut organisée dans le parc pour l'émir Mansour, fils du roi d'Arabie Saoudite, qui abattit quarante-sept oiseaux. Le préfet Mécheri, de religion musulmane, avait été prié de se joindre à la journée. Ce fut la dernière battue au faisan organisée à Chambord. On en profita pour réaffirmer la doctrine selon laquelle Chambord était une réserve. **Or** un domaine clos de murs, si vaste fût-il, ne pouvait supporter la prolifération du grand gibier. Les sangliers détruisaient les plantations des jeunes arbres. Ils **défonçaient** les **grillages censés** protéger les **semis**, ouvrant la voie aux cerfs qui dévastaient tout. En se multipliant, ils s'exposaient en outre à la consanguinité. Bref, il fallait chasser. Et comme la chasse n'était pas autorisée dans le parc de Chambord, on décida de l'appeler : « **prélèvement** ». Le « prélèvement » était l'affaire des gardes du Conseil supérieur de la chasse, **garant** de l'équilibre démographique du gibier. Et comme les gardes ne pouvaient pas tout faire, on considéra que le Conseil supérieur de la chasse pouvait déléguer la mission de prélèvement à des invités. À des parlementaires, par exemple. **Le tour était joué** : Chambord avait réinventé la battue officielle, en plus opaque. **La puissance invitante** était en théorie le Conseil supérieur de la chasse, mais très vite le ministre de l'Agriculture lança sa propre invitation, au profit de présidents de fédérations de chasseurs ou de députés amis. Des présidents du Conseil **vinrent** chasser, comme Joseph Laniel, avec leurs propres invités. Mais le

officieux unofficial

advenu become of

interpellé in question

munitions ammunition
chevrotine buckshot
cartouche interdite forbidden cartridge
résumait l'air du temps summed up/embodied the spirit of the times

destinées intended

puissance invitante host entity/party

à tour de rôle in turn

système était **officieux**, donc inquiétant. Il y eut des jaloux. Le *Journal officiel* en porte la trace : le docteur Dubois, sénateur de Loire-Atlantique, posa par exemple en décembre 1956, en plein débat sur la politique algérienne, une pressante question orale au secrétaire d'État à l'Agriculture, André Dulin. Le sénateur demanda au gouvernement :– le nombre exact des cerfs tués dans le parc de Chambord ;– en vertu de quels textes des cerfs avaient été abattus ; – quelle autorité supérieure avait donné l'ordre de tirer ;– ce qu'il était **advenu** des animaux tués ;– quelle sanction il comptait prendre contre les délinquants. L'affaire était cruciale. Elle agita le Conseil de la République. Elle aurait pu faire tomber le cabinet, car le ministre **interpellé** venait lui-même de tuer illégalement trois cerfs en battue à Chambord et s'en était vanté. (Les chasseurs se vantent toujours, même quand ils sont ministres, et c'est pourquoi il est illusoire d'organiser des battues clandestines.) Si le sénateur Dubois avait été parfaitement informé, il aurait pu demander encore au ministre avec quelles **munitions** les cerfs avaient été tués : un rapport nous apprend que le ministre en question avait utilisé la **chevrotine**, **cartouche interdite**. Bref, le débat sentait la fin de règne. Une fois de plus, Chambord **résumait l'air du temps** de la politique française. À Chambord comme ailleurs, l'année 1958 marqua un tournant, et comme ailleurs en France, ce changement consista en une « rationalisation ». L'État décida de cesser de jouer sur les mots : il y aurait à Chambord des battues officielles, **destinées** à réguler la population des sangliers, et en outre des tirs sélectifs, destinés à réguler la population de cervidés. Le nombre des battues serait fixé par arrêté public. La **puissance invitante** serait le gouvernement ou, à l'occasion, son représentant dans le département, le préfet de Loir-et-Cher. Les présidents de fédérations de chasseurs seraient invités **à tour de rôle**. Une battue particulière serait offerte, comme avant 1498, aux résidents de la commune. Chambord étant ainsi sorti de la clandestinité, les présidents de la Ve République furent invités à

l'éloignait distanced him
gouailleuse cocky, mocking, cheeky
méridionale relating to the South
débraillée untidy, slovenly
culs-serrés tight asses
Purdeys an English make of shotguns
était issu de came from

autant dire which is to say
un oiseau rare rather unusual, an oddball (*literally:* a rare bird)
confondue fully identified (with him)

se montra puts in an appearance
se postait positioned himself
à bizuter to break in/haze
Encore raté Missed again

agrément approval, consent

agacé nettled, annoyed
voire or even, not to say
hautain haughty

ressort drive, motivation
banquiers bankers

quelque chose qui relevait d'une revanche sociale something that came close to being social pay-back/revenge

prendre position. Le premier d'entre eux, le général de Gaulle, n'était pas chasseur. Tout, dans sa culture et ses références, **l'éloignait** de la France **gouailleuse**, **méridionale** et **débraillée** qui avait investi les grandes fédérations de chasse dans les années cinquante. Et il ne se sentait pas d'affinités non plus avec la France des **culs-serrés** en loden qui massacraient des faisans à Rambouillet avec une paire de **Purdeys**, entre deux conseils d'administration. Quant à la vénerie, l'homme du 18 Juin ne l'aimait pas non plus, car il **était issu de** l'Infanterie, reine des batailles, méfiante aux chevaux et aux équipages. De Gaulle était un général au caractère aristocratique et à l'intelligence républicaine, **autant dire un oiseau rare**. Et c'est pourquoi la France s'était reconnue en lui : reconnue, mais jamais **confondue**. De Gaulle était un mythe : un mythe ne va pas à la chasse. Les chasseurs aiment à se comparer. Ce n'était vraiment pas le genre du général que de se comparer. Une fois élu président, de Gaulle **se montra** aux battues présidentielles de Rambouillet et de Marly, sans porter de fusil. Il **se postait** derrière un invité de son choix, en général un ministre **à bizuter**, et quand le coup était manqué, il disait à mi-voix : « **Encore raté** ! » Il ne vint jamais à Chambord. Il convoqua une seule fois une battue au sanglier dans le parc, le 24 février 1963. Mais il laissa ses invités s'amuser entre eux. Parmi ces derniers, le Premier ministre Georges Pompidou prenait un plaisir évident. De Gaulle observait avec un **agrément** un peu **agacé**, **voire** un peu **hautain**, l'évolution de son chef de gouvernement qui, au fil des années, devenait de plus en plus fou de chasse en général, et de chasse au gros gibier en particulier. Dans l'esprit du général, il y avait dans le goût de Pompidou pour les battues le même **ressort** que dans sa prédilection pour les Porsche, les **banquiers** et l'art contemporain : quelque chose qui n'était pas le tout du personnage mais qui quand même était bien là, **quelque chose qui relevait d'une revanche sociale**, quelque chose de très nouveau riche. Pompidou aimait la France, mais pas comme de Gaulle l'aimait :

avec gourmandise greedily
leur proposait du feu offered them a light
cognait clinked
Duralex a very common brand of French glassware
violacé purplish, purple-blue (*implication:* not of fine quality)
contre celui des paysans with those of the peasants
tout-terrain all-terrain

sénégalais Senegalese
à l'affût lying in wait
se lâcha revealed his true nature

Il s'attacha à faire du château un haut lieu de l'État He became attached to the idea of making the castle a sort of mecca for the government
valoriser add value, advance
DS an "executive" model of Citroën, manufactured from 1955 to 1975, named the "most beautiful car of all time" and noted for its extraordinary comfort (the acronym DS sounds like *déesse* or goddess)
coffre trunk
foudre s'abat lightning strikes
rares few
malheureux unfortunate ones
morose glum

il ne la vénérait pas comme la Madone aux fresques des murs : il l'aimait **avec gourmandise**. À la chasse, il faisait plaisir à voir. Il offrait des cigarettes aux gardes, il **leur proposait du feu**. Le soir, il **cognait** son verre **Duralex** rempli d'un vin rouge un peu **violacé contre celui des paysans**. Les gens de Chambord s'en souviennent : « Il n'était pas fier. » En réalité, Pompidou était un chasseur **tout-terrain**. Il aimait les chasses populaires et il aimait les chasses de banquiers. Il avait été initié sur le tard à la chasse au sanglier par un de ses amis, l'industriel François Sommer, qui l'invitait dans son magnifique domaine de Belval, dans l'est de la France. Disposer de Chambord, pour Pompidou, c'était aussi une façon d'en mettre plein la vue à Sommer. Tant que de Gaulle était là, Pompidou resta discret, appliquant le proverbe **sénégalais** de son ami Senghor : « Le chasseur **à l'affût** ne tousse pas. » Une fois le Général parti, Pompidou, devenu lui-même président de la République, **se lâcha**. Chambord reçut enfin un statut de chasse présidentielle. On y vit le président assez régulièrement (jamais un autre jour que le dimanche). Il y fit des tableaux de plus en plus spectaculaires. **Il s'attacha à faire du château un haut lieu de l'État**. Dès le lendemain de son élection, Pompidou se préoccupa de **valoriser** le domaine dans le respect des idées du père fondateur, François Ier. L'occasion lui en fut donné par une chasse de décembre 1969 qui se passa mal. Un dimanche, Pompidou arrive tôt matin, dans sa **DS** présidentielle, fusil dans le **coffre**. Il arrive même un peu trop tôt. Il note avec colère que les choses n'ont pas été bien préparées. Il veut demander des explications au préfet : le préfet n'est pas arrivé. La **foudre s'abat** sur les **rares malheureux** présents. Revenu à Paris après une chasse **morose**, Pompidou explique au secrétaire général de l'Élysée que le domaine de Chambord n'est pas bien tenu, et pour la simple raison qu'il n'y a là-bas aucun patron à qui s'adresser, que les Valois avaient sur place un gouverneur, sûrement pas sans raison, et qu'il est urgent de créer un poste de responsable sur place. « Prenez là-dessus l'avis de François

avec la part de with the usual share of
mauvaise foi bad faith, dishonesty
hors organigramme off the organizational chart
qui signe d'ordinaire which generally indicates
courroux wrath
L'Administration, qui en ces temps reculés est encore très efficace, s'exécute en peu de temps The Administration, which in those bygone times was still very efficient, carried it out in short order
s'en mêle gets involved, meddles
mordu de chasse crazy about hunting
étendu vast, extensive

mettre sur pied set up, establish, found
partenariat partnership

en amont du Cosson upstream on the Cosson River
aires de vision viewpoints

est lancé is launched
assailli thronged, deluged

rivés riveted
taux de croissance growth rate

affût blind, lookout spot
Il se rend quand il peut à Chambord He goes to Chambord whenever he can

Sommer, lui au moins sait de quoi il parle », conclut-il. Nous avions là une vraie colère présidentielle, **avec la part de mauvaise foi**, d'impatience et d'appel à un expert **hors organigramme qui signe d'ordinaire** le **courroux** d'un grand patron. **L'Administration, qui en ces temps reculés est encore très efficace, s'exécute en peu de temps**. Sommer est associé à un groupe de travail monté par Bernard Pons, secrétaire d'État à l'Agriculture. Pierre Juillet **s'en mêle** aussi. Un décret est rédigé sous la plume d'un jeune membre du Conseil d'État **mordu de chasse**, Renaud Denoix de Saint-Marc. Quelques mois plus tard est nommé un commissaire à l'aménagement du domaine de Chambord, doté d'un pouvoir de coordination très **étendu**, Christian Dablanc, qui a le double mérite d'être préfet et chasseur. Dablanc n'arrive pas les mains vides : il dispose de crédits importants afin de poursuivre la restauration du château et ouvrir de nouvelles salles au public. Il est chargé de **mettre sur pied**, en **partenariat** avec la fondation François-Sommer, un musée de la chasse dans des salles du second étage. On lui demande aussi de remettre en eau les douves du château comblées par le roi Stanislas Leszczynski, de réaliser le plan d'eau **en amont du Cosson** prévu par le maréchal de Saxe, d'installer des **aires de vision** du gibier pour les touristes, d'aménager des parkings, de restaurer les maisons du village et de rénover le mur d'enceinte. Pompidou est pressé, l'Administration fait diligence. Le projet d'inscription de Chambord au patrimoine mondial de l'Unesco **est lancé**. En quelques mois, Chambord devient un haut lieu culturel, environnemental et touristique, **assailli** par les visiteurs en été, idéal pour des chasses de prestige en hiver. Chambord sous Pompidou est à l'image de la France de l'époque : prospère, conquérant et les yeux **rivés** sur les **taux de croissance** (le nombre d'entrées payantes au château progresse à cette époque de 15 % par an). En hiver, quand les touristes sont partis, Pompidou aime passer une journée dehors, à attendre les sangliers dans un **affût**. **Il se rend quand il peut à Chambord** avec ses collaborateurs et ses

il est en train de mourir he is dying

qui se traduit par which translates into
douce-amère bittersweet
déversée dumped, unloaded
lâche blurts out
retient son souffle holds their breath
rares infrequent
propos words, remarks
défiguré disfigured
bouffi puffy
casser la croûte to have a bite to eat, to break bread (*literally*: break the crust)

à prétendre qu'il sait se ménager in professing to know how to take it easy/spare himself

proches : Serge Dassault, le sénateur Verdeille, le baron de Rothschild, le chancelier de l'ordre de la Libération Hettier de Boislambert, Antoine Veil, Alain Peyrefitte, Lefranc... Il n'y va pas aussi souvent qu'il le voudrait. De 1971 à 1974, il invite à huit chasses, mais il ne peut participer qu'à quatre d'entre elles, le 9 janvier 1971, le 5 février 1972, le 4 mars 1972 et le 26 janvier 1974. La dernière chasse est poignante. Pompidou est malade. En réalité, **il est en train de mourir**. Le sujet est tabou. Pour cet homme de pouvoir passionné de la vie, la maladie est une injustice insupportable. Il passe la journée à faire comme si de rien n'était, mais dans une profonde mélancolie **qui se traduit par** une ironie **douce-amère déversée** sur ses proches. À Alain Peyrefitte qui vient de publier son *Quand la Chine s'éveillera*, il **lâche** : « Maintenant je comprends à quoi il a servi que je vous envoie en mission à Pékin. » Tout le monde **retient son souffle**. Tout le monde attend religieusement les **rares propos** du président **défiguré** par la maladie, **bouffi** et souffrant, qui impose à ses invités de **casser la croûte** à midi dans une cabane modeste qu'il a fait aménager près de l'étang de la Thibaudière. Soixante sangliers sont tués à la fin de la journée, mais pas un par le président qui a renoncé à porter un fusil. Cette battue au sanglier dans une atmosphère de fin du monde n'est pas sans rappeler la chasse du 21 novembre 1750 organisée par le maréchal de Saxe moribond. Le soir, au moment du tableau de chasse, Pompidou, stoïque, prononce des mots d'au revoir que tout le monde entend comme des adieux. (« C'est l'hiver, il fait froid, l'heure est opportune pour songer aux beaux jours disparus... », dit-il à peu près, à la lumière des flambeaux.) La plupart des personnes présentes ne le reverront plus. Il meurt le 2 avril. Avec Valéry Giscard d'Estaing, un style opposé s'impose. Pour commencer, les battues du dimanche sont désormais organisées le samedi. Elles sont cérémonieuses. Giscard trouve une certaine gloire **à prétendre qu'il sait se ménager**. Il fait dire qu'il a besoin de huit heures de sommeil, que les réunions de travail pendant le week-end ne sont pas son genre, que le

Il faut entendre par là It should be understood

traitement à part preferential treatment

en fin de compte when all was said and done, in the end
le tir à l'approche approach shot [a type of low-key hunting done at sunrise or sunset, consisting of stalking quarry on foot and shooting at a fair distance]

sans préavis without warning
crisser crunch
graviers gravel
pour éviter d'ébruiter to keep word from getting out about

calvitie baldness
expédia sent
adjoint assistant
demanda qu'elle fût pourvue d'un confort minimum asked that it be fitted out with a minimum of comforts
groupe électrogène generator

ministres sonores important ministers
prirent leurs aises made themselves comfortable
interpellaient hollered (at)
exigeaient de les avoir à leur botte insisted on having them under their thumb/heel
délétère insufferable, insupportable

dimanche il disparaît. Les gardes, aujourd'hui retraités, n'ont pas conservé un aussi bon souvenir des battues giscardiennes que des journées pompidoliennes. Giscard, disent-ils, était « fier ». **Il faut entendre par là** qu'il pouvait oublier de dire bonjour. Et quand Pompidou, à la chasse, se faisait traiter exactement comme tout le monde, le président Giscard d'Estaing demandait au contraire un **traitement à part**, c'est-à-dire un poste susceptible de voir passer davantage d'animaux à tirer. Ce n'était pas facile, car les sangliers, **en fin de compte**, passaient où ils voulaient. Cependant, la vraie passion de Giscard n'était pas la battue : c'était **le tir à l'approche** pratiqué en solitaire, sous la seule conduite d'un garde silencieux. Giscard y excellait. Il venait chasser le cerf à Chambord en semaine, en secret, seul, quand il pouvait. Un jour, vers la fin des années soixante-dix, il s'annonça **sans préavis**, exigeant la discrétion. Il arriva au volant de sa voiture, se gara en faisant **crisser** les **graviers** devant la maison forestière des Réfractaires. Le commissaire à l'aménagement de l'époque, **pour éviter d'ébruiter** cette visite, enferma à clé sa secrétaire dans son bureau (elle parvint à sortir par la fenêtre et à rentrer chez elle, non sans avoir aperçu la célèbre **calvitie** présidentielle), et **expédia** son **adjoint** chez le coiffeur à Bracieux (« Si par hasard vous croisiez le président, au moins soyez bien coiffé. ») La petite cabane que Pompidou avait aménagé près de l'étang de la Thibaudière, Giscard **demanda qu'elle fût pourvue d'un confort minimum** : on y installa une cuisine, des sanitaires, un **groupe électrogène**, un lit. Là, au milieu du parc interdit, à des kilomètres de toute route, le président passa quelquefois la nuit. Le premier effet de l'élection de François Mitterrand en mai 1981, vu de Chambord, fut un changement dans la date des battues. Les chasses qui avaient lieu le dimanche sous Pompidou et le samedi sous Giscard furent à présent organisées le vendredi. Désormais, des **ministres sonores** arrivèrent en R 25 dès le jeudi soir et **prirent leurs aises**. Ils **interpellaient** les gardes, **exigeaient de les avoir à leur botte.** Un climat **délétère** s'installa. Mitterrand ne chassait pas, mais

palombes wood pigeons
les Landes a department in south-west France with a famous forest on the Atlantic
la Nièvre a department of central France having the Loire River as its western border
courir sur leur erre to drift along as they would
connurent experienced, came to know

assortissait ses demandes de petites colères added tiny fits to his requests

censément seemingly
en prenaient pour leur grade caught hell ('for their rank' is part of the expression but has no meaning as such)

tentaient de s'impliquer tried to get involved
Ils ne pouvaient pas grand-chose They couldn't do much
un pouce de terrain an inch of (maneuvering) room/space (*literally:* a parcel of land)

sifflement ringing (*literally:* whistling)

beaucoup de ses amis étaient chasseurs, et lui-même se sentait proche de la chasse par son caractère et son éducation. Il avait un frère maître d'équipage en Charente, des amis amateurs de **palombes** dans **les Landes**, d'autres coureurs de lapins dans **la Nièvre**. Pour Chambord comme pour le reste, le nouveau président s'en remit à ses fidèles. Il créa un Comité des chasses présidentielles, l'offrit comme un jouet à François de Grossouvre[28], et laissa les choses **courir sur leur erre**. Les chasses de Chambord **connurent** alors, et paradoxalement, une manière de privatisation : Grossouvre décida de tout. À Chambord, il était chez lui. Il lui fallait les meilleurs postes, les meilleurs animaux à tirer. Il décidait lui-même des plans de chasse, surveillait le personnel. Il venait à l'improviste. Il organisait sous sa présidence des dîners au château. Il **assortissait ses demandes de petites colères**. Bref, il procédait comme naguère Saumery. Les postes des battues étaient tirés au sort entre les invités de M. de Grossouvre, mais seulement après que M. de Grossouvre eu choisi le sien, **censément** le mieux placé. Et si les sangliers n'y passaient pas, les gardes **en prenaient pour leur grade**, le soir après la chasse. Parfois, des ministres de forte autorité, comme Gaston Defferre, ou des proches de fort caractère, comme Michel Charasse, **tentaient de s'impliquer**. **Ils ne pouvaient pas grand-chose**. Grossouvre ne lâcha pas **un pouce de terrain**. Il vint de plus en plus souvent à Chambord pour essayer des armes de collection qu'il achetait en grand nombre. Quelques jours avant de se suicider dans son bureau de l'Élysée, il était à Chambord, en pleine dépression. À force de tirer à la carabine depuis des années, il était devenu presque sourd. Il se plaignait d'un **sifflement** insupportable à l'oreille droite. Plus grave, il avait perdu, croyait-il, la confiance du président de la République. Grossouvre essaya

---

28 François de Grossouvre (1918-1994) French politician charged by President Mitterrand with overseeing national security and sensitive matters (Middle East, Gulf countries, *et.al.*). He was found dead by gunshot wounds at the Élysée Palace, but his death was classified as a suicide.

arpentait strode around

en retrait in the background
dérangés disturbed
bondissaient leapt around
interpella upbraided

soubresauts fits and starts, rough patches (*literally:* jolts, jerks, shudders)

déplorer regret
politiques chevronnés seasoned politicians

une nouvelle carabine, partit chasser à l'approche avec le directeur de la réserve qu'il avait réquisitionné, mais, ce jour-là, c'était un homme souffrant qui **arpentait** le parc. Mitterrand aimait les clins d'œil à l'Histoire. En 1987, il invita à Chambord le chancelier Helmut Kohl pour un sommet franco-allemand. La dernière visite d'un chef d'État étranger à Chambord remontait à 1539, lorsque l'empereur Charles Quint était venu à l'invitation de François Ier. La dernière réunion internationale s'était tenue en 1553, quand Henri II avait ratifié l'accord créant un empire germanique sous protectorat français. Depuis, aucun événement politique majeur n'avait eu lieu au domaine. Parler d'Europe avec les Allemands, Mitterrand trouvait significatif, et peut-être amusant, de le faire à Chambord. Les deux hommes eurent de longs tête-à-tête. Ils partirent marcher le long du Cosson. Comme le commissaire Christian Mary avait fait disposer discrètement des gendarmes **en retrait** des deux rives pour leur sécurité, des cerfs et des sangliers, **dérangés**, **bondissaient** devant les promeneurs enchantés. Mitterrand n'était pas dupe. Il **interpella** le commissaire : « Voilà le magicien ! »

Un programme d'aménagement

Chambord aborda le xxie siècle en pleine forme. Le château était dans un état de conservation qu'il n'avait pratiquement jamais connu ; le mur du parc était réparé sur toute sa longueur ; environ huit cents grands cervidés et mille sangliers vivaient dans la forêt ; près d'un million de visiteurs, dont la moitié étrangers, venaient chaque année visiter le domaine. Certes, il y avait de petits **soubresauts**. Le président Chirac avait décidé après son élection de supprimer les chasses présidentielles. Du coup, en 1996, la population de sangliers avait doublé dans le parc. Il fallut en éliminer plus de mille au cours de l'année suivante. Mais le rythme des saisons reprit vite son cours. Les battues n'étaient plus « présidentielles » : elles furent « officielles ». Personne n'eut à **déplorer** ce changement, sauf quelques **politiques chevronnés**

en dépit de despite
flatteuses flattering
lézardait *here:* was breaking down/showing signs of cracks

supportable avec une implication directe de l'Élysée bearable only with the direct involvement of the President [who lives and works in the Élysée Palace]
plafonnait reached its upper limit
querelles disputes

enjeu issue, problem

arbitré decided by an arbitrator

redressé put right again, straightened out
renouveau renewal, revival

qui déplorèrent que la République se prive ainsi, et sans la moindre contrainte, d'un outil unique au monde de relations publiques, qui dans le passé avait rendu bien des services, notamment dans les questions internationales. Il faut dire qu'à Chambord, et **en dépit de** quelques apparences **flatteuses**, l'efficacité de l'administration, signe des temps, se **lézardait**. Un programme d'aménagement voulu par le président Pompidou n'avait toujours pas été établi en 2000. La balkanisation du domaine entre six ministères et trois établissements publics, **supportable avec une implication directe de l'Élysée**, était devenue un facteur d'immobilisme. L'entretien du château recommençait à donner du souci. La fréquentation touristique **plafonnait**. L'insertion de Chambord dans la vie culturelle de sa région tardait à se concrétiser. Des **querelles** classiques de compétence occupaient l'énergie et le temps des organismes de gestion. Le dossier fut ouvert à l'automne 2000. Il fallut attendre le printemps 2002 pour qu'un programme général d'aménagement soit approuvé. Ce programme, et c'était son **enjeu** principal, proposait de créer à Chambord un établissement unique, chargé de la forêt comme du château, capable de faire de ce lieu, qui avait demandé tant d'argent aux Français depuis cinq siècles, un centre de profit. Le projet fut **arbitré** au début de l'été 2003. Le domaine retrouvait l'unité voulue par François Ier. À l'image de la France, Chambord avait vécu des guerres et des révolutions, « allant et venant sans relâche de la grandeur au déclin, mais **redressé**, de siècle en siècle, par le génie du **renouveau** ».

A Conversation with

Xavier Patier

author of

Le roman de Chambord

conducted
by Alan Baumann

Recorded in January 2009
at Studio Colosseo, Rome

Transcribed and edited by
Alan Baumann
Art&Media Communications

Nous sommes en ligne avec Monsieur Xavier Patier, directeur des Journaux officiels et de la Documentation française. Monsieur Patier a pratiquement fait toute sa carrière dans l'administration publique, en travaillant aussi auprès de Simone Veil et avec Jacques Chirac. Entre les années 2000 et 2003, il a été commissaire à l'aménagement du domaine national de Chambord. Il a écrit des romans et l'essai « le Château de Chambord ».
Monsieur Xavier Patier, s'il vous plait : quel est à votre avis le rapport entre la nature, la culture et l'homme ?

Oh! Enorme sujet. La nature, la culture et l'homme... Je ne sais pas répondre de manière globale à cette question, mais je peux dire la manière dont le bâtisseur de Chambord, c'est à dire le roi François I le voyait. François I c'est un roi de la renaissance, donc qui est né au XVe siècle, qui est né au moyen âge et qui a vécu au XVIe siècle plutôt et il a toujours considéré que la nature et la culture se nourrissaient mutuellement, c'est à dire qu'il a beaucoup investi dans le temps, dans la chasse par exemple et dans la lecture. On sait par exemple que dans sa bibliothèque – à l'époque les livres étaient des incunables qui valaient chers que des maisons, il avait tous les livres de chasse qui avaient été publiés en Europe et donc pour lui être un homme c'était un homme capable de cultiver la nature ou de mettre de la nature dans la culture.

Vous avez écrit « le Silence des termites » *et* « La Foire aux célibataires » *qui sont deux romans. L'essai* « Le roman de Chambord » *est le témoignage des années que vous avez passé à Chambord ? Avez vous voulu transmettre aux lecteurs vos émotions couronnées par les faits historiques?*

Le roman de Chambord c'est un livre qui présente l'historie de ce château comme l'histoire d'une personne. C'est un château qui a été construit assez vite à l'époque, en quelques années.

Une vingtaine d'années le plus gros a été fait et on s'est toujours demandé ce que François Ier avait voulu faire pour construire un château à cet endroit qui était loin de toute ville, en un zone marécageuse et – en faite on se rend compte d'ailleurs François il l'a dit lui-même, il a voulu faire un acte gratuit c'est à dire un manifeste politique : c'était pas un château à destiné à abriter une cour, s'était pas un château destiné à un usage militaire, c'était pas non plus un symbole de pouvoir parce qu'il était en pleine campagne et que… et qu'il n'était pas au milieu de la population. C'était un acte gratuit, hymne à la nature, hymne à la chasse et aussi une revanche contre l'histoire. François Ier a commencé à construire le château après avoir renoncé à la couronne d'Empereur qui avait été finalement attribuée a Charles-Quint son rival.

Oui, je me suis décidé à écrire ce livre parce que j'avais vécu trois ans è Chambord dont j'avais eu la responsabilité. Si, c'étais une manière de payer la dette que j'avais à cet endroit qui est vraiment un endroit qui marque beaucoup et j'avais également envie d'essayer de faire une synthèse - je ne suis ni historien, ni architecte – et de faire une synthèse – que cette historie pouvais nous dire à nous, c'est-à-dire comment est-ce que un bâtiment aussi mal commode, aussi démesuré, a pu traverser cinq siècles – au cœur de l'histoire et en même temps à la marge de l'histoire. Donc c'était ça ; l'idée de ce texte c'était payer une dette à un lieu qui m'avait très profondément marqué. Et c'est faire aussi le point sur ce – sur ce que j'en avais retenu.

Monsieur Patier, qu'est ce que signifie être à la tète de la Documentation française ?

L'Administration française est une administration de l'état français qui a été créé en 1945, qui est l'éditeur un peu officiel de l'Etat, C'est-à-dire une maison qui publie des rapports mais qui publie aussi des études, qui publie une dizaine de revues, des revue d'actualité, qui publie également un certain nombre de collection d'essais – et qui ont toutes comme caractéristiques d'être sous un abel qui est un abel non pas du gouvernement – ce n'est pas de la littérature politique – mais de l'administration. C'est aussi un service qui développe beaucoup de prestation internet en ligne, un site qui s'appelle service publique qui donne tous les renseignements administratifs sur internet ; c'est aussi des services de plateau de tout renseignement téléphonique aux plus âgés et enfin la Documentation française est en plein restructuration parce qu'on vient de la fusionner avec la *Direction des journaux* officiels et donc on a maintenant aux près du Premier Ministre à Paris, une administration qui s'appelle la *Direction de L'Information Légale et Administrative*, qui regroupe toutes le fonctions de diffusion du droit, c'est-à-dire le journal officiel, de diffusion de la transparence économique et aussi l'édition. Voila donc, ce sont des marques qui sont très importantes et qui sont très anciennes. Le journal officiel c'est une création qui remonte au XVIIe siècle; la Documentation française, c'est l'immédiat après guerre et donc c'est un peu la parole de l'Etat dans le contexte de la surinformation générale qui caractérise la période d'aujourd'hui.

Comment préservez-vous aujourd'hui les témoignages du passé ?

Alors, le témoignage du passé, le premier souci c'est la préservation physique… et bien c'est la numérisation – c'est d'abord ça quand on parle de préserver le passé. C'est d'abord s'assurer que les supports, que les bibliothèques sont entretenues, que les supports sont numérisés, que – ils sont transmissibles et une fois que ce travail physique est fait c'est évidemment – actuellement un travail de pédagogistes. C'est-à-dire que nous sommes actuellement – nous avons en Europe des générations un peu amnésiques, qui ont une mémoire immédiate très forte et – et notamment en France une grande méconnaissance du temps long et le travail que nous avons à faire, c'est aussi de rappeler le temps long. L'Europe n'est pas une création du traité de Lisbonne, ni même d'une création du traité de Rome. C'est une aventure humaine qui est dans son troisième millénaire. C'est ça aussi qu'il faut pouvoir rappeler.

Dans votre essai « Le Château de Chambord », vous passez du passé au présent sans gêner le lecteur. Vous témoignez l'histoire en introduisant le lecteur, sans aucune coupure dans le déroulement de l'essai.

Oui, j'essais en effet de montrer la continuité plutôt que la rupture, et donc j'ai effectivement alterné le passé et le présent. Les personnages dont je parle sont extrêmement proche de nous. C'est-à-dire que – ils vivaient dans un monde très différent, essentiellement pour des raisons technologiques, mais au bout – au bout du sujet ils étaient extraordinairement proches de nous : les querelles de pouvoir, les querelles d'amour propre, les questions de santé, les questions de projection dans l'avenir, elles sont très familiales. Lorsque on commence à approfondir la connaissance d'un personnage historique, le maréchal de Saxe, le Roi de Pologne, François Ier, on s'aperçoit à quel point ils sont nos frères ainés très proches; même quand ce sont des personnages par ailleurs assez extraordinaires, qui ont marqué leur génération.

Avez-vous monsieur Patier encore quelque chose à ajouter au sujet du livre?

Non je n'ai rien à ajouter.

Voulez-vous conseiller quelque chose pour ceux qui vont suivre le livre sur Linguality?

Et bien, je leurs dirait que ce livre il est fait pour aller voir l'endroit. Chambord est un endroit absolument exceptionnel parce que, précisément, c'est la nature la plus sauvage et c'est la civilisation la plus achevée donc c'est un des très rares lieux dans le monde où on voit ce que peut être l'humanisation réussite de la nature, donc je pense que le lecteur du livre aura finit ça lecture lorsqu'ils sera allé – allé voir sur place le héros du roman, qui est le Château de Chambord.

Oui. *Le roman de Chambord* n'est pas exactement un roman – plutôt c'est un roman dont le personnage principal est un château – et c'est un livre qui essaye de montrer comment, à travers le rêve d'un très jeune roi qui avait à peine vingt ans, a été construit un immense bâtiment, dans un endroit très sauvage au milieu de la foret, et comment ce château de Chambord qui a fasciné des générations, est arrivé jusqu'à nous intact, après avoir frôlé des évènements souvent extraordinaires, comme il a hébergé des personnages extraordinaires – et comment, encore aujourd'hui – il accueille de millions de personnes par an du monde entier et comment encore aujourd'hui, il transforme ceux qui viennent le voir. C'est un endroit qui souffle à l'esprit et *Le roman de Chambord* c'est l'histoire de cet endroit.

Nous vous remercions, Monsieur Patier, même de la part des lecteurs de Linguality, pour nous avoir fait respirer un air de culture, de nature, d'histoire.

Xavier Patier

Le directeur des Journaux officiels cumule son poste avec celui de directeur par intérim de la Documentation française alors que s'affine la fusion de la Documentation française et des Journaux officiels en une seule entité.

Né en 1958 en Corrèze, Xavier Patier est énarque, diplômé de l'Institut d'études politiques de Paris et titulaire d'une maîtrise de droit. Il a fait toute sa carrière dans l'administration, l'interrompant pendant 5 ans (2003-2008) pour prendre la vice-présidence du groupe pharmaceutique Pierre Fabre, où il a, à ce titre, présidé les éditions Privat et les éditions du Rocher, acquises en 2005 par le groupe et revendues en mars dernier à Parole et silence/Desclée de Brouwer.

Conseiller à la chambre régionale des comptes de Midi-Pyrénées (1983-1986 et 1992-1993), il a également exercé à l'ambassade de France au Sénégal comme deuxième conseiller (1989-1992). Il a travaillé auprès de Simone Veil (conseiller budgétaire de la ministre des Affaires sociales, de la santé et de la ville, 1993-1995) et avec Jacques Chirac comme chargé de mission au cabinet du président de la République (1995-1996).

C'est en tant que directeur de l'Agence régionale d'hospitalisation (ARH) de Midi-Pyrénées (1996-2000) qu'il a rencontré Pierre Fabre. Il a ensuite été commissaire à l'aménagement du domaine national de Chambord (2000-2003) avant d'intégrer le groupe pharmaceutique.

Il est aussi l'auteur d'une vingtaine de romans, publiés pour l'essentiel à la Table ronde, où vient de paraître la réédition en poche de La foire aux célibataires.